文春文庫

秘　密

東野圭吾

文藝春秋

目次

秘密

I

予感めいたものなど、何ひとつなかった。

この日夜勤明けで、午前八時ちょうどに帰宅した平介は、四畳半の和室に入るなりテレビのスイッチを入れた。しかしそれは昨日の大相撲の結果を知りたかったからにほかならなかった。今年四十歳になる平介は、これまでの三十九年余りがそうであったように、今日もまた平凡で穏やかな一日になるに違いないと信じていた。いや信じるというより、それはもう彼にとって既定の事実だった。ピラミッドよりも動かしがたいものだった。

だからテレビのチャンネルを合わせている時も、画面から自分が驚くようなニュースが流れてくることなど予想していなかったし、仮に世間を騒がせるような事件が起きていたにしても、それは自分とは直接関係のないものだと決めてかかっていた。

彼は夜勤明けには必ず見る番組にチャンネルを合わせた。芸能界のスキャンダルやスポーツの結果、昨日起こった事件などを、浅く広く教えてくれる番組だった。司会を務めているのは、主婦に人気のあるフリーのアナウンサーだ。人のいいおじさんといった風貌のその司会者が、平介は嫌いではなかった。

だが画面にまず映し出されたのは、その司会者のいつもの笑顔ではなく、どこかの雪山だった。ヘリコプターから撮影しているらしく、レポートしている男性の声に、ローターを回すエンジン音がかぶっている。

何かあったのかな、とだけ平介は思った。何があったのか、詳しく知ろうという気は起きなかった。当面彼が知りたいことは、贔屓《ひいき》の力士が勝ったかどうかということだけだった。その力士には、今場所大関昇進の夢がかかっているのだ。

平介は胸に社名の入ったジャンパーをハンガーにかけて壁に吊し、手を擦り合わせながら隣の台所に足を踏み入れた。三月半ばとはいえ、一日中火の気がなかっただけに、板張りの床は冷えきっていた。彼はあわててスリッパを履いた。チューリップの柄がついたスリッパだ。

彼はまず冷蔵庫を開けた。真ん中の棚に、皿に盛った鶏の唐揚げとポテトサラダが入っていた。その二つを取り出し、唐揚げのほうを電子レンジに放り込み、タイマーをセットしてスタートスイッチを押した。さらに薬缶《やかん》に水を入れると、火にかけた。湯が沸くのを待つ間に、お椀を洗いかごから見つけだし、食器棚の引き出しからインスタント味噌汁の袋を取り出した。味噌汁の袋の口を破り、中身をお椀の中に入れた。冷蔵庫の中には、ほかにハンバーグとビーフシチューが入っている。明日の朝はハンバーグにしよう、と彼は今から決めていた。

平介は、ある自動車部品メーカーの生産工場で働いていた。一昨年から班長を任されている。彼の職場では、班ごとに二週間の日勤と一週間の夜勤が繰り返されるようにスケジュールが組まれていた。そして今週は彼の班が夜勤の番だった。

生活のリズムを完全に狂わせられる夜勤は、まだ四十歳前の彼にとっても肉体的に辛いものがあったが、楽しみが全くないわけではなかった。一つは手当が出ることであり、もう一つは妻子と一緒に食事が出来るということだった。

この年、つまり一九八五年、世間の多くの企業と同様、平介の会社も極めて経営状態がよかった。生産量は順調に伸びているし、設備投資も活発だ。必然的に、平介たち現場の人間は忙しくなる。正規の終業時刻は五時半だが、一時間二時間の残業は当たり前、時には三時間ということさえあった。そうなると残業手当も半端な額ではなくなる。基本給よりも残業分のほうが多いというような事態も、珍しくなくなっていた。

だがそれだけ長く会社にいるということは、家にいる時間が短くなることを意味する。帰りが九時十時になってしまう平介は、平日に妻の直子や娘の藻奈美《もなみ》と一緒に夕食をとることができなかった。

その点夜勤の場合、午前八時には帰宅できる。それはちょうど、藻奈美が朝食をとっている頃だった。間もなく六年生になる一人娘と他愛のない話をしながら妻の手料理を食べることは、平介にとって何物にも代え難い楽しみの一つなのだ。夜勤の疲れなど、娘の笑顔を見ると、たちまち消し飛んでしまう。

それだけに、夜勤明けに一人で朝食をとるというのは味気ないものだった。そしてこの寂しい朝食は、今日から三日続くことになっていた。直子が、藻奈美を連れて長野の実家に帰ってしまったからだ。彼女の従兄が病死したとかで、その告別式に出席するためだった。末期癌とかで、死期の近いことは以前から伝えられていたので、突然の訃報というわけでもなかった。直子などは、今回の事態に備えて、新しい喪服を用意していたほどなのだ。

元々彼女一人だけが長野に行くことになっていた。ところが直前になって、藻奈美も行きたいといいだした。向こうでスキーをやりたいのだという。直子の実家のそばには小さなスキー場がいくつもあり、この冬にそこで初体験して以来、藻奈美はすっかりスキーの魅力にとりつかれてしまっていた。

せっかくの春休みというのに、仕事が忙しくてまともな家族サービスなどとてもしてやれそうにない平介としては、渡りに船といえなくもなかった。それで多少寂しいのは我慢して、藻奈美も一緒に行かせることにしたのだった。それに考えてみれば、もし藻奈美が行かなければ、平介が夜勤をしている間、彼女は一人で夜を過ごさねばならなかった。

薬缶の湯が沸くと、平介はインスタントの味噌汁を作り、すでに温め終わっている鶏の唐揚げを電子レンジから取り出した。そしてそれらをトレイに載せて、隣の和室にある卓袱台《ちゃぶだい》に運んだ。唐揚げもポテトサラダも、明日食べる予定のハンバーグも、明後日のメニューであるビーフシチューも、直子が作っていってくれたものだった。平介は炊事と呼べるものが、殆ど何も出来なかったのだ。ご飯でさえ、直子が出発前に大量に炊いていってくれたものだ。あとはそれをジャーに入れっぱなしにして、毎日少しずつ食べる予定だった。三日目を迎える頃には、ジャーの中の御飯は黄ばんでいるに違いなかったが、そのことで文句をいう資格は平介にはなかった。

卓袱台の上に料理を並べ終えると、彼は胡座《あぐら》をかいて座った。まず味噌汁を啜《すす》り、少し迷ってから唐揚げに箸を伸ばした。唐揚げは直子の得意料理であり、平介の大好物でもあった。

慣れ親しんだ味を楽しみながら、彼はテレビのボリュームを上げた。画面の中ではいつもの司会者が何かしゃべっていた。ただ、その顔にいつもの笑いはなかった。表情はどこか硬く、緊張して見えた。それでも平介は、まだそのことを重視してはいなかった。昨日のスポーツの結果はまだなのかなと、ぼんやり考えていただけだ。いつもは夜勤の途中にある休憩時間にテレビを見たりして相撲の結果を知るのだが、昨夜はたまたま見られなかったのだ。

「それではここで、もう一度現場の状況を訊いてみましょう。ヤマモトさん、聞こえますか？」

司会者の言葉の後、画面が切り替わった。先程の雪山のようだった。スキーウェアを着た若い男性レポーターが、少しひきつった表情でカメラのほうを向いて立っている。その後ろでは、黒い防寒服姿の男たちが、せわしなく動き回っていた。

「はい、こちら現場です。依然として、まだ乗客の捜索が続いております。現在までに発見された人数は、乗客が四十七名、運転手二名となっております。バス会社からの情報によりますと、このバスに乗っていた乗客数は全部で五十三名ということですから、まだ六人の方が、見つかっていないことになります」

ここで平介は、初めて真面目に画面を見ようという気になった。バス、という言葉が彼の心に引っかかったのだ。それでもまだ、強い関心を持ったというほどではなかった。ポテトサラダを口に運ぶ動作は止まらなかった。

「ヤマモトさん、それで、見つかった方々の安否のほうはどうですか。先程のお話では、すでにかなりの方がお亡くなりになったということでしたが」スタジオの司会者が訊いた。

「ええと、現在確認されております段階では、遺体で発見された方を含めまして、二十六人の方がお亡くなりになられております。残りの方は、すべて地元の病院に運ばれました」メモを見ながらレポーターはいった。「ただ、生き残った方々も、殆どの人がかなりの重傷を負っておられ、非常に危険な状態だということです。現在も、医師たちによる懸命の治療が続いています」

「それは心配ですねえ」司会者が、感情たっぷりにいった。

この時、画面の右下に手書きのテロップが出た。長野でスキーバスが転落事故、というものだった。

ここで初めて平介は手を止めた。そしてテレビのリモコンを摑むと、チャンネルを変えてみた。どのチャンネルでも、同じような映像が映し出されていた。彼は最終的に、NHKに合わせた。ちょうど女性アナウンサーが何かをしゃべろうとするところだった。

「引き続き、バス転落事故に関するニュースをお届けします。今朝六時頃、長野県長野市内の国道で、志賀高原を目指していた東京のスキーバスが崖から転落するという事故が起こりました。このバスは、東京に本社のある大黒交通のスキーバスで――」

そこまで聞いたところで、平介の頭は軽い混乱を起こした。いくつかのキーワードが、立て続けに耳に飛び込んできたからだった。志賀高原、スキーバス、そして大黒交通。

今回実家に帰るにあたり、直子が悩んだことがあった。それはどういう交通手段を使うかということだった。電車では、いささか不便なところに実家はあった。いつもは平介も一緒だから、彼の運転する十年来のマイカーがその交通手段だった。しかし直子は運転ができなかった。

不便でも電車を使うしかないだろう、というのが、とりあえず出された結論だ。ところがすぐに直子は、全く別の方法を見つけだした。若者たちが利用するスキーバスに便乗できないかということだった。シーズン中スキーバスは、国鉄東京駅前などから、多い日で二百本ほどが出発している。

たまたま直子の友人に、旅行代理店に勤めている女性がいたので、彼女に手配を頼んだ。するとちょうど空席のあるスキーバスが見つかった。グループ客が直前になってキャンセルしたということだった。

「ついてたわあ。これで後は、志賀高原まで迎えに来てもらえればいいんだもの。重い荷物を持って歩く必要もないし」空席があったという知らせを受けた直後、直子は胸の前で手を叩いて喜んでいた。

たしか、と平介はその時の記憶を辿った。それも、暗闇で階段を下りるように、おそるおそる辿っていった。

大黒交通、といっていたのではないか。東京駅を十一時に出る、志賀高原行きのスキーバスだ、と。

全身が、かっと熱くなった。続いて、じっとりと汗が滲み出した。心臓の鼓動が激しくなり、耳の後ろのあたりが、どっくんどっくんと脈打ち始めた。

一つのバス会社から、同じ場所に行くスキーバスが一晩に何本も出るとは考えられなかった。

平介はテレビににじり寄った。どんな些細な情報でも聞き逃すまいとした。

「それでは、亡くなられた方のうち、現在までに身元が身分証明書などで判明した方のお名前は次のとおりです」

画面に人の名前がずらりと並んだ。それを女性アナウンサーが、ゆっくりと読み上げていく。平介にとっては、知らない名前、聞いたことのない名前ばかりだった。

食欲は完全になくなっていたし、口の中はからからに渇いていたが、それでもまだ彼は、この悲劇が自分たちに関係しているかもしれないという実感を、完全には摑みきれないでいた。杉田直子や杉田藻奈美といった名前が読み上げられることを恐れながら、まさかそんなことはあるはずがないと、心の大部分では思っていた。自分たちにそんな悲劇が起こるはずがない――。

女性アナウンサーの声が止まった。身元のわかっている死者の名前が、すべて読み上げられたわけだ。直子の名前も藻奈美の名もなかった。平介は太く長い吐息をついたが、それでもまだ安心するわけにはいかなかった。身元のわかっていない者が、十人以上いるからだ。平介は、妻子たちが身元のわかるものを所持していたかどうかを考えた。だが明快な答えを見つけだすことはできなかった。

平介はリビングボードの上に置かれた電話機に手を伸ばした。直子の実家に電話してみようと思ったのだ。もしかしたらすでに到着していて、平介が無駄に心配しているだけかもしれなかった。いや、そうであることを彼は祈った。

しかし受話器を取り、番号ボタンを押そうとしたところで彼の指は止まった。電話番号がどうしても思い出せないのだ。今までこんなことは一度もなかった。直子の実家の番号は、何かの語呂合わせにすると非常に覚えやすく、事実覚えていたはずなのだ。ところがその語呂合わせ自体、忘れてしまっている。

仕方なく彼は、住所録を求めてそばのカラーボックスの中を探した。それはぎっしりと積まれた雑誌の下から見つかった。急いで『か』の頁を開ける。直子の旧姓は笠原というのだ。

ようやく目的の番号を見つけだした。局番の後の最後の四桁が、7053だった。それを見ても、どういう語呂合わせだったのか、思い出せなかった。

改めて受話器を取り、番号ボタンを押そうとした時だった。テレビの中のアナウンサーがいった。

「ただ今入りました情報によりますと、先程長野中央病院に運ばれた親子と思われる女性と女の子の二人は、女の子の持っていたハンカチのネームから、スギタという名字らしいということです。繰り返します。先程長野中央病院に運ばれた——」

平介は受話器を置いた。そしてその場で正座をした。

アナウンサーの声が耳に入らなくなっていた。耳鳴りがする。しばらくして、それが自分の唸り声であることに彼は気づいた。

ああ、そうだ、と彼は思った。

7053は、ナオコサンと覚えておくんだった——。

その二秒後、彼は激しい勢いで立ち上がった。

2

慣れない雪道を運転し、平介が長野市内にある病院に着いたのは、夕方の六時を少し過ぎた頃だった。会社に連絡したり、病院の位置を確認したりしているうちに、出発も遅れてしまったのだ。

三月だというのに、駐車場の隅には、寄せられた雪がどっさり残っていた。その雪にバンパーを少し突っ込む形で、平介は自分の車を停めた。

「平介さんっ」

彼が病院の玄関をくぐると、すぐに誰かが声をかけてきた。直子の姉の容子が駆け寄ってくるのが見えた。ジーンズにセーターという出で立ちで、化粧はしていないようだった。

容子は婿養子をとり、実家の蕎麦屋を継いでいる。

「二人の容体は？」挨拶もなしに、平介は尋ねた。

容子とは、家を出る前に電話で話している。彼女も当然事故のことは知っていて、何度か彼の家に電話をかけたらしい。だがまだ彼が帰宅していなかったので、連絡がつかなかったわけだ。

「まだ意識が戻らないんだって。今も、必死で手当してもらってるみたいだけれど」

いつもは風呂上がりのように血色のいい義姉の頰が、ひどく青ざめていた。彼女が眉間に皺を寄せた顔というのを、平介はこれまでに見たことがなかった。

「そうなんですか……」

長椅子の並んでいる待合室のほうで、誰かが立ち上がった。見ると、義父の三郎だった。隣に容子の亭主である富雄もいる。

三郎は顔を歪めながら近づいてきた。そして平介を見て、何度も頭を下げた。それは彼に対して挨拶をしているのではなかった。

「平介さん、すみません。ほんとにすみません」三郎は謝っていた。「わしが、葬式に出ろなんてことをいわなきゃあ、こんなことにはならなかった。わしの責任だ」

小柄で痩せている三郎の身体が、一層縮んで見えた。急激に老け込んだようでもあった。ふだん、豪快に蕎麦をうっている面影は、今の彼にはなかった。

「そんなこと、謝らないでください。二人だけで帰らせた私にも責任があります。それに、まだ助からないと決まったわけじゃないんでしょう？」

「そうよ、お父さん、今は二人が助かることを祈ってればいいのよ」

容子がそういった時、平介の視界の端に白いものが入った。医者らしい中年男性が、廊下の角から現れたのだ。

「あっ、先生」容子がその医者に駆け寄った。「どうでしょうか。二人の様子は」

どうやらこの医者が、直子たちを担当しているようだ。

「いや、それが——」といったところで、医者の目が平介に向けられた。そして、「御主人ですか」と訊いてきた。

はい、と平介は答えた。緊張のため、声がかすれていた。

「ちょっとこちらへ」と医者はいった。平介は全身を強張らせて、医者の後についていった。

案内されたのは二人が治療されている部屋ではなく、小さな診察室だった。レントゲン写真が何枚も吊されている。そのうちの半分以上は頭部を写したものだった。直子のものか、藻奈美のものか、二人のものが混じってるのか、それとも全く別人のものなのか、平介にはわからなかった。

「率直に申し上げて」立ったまま医者は口を開いた。どこか苦しげな口調だ。「非常に厳しい状況です」

「どちらがですか」平介も立ったまま尋ねた。「妻と娘の、どちらが？」

だがこの質問に医者は即答しなかった。平介から目をそらし、口を軽く開いたまま、迷ったように静止した。

それで平介は事態を悟った。「どちらも……ですか」

医者は小さく頷いた。

「奥さんのほうは外傷がひどいのです。背中にガラス片などが多数突き刺さっていて、その中の一つが心臓に達していました。助け出された時点で、すでに大量の出血があったのです。ふつうなら、失血死していてもおかしくない状態でした。あとはその奇跡的な体力が、どこまで保つかということです。なんとか回復に向かってくれればと念じているところです」

「娘のほうは？」

「お嬢さんのほうは」といって、医者は唇を舐めた。「外傷は全くといっていいほどありませんでした。ただ全身を圧迫されていたことにより、呼吸ができなかったようです。それで、脳に影響が……」

「脳……」

壁際に並んでいる頭蓋骨のレントゲン写真が平介の目に入った。

「そうすると、結局、どういうことですか」と彼は訊いた。

「現在、人工呼吸器等で何とか生命は維持していますが、このまま意識が戻らない可能性のほうが強いと思われます」感情を殺した声で医師はいった。

「それは、つまり、植物状態というやつですか」

ええ、と医師は静かに答えた。

全身の血が逆流するのを平介は感じた。何かしゃべろうとしたが、顔面は膠《にかわ》で固めたように強張っていた。そのくせ唇は震えていた。そして奥歯ががちがちと鳴った。次の瞬間、彼は床に座り込んでいた。身体中の力が抜けてしまったからだ。手足が氷のように冷たくなっていった。立ち上がる気力など、どこからも出てこなかった。

「杉田さん……」医師が平介の肩に手を置いた。

「先生っ」平介はその場で正座した。「どうか、救ってください。何とかしてください。助けていただけるのでしたら、どんなことでもします。いくら金がかかってもいい。あの二人の命にかえられるなら、何だって……お願いします」彼は土下座をしていた。リノリュームの床に額を押しつけていた。

「杉田さん、顔を上げてください」

医師がいった時、「先生、アンザイ先生」と女性の呼ぶ声が聞こえた。平介のそばにいた医師が、ドアのところへ行った。

「どうした？」

「大人の女性のほうの脈が、突然弱ってきました」

平介は顔を上げた。大人の女性とは、直子のことではないのか。

「わかった、すぐに行く」医師はそういった後、平介のほうを振り返った。「皆さんのところに戻っていてください」

「よろしくお願いします」出ていく医師の背中に向かって、平介はもう一度頭を下げた。

待合室に戻ると、容子がすぐに駆け寄ってきた。

「平介さん、先生のお話はどういう……」

平介は気丈夫なところを見せようとした。だが顔が歪むのをどうすることもできなかった。

「それが、あまりよくはないみたいで……」

ああ、といって容子は顔を両手で覆った。長椅子に座っていた三郎と富雄も首をうなだれた。

「杉田さん、杉田さん」廊下を看護婦が走ってきた。

「どうしました」と平介は訊いた。

「奥様が呼んでおられるんです。すぐに行ってあげてください」

「直子が？」

「こちらです」

看護婦が廊下を逆に走りだした。平介も後を追って駆けだした。

集中治療室というプレートの貼られた部屋の前で看護婦は止まり、ドアを開けた。旦那さんです、と中の者にいっている。入ってもらいなさい、というくぐもった声。

看護婦に促され、平介は部屋の中に足を踏み入れた。

二つのベッドが目に入った。向かって右側のベッドに寝かされているのは、藻奈美にほかならなかった。その寝顔は、少し前に家で見たものと何ら変わらなかった。今にも目を覚ましそうな気配が漂っている。だが彼女の身体に取り付けられた器具のものものしさが、平介を現実に引き戻した。

そして左側のベッドには直子が横たわっていた。こちらは重傷であることが一目でわかった。頭や上半身に包帯が巻かれていたからだ。

直子の傍らには三人の医師が立っていた。彼等は平介のために道を開けるように、すっとベッドから離れた。

平介はゆっくりとベッドに近づいていった。直子は目を閉じていた。その顔は意外にも無傷だった。それが唯一の救いであるように、彼には思えた。

直子、と呼びかけようとした時、彼女の瞼が開いた。その動きすらも弱々しく感じられた。

直子の唇がかすかに動いた。声は聞こえなかった。しかし平介には、妻のいいたいことがわかった。「藻奈美は？」と彼女は訊いたのだ。

「大丈夫だ。藻奈美は大丈夫だぞ」と彼は直子の耳元に向かっていった。

彼女の表情に、安堵の色が浮かんだのを平介は見た。さらに彼女がまた唇を動かした。会いたい、そういっていた。

「よし、今すぐ会わせてやるからな」

平介はしゃがみこみ、ベッドの脚にキャスターがついていることを確認すると、そのストッパーを外し、ベッドごと動かし始めた。「杉田さん」と看護婦が声をかけたが、「いいんだ」と医師の一人が制した。

平介は直子のベッドを、藻奈美の横に寄せた。そして直子の右手を取り、藻奈美の手を握らせた。

「藻奈美の手だぞ」と彼は妻にいい、繋がれた二人の手を、両手で包み込んだ。

直子の唇が、ふっと緩んだ。聖母のような微笑に、平介には見えた。

次の瞬間、娘の手を握っていた直子の手が、ぼうっと暖かくなった。さらに一瞬の後には、その手から力が失われていった。平介は、はっとして彼女の顔を見た。

涙が一筋、彼女の目から頰を伝った。そしてそれで最後の仕事を終えたように、その目はゆっくりと閉じられた。

「あっ、直子、なおこっ」彼は叫んだ。

医師が彼女の脈を確認し、瞳孔を調べた。そして時計を見て、「ご臨終です。午後六時四十五分でした」と告げた。

「あ……あああ」平介は金魚のように口をぱくぱくさせた。全身から力が抜けていき、叫び声をあげることもできなかったのだ。空気がおそろしく重くなったかのように、彼は膝から崩れた。立っていられなかった。

急速に熱を失っていく直子の手を握ったまま、平介は床にうずくまっていた。自分が深い井戸の底にいるような気がした。

どれぐらいそうしていたか、彼自身にはわからなかった。気がつくと、医師や看護婦たちの姿は消えていた。

依然として、鉛を飲み込んだように全身が重かったが、平介は立ち上がった。そして今は静かに瞼を閉じている直子を見下ろした。

嘆いてばかりいても始まらない――そう自分にいい聞かせた。死んだ者は還らないのだ。それより今は、生きている者のことを考えるべきだ。

平介は回れ右をし、藻奈美のほうを向いた。先程まで直子に握らせていた手を、今度は彼が握った。

自分の命に換えてでも、この天使を守らねばならないと彼は思った。たとえ意識が戻らなくても、生きていることに変わりはないのだ。

守るからな、直子。俺が藻奈美のことを守ってやるからな。呪文を唱えるように、平介は心の中で呟き続けた。そうすることで、すべてを失った悲しみに耐えようとしていた。

彼は両手で藻奈美の手を握った。強く握りしめたかったが、十一歳の娘の手は、力を入れすぎると折れるのではないかと思うほど細かった。

彼は瞼を閉じた。そうすると、様々な映像が脳裏に蘇った。楽しい思い出ばかりだった。記憶の中では直子も藻奈美も、笑い顔しか見せなかった。

いつの間にか平介は泣いていた。涙がぽろぽろと床に落ちた。そのうちの何滴かが、彼や藻奈美の手にも落ちた。

その時――。

平介は自分の手の中に、違和感を覚えた。涙のせいではない。たしかに手の中で、何かが動いたような気がしたのだ。

はっとして彼は藻奈美の顔を見た。

人形のように眠っていた娘が、ゆっくりと瞼を開くところだった。

3

杉田平介のマイホームは、三鷹駅からバスに乗って数分のところにあった。細い道が複雑に入り組んだ住宅地の、北東の角地に建っている。三十坪弱の土地が付いた、この小さな中古住宅を買ったのは六年前のことだった。マイホームを、しかも一戸建てを買うことなど、当時の彼は全く考えていなかったが、それを強く望んだのは直子だった。家賃を払うなら、その分をローンに回しても同じだというのが、彼女の意見だった。

「今なら三十年ローンを組んでも安心でしょ。三十年後も、あなたはまだ働いているはずだから」多額の借金を抱えることに難色を示していた平介に、彼女はこういった。

「俺の会社は六十歳が定年だぜ」

「大丈夫。世の中はどんどん高齢化しているのよ。その頃には、定年が六十五か七十ぐらいになっているわよ」

「そうかなあ」

「そうよ。それに平ちゃん、六十歳になったら、もう働かない気なの？　そんなの甘いわよ」

こういわれると、平介としては返す言葉がなかった。

「とにかくね、今買わなきゃ。今買わないと、平ちゃん、永遠に家なんて買えない気がする。永久に借家住まいだよ。そんなのいやでしょ？　自分の家、欲しいでしょ？　欲しかったら買おうよ。すぐ買おうよ」

スピッツが吼《ほ》えるようにきゃんきゃんいわれ、平介は首を縦に振ってしまった。するとその後の直子の動きは、あきれるほどに早かった。その週の土曜日には、杉田夫妻は不動産屋に連れられていくつかの物件を見て回り、その次の週には手付け金を払っていたのだ。ローン返済の打ち合わせから引っ越しの手配まで、すべての段取りを直子がしたから、平介にしてみれば気がつくと新居に住んでいたという感じだった。彼がしたのは、彼女にいわれるまま、いくつかの書類を揃えることだけだった。

しかしあの時に思い切って買ってよかったと、今になって平介はしみじみ思う。あの時に買わなかったからといって、貯金が増えていたとはとても思えなかった。そして何より、不動産の価格が上昇していた。特に最近の上がり方には目を見張るものがある。専門家によると、まだまだ上がりそうだという。杉田家から二百メートルほど離れたところに、同じぐらいの大きさの中古住宅が売りに出ているが、今の平介ではとても買えないような価格が付けられていた。

「あたしがいったとおりでしょ。平ちゃんなんかに任せといたら、ろくなことにならないんだから」勝ち誇ったように、直子はいつもいっていた。

自分が選んだのだから当然ではあるのだが、彼女はこの家をとても気に入っていた。

特に庭が好きだった。小さな庭には、彼女が育てた花の入ったプランターがいくつもある。花の世話をしながら、彼女はよく鼻唄を歌っていた。曲名は、『犬のおまわりさん』だったり、『げんこつ山のたぬきさん』だったりした。藻奈美と、幼児番組を見ることが多かったからだろう。庭から玄関に回り、郵便物を取ってくる時には、『山羊さんゆうびん』の唄を口ずさんでいた。

バス事故の四日後、平介はその庭を眺められる位置に祭壇をセットし、直子の遺骨を置いた。仮通夜は事故の翌日に現地で行われたが、昨日改めて通夜を行い、今日、近くの斎場で葬儀を済ませたのだった。本当は直子が愛したこの家でやりたかったのだが、前の道幅が狭いし、弔問客がかなりの数に上ると思われたので、それは断念したのだった。そしてそれは正解だった。弔問客も多かったが、どこからかぎつけたのか、テレビ局の連中が押しかけてきて、いっとき場内が混乱したからだ。あの騒ぎがこの静かな住宅地の中で起こっていたなら、平介は近所の家を謝って回らねばならないところだった。

葬儀を終えた後でさえも、マスコミ関係者は平介につきまとった。どこへ行くにも、何をするにも、ストロボを浴びねばならなかった。もっともそれを鬱陶《うっとう》しいと感じる気力は、この二日間ですっかりなくしていた。

大勢いる遺族の中でも、特に平介がマスコミに追われるには理由があった。彼には、不幸と幸運を同時に体験したという点で、話題性があるのだ。不幸とはいうまでもなく妻の死であり、幸運とは娘の奇跡的な蘇生だった。

「奥様の御葬儀を終えられて、現在どのようなお気持ちですか」

「大黒交通の社長のコメントについては、どのように受けとめられましたか」

「すでに全国から励ましのお便りが届いているそうですが、その方々に何か一言どうぞ」

じつは彼等の質問に、多くのバリエーションがあるわけではなかった。だから平介としては、何も考えず、同じような返答を繰り返しておけば事足りるのだった。能がないともいえるが、これはこれで彼等なりの知恵なのかなと思ったりもした。

ただ、次の質問については、平介はいつも返答に困る。

「藻奈美ちゃんには、おかあさんのことをどのようにお話しになるおつもりでしょうか」

それはこちらが教えてもらいたい、といいたいところだった。名案が思いつかないから、ずっと悩み続けているのだ。仕方なく平介は、「これから考えます」と答えていた。一体どう話せばいいんだろうな――彼は妻の位牌に向かって呟いた。最近はあまり娘とじっくり話した覚えのない父親としては、脆《もろ》く傷つきやすい少女の心を、どう取り扱っていいのか、見当がつかなかった。脆く傷つきやすい、ということ自体、彼が実感したわけではなく、世間でそういわれているからそうなのだろうと思っているに過ぎなかった。どう脆く、どう傷つきやすいのかなんてことは、これまでに想像したことさえない。

死んだのが俺で、それを藻奈美に話すということであれば、直子はきっとうまくやったのだろうな、と平介は全く無意味なことを考えた。

祭壇をセットし終えると、彼は喪服から普段着に着替えた。壁の時計は午後五時三十五分を指している。そろそろ病院の夕食時間だと思いながら、財布と車のキーをポケットに入れた。今日こそ、きちんと食べてくれればいいが、と彼は念じた。

藻奈美は奇跡的に意識を取り戻したが、元の彼女が完全に生還していたわけではなかった。彼女はいくつかのものを死の淵に置き忘れてきたのだ。それは表情であり、言葉だった。少女らしい反応というのも、その一つだ。頷くことと、かぶりを振ることで、一応意思を示しはするが、まだあの元気な声を平介に聞かせてはくれなかった。励ますように言葉をかけても、感情のない目で、宙をぼんやりと見つめているだけだった。

医学的には全く異状はない、というのが医師の診断結果だった。一時は植物状態化することさえ懸念されたにも拘わらず、藻奈美の脳は完全に機能を取り戻していた。やはり精神的なショックが原因だろう、と医師はいった。根気よく、愛情をもって接し続けることが、唯一のそして最大の治療法だと付け加えた。

昨日の昼間、藻奈美は小金井の脳外科病院に移されていたが、そこでの診断結果も同じようなものだった。むしろ担当医師は、あれほどの惨事にも拘わらず、藻奈美が殆ど無傷であることに驚嘆していた。

午後六時ちょうどに、平介は病院に到着した。車を駐車場に停めてから、マスコミ関係者がいないかどうかを確かめた。彼等は、死の淵から戻ってきた藻奈美の姿と肉声を何とか記録しようと躍起になっていた。しかし今はとても取材に応じられる状態ではないから勘弁してくれと、平介はこれまでに何度も頼んでいた。とりあえず今夜は、彼等も約束を守ってくれたようだ。

藻奈美の病室に行くと、係のおばさんによって夕食が運ばれてきたところだった。今夜は、焼き魚と野菜の煮物、そして味噌汁という献立だ。平介はそれらの載ったトレイを受け取ると、ベッドの横のテーブルに置き、娘の様子を見た。藻奈美は眠っていた。

平介はパイプ椅子を持ってきて、腰を下ろした。ここ数日の疲れが、泥が沈殿するように溜まっているのが、自分でもよくわかった。

藻奈美は寝息を殆どたてていなかった。胸も腹も少しも上下しない。だから時々、呼吸が止まっているのかとさえ思ってしまう。しかしピンク色の頰が、そんな不安を打ち消してくれた。肌の血色のほうも、昨日あたりから格段によくなっていた。

藻奈美の命が助かったことは、いうまでもなく平介にとって最大の救いだった。もしこの娘さえも失っていたら、自分はたぶん発狂したに違いないと思うのだった。

だがこうして奇跡的に助かった娘の傍らにいても、救われたという思いよりも、直子を亡くした悲しみのほうが強く心に迫ってくる。そして怒りが満ち溢れてくる。なぜ自分たちがこんな目に遭わねばならないのだ、断じて自分たちは幸運などではない、不幸だ、とてつもなく不幸だ――。

平介は妻を愛していた。

最近は少し太り気味で、小皺も目立つようになっていたが、愛嬌のある丸い顔が好きだった。おしゃべりで、強引で、少しも亭主をたててくれない妻だったが、小さなことにこだわらない、表裏のない性格は、一緒にいて気持ちがよく、楽しかった。頭のいい女でもあった。藻奈美にとっても、いい母親だと思っていた。

藻奈美の寝顔を見ていると、直子のことが次から次と頭に蘇った。初めて会った時のこと、デートに誘った時のこと、独り暮らしをしている彼女のアパートに上がり込んだ時のこと。

直子は、平介よりも三年遅れて入社してきた女子社員の一人だった。交際期間は二年。プロポーズの言葉は単純に、「結婚してくれ」だった。直子はそれを聞いて、なぜか笑い転げた。そして笑いがおさまった後、「いいよ」と答えてくれたのだった。

新婚生活、藻奈美の誕生、そして——。

不意に記憶が、数日前の仮通夜の晩に飛んだ。ひとりで椅子に座っていた平介に、話しかけてきた男性がいた。三十歳ぐらいに見える、体格のいいその男性は、地元の消防団員だといった。話を聞くと、彼等のグループが、直子と藻奈美を崖の下から引き上げたということだった。

平介は深々と頭を下げ、何度も礼をいった。彼等がいなければ、藻奈美の命も失うことになっていたのは確実だった。

だが彼はかぶりを振った。「いえ、お嬢さんの命を守ったのは、我々ではないんですよ」

えっ、と平介が首を傾げると、彼はさらにいった。

「我々が見つけた時、大人の女性一人が下敷きになっているように見えました。ところがよく見ると、その女性の下に女の子が隠れていたんです。女の子を庇《かば》うように、女性が覆いかぶさっていたわけです。様々な破片が突き刺さったりして、女性は血みどろでしたが、女の子は殆ど無傷でした」

その二人があなたの奥さんとお嬢さんだったのです、と彼は続けた。

「このことをどうしてもお教えしたくて、声をかけました」

この話を聞いた時、平介の胸の中で何かがぷつりと切れた。同時に彼は泣きだしていた。おうおうおう、と声を出して泣いていた。

消防団員の話を思い出し、またしても平介は泣き始めた。じつは彼は、このところ毎晩泣いているのだった。今日はいつもより泣きだすのが少し早いにすぎなかった。彼はポケットからよれよれのハンカチを出し、目を押さえた。洟《はな》が出てきたので、鼻の下も拭いた。ハンカチはたちまちびしょぬれになった。

「なおこ、なおこ、なおこ……」

ひいひいと、彼は喉を鳴らした。椅子に座ったまま腰を折り、頭を抱えた。

声がしたのは、その時だった。

「……なた」

平介はぎくりとし、部屋のドアのほうを見た。誰かが入ってきたのかと思ったのだ。しかしドアはぴったりと閉じられたままだった。廊下の外に人がいる気配もない。

空耳かなと思った時、再び声が聞こえた。

「あなた、ここ……ここよ」

4

平介は飛び上がらんばかりに驚いた。彼を呼んでいたのは藻奈美だった。ついさっきまで人形のように眠っていたはずの娘が、今はベッドから父親を見上げていた。その目は、昨日までの感情のこもらない目ではなかった。何かを強く訴える光が、黒い瞳には宿っていた。

「藻奈美……あ、藻奈美。声が出るんだな。ああ、よかった。ああ、よかった」

平介は椅子から立ち上がり、娘の顔を覗き込むと、涙でぐしゃぐしゃの顔をさらに崩した。それから一刻も早く医師を呼ぶべきだと思い、あたふたと入り口に向かいかけた。

「待って……」藻奈美が弱々しくいった。

平介はドアノブを掴んだまま振り返った。「どうした、どこか痛いのか」

藻奈美は小さく首を振った。「こっちに……来て。あたしの話を……聞いて」途切れ途切れだが、彼女は懸命に声を出そうとしていた。

「そりゃあ聞くよ。でも、その前に先生を呼んでこなきゃあ」

すると彼女はまた首を振った。

「人を呼んじゃだめ。とにかく、こっちに……お願い」

平介は少し迷ったが、彼女のいうとおりにしてやることにした。甘えているんだろうと思った。

「さあ、そばに来てあげたよ。何だい？　何でも話しなさい」彼は優しくいった。

だが藻奈美はすぐには唇を開こうとはせず、じっと彼の顔を見つめた。その目を見て平介は、ふと奇妙な感覚にとらわれた。おかしな目つきをするなあと思った。藻奈美らしくない、というより子供らしくない目だ。ただ、何となく懐かしい気もするのだった。誰かがこういう目をしていた——。

「あなた……あたしのいうことを信じてくれる？」藻奈美は訊いた。

「ああ、信じるよ。藻奈美のいうことなら、何でも信じる」娘に向かって笑いかけながら平介はいった。そしていった後で、疑問を感じた。あなた？

藻奈美は彼の顔を見つめたままいった。「あたし、藻奈美じゃないのよ」

「えっ？」平介は笑いを浮かべたまま、顔の筋肉を止めた。

「藻奈美じゃないのよ、わからない？」

今度は顔の筋肉がひきつりだした。それでもまだ平介は、笑顔を保とうとした。

「何を馬鹿なことをいってるんだ。ははは。早速お父さんをからかってるのか。ははは。ははは」

「冗談いってるんじゃないの。本当にあたし、藻奈美じゃないのよ。あなたならわかるでしょ？　あたしよ。あたし。直子なのよ」

「なおこ？」

「そうよ。あたしなの」藻奈美は泣き笑いのような表情をした。

平介は娘の顔を見た。それから彼女のいった台詞を、改めて頭の中で反芻《はんすう》した。言葉としては理解できたが、その内容を吟味しようとした時、彼は混乱した。心の拒否反応が働いていた。結局彼は、もう一度笑い顔を作ることになった。

「またまたまた」と彼はいった。「何いってるんだ、そんな手に乗らないぞ」

しかしこの笑いを、数秒後、彼は自ら引っ込めていた。藻奈美の真摯《しんし》で悲しげな表情を見たからだ。

平介は再び立ち上がった。そしてふらふらと入り口に向かった。医師を呼んでくるつもりだった。娘の気が変になったと思い込んでいた。もし娘の気が変になったのでなければ、自分がおかしくなったのだと思った。

「行かないで」藻奈美がいった。「人を呼ばないで。あたしの話を聞いてちょうだい」

平介は振り返った。その彼に向かって彼女は続けた。

「本当にあたし、直子なのよ。信じられないのはわかるし、あたしだって信じられないけど、事実なのよ」

藻奈美は泣いていた。いや、藻奈美の姿をした少女は泣いていた。

そんな馬鹿な、と平介は思った。こんなことがあるはずがない――。

彼は激しく動揺していた。だがそれは、彼女のいうことが信じられないからではなかった。その逆だった。彼女の口調が、たしかに妻のものだったからだ。そう思って改めて見ると、藻奈美の周りに漂う雰囲気は小学生のものではなかった。落ち着いた大人の女のものだ。しかも、平介にとってじつに馴染み深いものだ。彼にはそれがよくわかった。

「いや、しかし……ええーっ、そんな馬鹿なことが……ええーっ……」

平介は頭を掻きむしった。そして藻奈美の姿を見るのさえ、怖くなってきた。

彼女は泣き続けていた。嗚咽が漏れるのが、平介の耳に届いてくる。彼はちらりとベッドのほうを見た。

彼女は左手で両目を覆うようにして泣いていた。さらにその左手の上に右手を軽く重ねている。右手の中指が、左手の薬指の付け根を撫でるように動いていた。

平介は、はっとした。それはまさしく直子の癖に相違なかった。夫婦喧嘩をした時、彼女はよくこんなふうにして泣いたものだ。彼女が右手で触っているのは、左手にはめられた結婚指輪なのだ。

「初めて俺がデートに誘った時のこと、覚えてるか?」平介は訊いた。

「忘れるわけないじゃない」と彼女は涙声で答えた。「潜水艦が沈没する映画を見に行ったよね」

「潜水艦じゃない、豪華客船だ」平介はいった。

映画『ポセイドン・アドベンチャー』はその後何度も見ているのだが、直子はいつもポセイドン号のことを潜水艦というのだった。

「その後で山下公園に行ったわ」

そのとおりだった。二人でベンチに座り、船を見た。

「初めて俺が君の部屋に行った時のことは？」

「覚えてる。とっても寒い日だった」

「うん、寒かったな」

「あなた、ズボンを脱いだら、下にパジャマを穿《は》いてた」

「あれは、朝、あわてて着替えたからだよ」

「うそ。股引代わりにしてたくせに」そういって彼女は、くすくす笑った。

「本当だって。股引なんか、今だって穿かないだろ？」

「あの時も、そんなふうにムキになって否定してた」

「変なことを覚えてるなあ」

平介はベッドに近づき、床に膝をついた。藻奈美の姿をした少女は、彼を見つめていた。その目を真っ直ぐに見返しながら、彼は彼女の頬を両手でそっと包んだ。

「あの夜も」彼の手の中で彼女はいった。「こんなふうにしてくれたよね」

「そうだったな」

あの時はこのままキスをしたのだった。だが今日はしなかった。目の前にあるのは直子の顔ではなかった。その代わりに彼は尋ねた。

「本当に、直子なのか？」声が震えた。

彼女はこっくりと頷いた。

5

自分の身に起きた事態を直子が理解したのは、病室に運ばれてしばらくしてからだったという。それまでは頭が朦朧《もうろう》とし、事故に遭ったことも、自分が生死の境をさまよったことも、うまく認識できないでいたらしい。

そして意識がはっきりとしてからも、なぜ皆が自分のことを藻奈美ちゃんと呼ぶのかわからず、戸惑っていた。

違うのよ、あたしは藻奈美じゃなくて直子なのよ、と声に出していいたかった。だが、何かが彼女を押し止めていた。それをしたら取り返しのつかないことになる、と本能的に感じたのだ。だから彼女は、ただひたすら黙り続けていた。

やがて自分の肉体が娘のものに代わっていることに彼女は気づいたが、それでもまだ悪い夢を見ているか、さもなくば自分の頭がおかしくなったに違いないと思い、早く正常な状態に戻らねばと焦っていたそうだ。

だが今日、平介が傍らで泣いているのを見ていて、どうやらこれは悪夢でも何でもなく現実なのだと受けとめられるようになったと彼女はいった。

「すると……」彼女の話を聞き終えた後、平介は尋ねた。「死んだのは藻奈美のほう、ということになるのか」

すると彼女は寝たまま黙って顎を引いた。目の縁が赤く染まり始めている。

「そうか」平介は首を前に折った。「そういうことか。藻奈美が死んだのか」

彼女――藻奈美の姿をした直子は毛布を引っ張り上げ、顔を隠した。その毛布の下からすすり泣きが漏れた。

「ごめん……ごめんなさい。あたしなんかより、藻奈美が助かればよかったのにね。あたしなんかが生き残ったって、仕方がなかったのに……」

「なにいってるんだ。そんなことというもんじゃない。大勢の人が死んだんだぞ。おまえだけでも助かってよかったじゃないか。おまえだけでも……」

平介は涙で声を詰まらせた。藻奈美の生きている姿を見ながら、この子はじつは死んでいるのだと認識することには、その死を目のあたりにするのとはまた違った悲しみがあった。

二人はしばらく黙って泣き合った。

「いやあしかし、まだ信じられないよ。まさかこんなことが起きるなんてなあ」ひとしきり泣いた後、平介はしげしげと娘の顔を見た。いや、妻の顔というべきか。

「あたしだって信じられないわよ」彼女は手の甲で、濡れた頰をぬぐった。

「それはもう結局、どうにもならないんだろうなあ」

「どうにもって？」

「いや、だから、治るってことはないんだろうなあと思ってさ」

「治るって……これは病気なの？」

「さあ、それは……」

「もしも何か特別な病気で、薬を飲んだり手術したりすれば藻奈美の意識が蘇るっていうなら、あたし、迷わずにそういう治療を受けるからね」彼女は、きっぱりといった。

「だけど、もしそういうことになったら、直子の意識のほうはどうなるんだ？」平介は訊いた。「今度は直子の意識が消えちゃうんじゃないのか」

「そうだとしてもかまわない」彼女はいった。「藻奈美が生き返るなら、喜んであたしはどこかへ行くから」

大きな目に真摯な光を宿らせて、彼女は平介を見つめていた。彼は、必ず成績を上げてみせるから塾には行きたくないといい張った時の藻奈美の表情を思い出した。あの時と同じ目をしていると思った。

「直子」娘の顔を見ながら、平介は妻の名を呼んだ。「馬鹿なことというなよ」

「でもそれが正常なんだもの。本当は、あたしが死ぬはずだったんだもの」

「今そんなことといったって、意味ないだろう？　それに、どうしたってもう藻奈美は戻らないよ」そういって平介はうつむいた。

重い沈黙が何秒間か続いた。

ねえ、と彼女が口を開いた。「これからどうすればいいと思う？」

「どうすればいいかなあ。人にいっても、とても信用してもらえんだろうしなあ。医者にだって、どうすることもできんだろう」

「精神病院に入れられるのがオチでしょうね」

「だろうなあ」平介は腕組みをし、唸った。

そんな彼の顔を彼女はじっと見つめてきた。それから何かに気づいたような顔をして訊いた。「今日、お葬式だったの？」

「うん？　ああ、そうだ。よくわかったな」

「だって、そんな時でないと、あなたがワイシャツを着ることなんてないもの」

「あ、そうか」平介はシャツの襟を触っていた。喪服から普段着に替えたつもりだったが、ワイシャツはそのままで、上からカーディガンを羽織っただけだった。

「あたしの？」と彼女は訊いた。

「えっ？」

「あたしのお葬式だったの？」

「う、うん。直子のな」頷いてそういってから、平介は続けた。「だけど、生きている。直子は生きている」

「だから藻奈美のお葬式ということになるわね」またしても彼女の目から涙が溢れだした。「あたしがあの子の身体を奪っちゃった。あの子の魂を追い出して……」

「直子は藻奈美の身体を救ったんだよ」平介は妻の細い手を握りしめた。

6

建物は想像していた以上に立派だった。しかも新しい。なるほど自分たちが納めている税金は、こういうところに使われていたのかと、平介は改めて認識した。だがこれほど洒落た建物にする必要はないんじゃないか、とも思った。少なくとも、誰も見向きもしない中庭や、価値があるのかどうかもよくわからないオブジェもどきの置き物は不要だろうと感じた。

図書館に入るのは、高校生の時以来だった。しかもあの時でさえ、目当ての本を探しに来たのではなく、エアコンのきいた自習室で友人と受験勉強をするのが目的だった。つまり平介としては、本来の目的のために図書館を訪れたのは初めてということになる。

中に入ると、彼は真っ直ぐにカウンターのところへ行った。カウンターには二人の係員がいた。一人は中年の男で、もう一人は若い女性だった。男のほうが、電話で誰かと話をしていた。

「あのー」平介は係の女性に話しかけた。「脳についての本はどこにありますか」

「ノー？」

「脳です。あたま」彼は自分の頭を指差していった。

「ああ」係の女性は納得したように頷いてカウンターから出てきた。「こちらへどうぞ」

どうやら案内してくれるようだ。意外に親切なので、ほっとしながら平介は彼女の後をついていった。

フロアは広く、本棚がいくつも並んでいた。どの棚にも、分厚い書物がびっしりと並んでいる。しかしその棚の前に立っている人間の数は、驚くほど少なかった。これが本離れということなのだなあと平介は思った。

係の女性が立ち止まった。「このあたりがそうですけど」

「ははあ……」

そこはどうやら医学書のコーナーのようだった。消化器、皮膚、泌尿器といった具合に関連書物が分類されている。係の女性が「このあたり」といって示したのは、脳医学に関する本が並ぶ棚だった。

ほかのコーナーには人が少なかったが、ここだけは妙に本を探している人がたくさんいた。全員が男性であり、風貌は違えども、皆恐ろしく頭がよさそうな顔つきをしている。

平介は棚に並ぶ本の背表紙に目を向けた。『大脳辺縁系と学習について』、『脳ホルモン』、『脳と行動学』――どれもこれも、その内容についておぼろげなイメージすら摑むことができなかった。それでも彼は一冊の本を棚から引っ張り出した。『脳から見る精神と行動』という本だった。

『特異的な機能を任せられていない広大な皮質領野は、連合性皮質と呼ばれてきた。伝統的な脳科学は、特異化された皮質領野間の連合がここで形成され、それらの領野からのデータが統合されることを理解してきた。連合性皮質で、現在の情報が情動や記憶と統合され、そのことで人間が思考し、決断し、計画していると考えられる。たとえば頭頂葉の連合野は、体性感覚皮質からの情報、つまり身体の位置や動きについての皮膚、筋肉、膝、関節からのメッセージを――』

平介は本を閉じた。ここまで読んだだけで頭が痛くなってきた。

彼は先程のカウンターに戻った。例の係の女性が、怪訝そうに彼を見た。

「ええと」彼は頭を掻いた。「不思議な話のコーナーってあります？」

「はあ？」

「ほら、よくあるじゃないですか。世にも不思議な話っていうやつが。ああいうのを集めた本がないかなと思って」

「脳医学の本じゃなかったんですか」

「ええ、あれはもう終わったんです。今度は、世にも不思議な話っていうのを読みたいわけです」

「へえ……」係の女性は、胡散《うさん》臭そうな目で彼を見た。「そういう本でしたら、たぶん娯楽本コーナーの奥だと思いますけど」

「娯楽本コーナー？」

「あのへんがそうです」係の女性は遠くを指差した。「あの奥に、超常現象というコーナーがあって、UFOだとかの本も置いてあるはずです」

どうやら今度は案内してくれる気はないようだった。「そうですか、どうも」といって平介は一人でその場所に向かった。

いわれた場所に行ってみると、なるほどそれらしき本がたくさん置かれていた。ミステリーサークル、怪奇現象、ムー大陸——テレビのスペシャル番組でよく耳にする言葉が並んでいる。

平介は一冊の本を手にした。『超常現象の事典』というタイトルの本だ。リン・ピクネットという著者の名前を、彼はこれまで聞いたことさえなかった。

まずは目次を調べた。彼が探したのは、「人格の転移」や「魂の入れ替わり」といった言葉だった。だがそういった言葉は、その本には載っていなかった。代わりに彼が見つけたのは、「憑依《ひょうい》」という言葉だった。

その頁を開いてみると、出だしには次のように記されていた。

『人類の発達のごく初期段階で、部族社会が出現しはじめた頃、忘我状態に入りなにか価値ある情報を取得できるらしい人間がごく少数いることが分かった。その状態でこの人間たちはいつもとは違う声で発語した。霊が一時的に乗り移ったような気配と周囲は感じた。これが「憑依」の始まりである。』

ずいぶんと大層なことが書いてあるなあ、と平介は思った。しかしここに書かれていることが、藻奈美の身体に起きていることと近いのは事実だった。話をしているかぎりでは、たしかに彼女の身体に直子の霊が乗り移ったように感じられる。

ただし「一時的」というのは当たらない。藻奈美が、いや直子が衝撃的な告白をしてから二日が経つが、奇妙な状況に変化はなかった。依然として彼女は、自分のことを直子だといっている。

平介はさらに読み進んだ。憑依については、地域や文化の違いにより、捉え方が様々なようである。初期文明では憑依は「神の介入」とみなされたが、紀元前五世紀になるとヒポクラテスによって、「ほかの肉体的疾患と同様、神の行為にあらず」と唱えられる。

ところが古代イスラエルでは、「あれは霊に乗っ取られた状態で、その霊は悪い霊のこともある」という考え方が支配的になる。初期のキリスト教徒も、「聖霊が憑《つ》く現象は、きわめて望ましい」と捉えながらも、やがて憑依を悪霊の仕業とする考え方のほうが一般的になっていった。そして悪魔祓いが行われる。

平介は昔見た、『エクソシスト』という映画を思い出した。ははあ、あれだなと合点した。だが現在藻奈美の身体に宿っている直子と名乗るものの正体が悪魔だとは、とても思えなかった。あれは間違いなく、平介がよく知っている妻だ。

憑依の歴史的記録で最も有名な例に、一六三〇年代にフランスのルーダンで起きた「尼僧集団憑依」がある。憑依された尼僧たちは、次のように語っている。「卑猥な言葉や神をあざける言葉を口にしながらも、それを眺め耳を傾けているもう一人の自分がいた。しかも口から出る言葉を止めることができない。奇怪な体験だった」

それ以後、憑依を二重人格あるいは多重人格の表れとみなす考え方が一般的となる。

平介はいったん本から顔を上げ、首を捻った。

二重人格……か――。

それならば一応科学的といえなくもなさそうである。それで彼は藻奈美の状態がそれにあてはまるかどうか検討してみた。つまり、あれは直子が話しているのではなく、藻奈美の別人格が表に出てきていると考えるわけだ。

だがそれでは解決しない点があることに、彼はすぐ気づいた。そして彼が気づいたことと同様のことが、現在手にしている本にも書かれていた。

『しかし、憑依のもっとも馴染み深い形はこれではうまく説明できないことがやがて明らかとなる。霊媒行為である。（中略）その霊媒がトランス状態でない時には知っているはずのない情報を提供できる……。』

そうなのだ。藻奈美の口から発せられる話のいくつかは、藻奈美の知らないはずのことなのだった。たとえば平介と直子の初めてのデート——。

やはり藻奈美の人格が「直子の如く」変わったと考えるより、直子の人格そのものが取り憑いていると考えるほうがすっきりするのだった。

平介はさらに本の頁をぱらぱらとめくってみた。すると「憑依」の項目の次が、「多重人格」だった。読んでみると、そこにも心理学的アプローチだけでは解決しない、憑依としか考えられない事例がいくつか書かれていた。

『この面でもっともドラマティックな例の一つに「ワトシーカの不思議」がある。一八七七年、米国イリノイ州ワトシーカでルランシー・ヴェナムという十三歳の女の子が癲《てん》癇《かん》の発作を起こし、これがきっかけで無意識状態に入るようになった。トランス状態になるとさまざまな霊が彼女に取り憑いた。その「支配」霊がメアリー・ロフ。それより十二年前に死亡した少女である。ほぼ一年間というもの、ルランシーはメアリーに取って替わられた。彼女は（メアリーの家族によると）生前のメアリーのように振る舞い、ロフ家の家族やしきたりについて詳しい知識を示した。一年が過ぎると「メアリー」は天国へ帰らねばと言い、そのとたんルランシーへ戻った。』

平介は目を見開き、その部分を何度も読み返した。これはまさに藻奈美の肉体に起きたことと同一ではないかと思った。

さらに本にはもう一つ、彼の気を引きつける事例が書かれていた。それは一九五四年、ジャスビール・ラル・ジャットという少年の身に起こった。彼は天然痘でいったんは死亡したと思われたが、奇跡的に生き返った。ところが彼の人格は全く別人のものになっていた。じつはほぼ同時点で死亡した、バラモン階級の少年の霊に乗り移られていたようなのだ。ジャスビール少年は、死んだ少年に関することを熟知していた。その状態が二年間続いた後、彼の本当の人格が戻ったらしい。

平介は唸った。どうやら直子と藻奈美のケースは、これとほぼ同一のようだと思った。不思議なことではあるが、世界にはいくつか先例があったのだ。

ということは——。

今の状態がしばらく続いた後、直子の人格は突然消え、藻奈美が蘇ると予想される。それこそが真の直子の死であり、藻奈美の蘇生なのだ。

平介は本を閉じた。複雑な気持ちが彼の胸中を支配していた。藻奈美の魂が蘇り、本来の彼女に戻る。それは無論望ましいことではあった。だがその時には、直子と別れねばならないのだ。しかも永久に——。

彼は頭をかきむしった。もういい加減にしてくれと叫びだしたい気分だった。最初は妻を亡くしたと思って嘆き、次には娘を失ったと思って悲しんだ。ところが、いずれはそれがまた逆転するという。自分が失うのは妻なのか娘なのか、はっきりさせてくれと誰かにいいたかった。それがわからぬ以上、深い悲しみとそれを昇華できない空しさだけが、いつまでも彼を襲うことになる。

平介は本を棚に戻し、拳で棚の枠を殴った。その時彼の横で、誰かが息を飲む気配がした。彼はそちらを見た。一人の女性が、少し怯えた顔で立っていた。

「あっ、橋本先生……」その顔に見覚えがあったので、平介はあわてて姿勢を正した。

「ええと……いつからそこにいらっしゃったんですか？」

「よく似ている方がいらっしゃるなあと思って、近づいてきたところだったんです。何か熱心に調べものをされてたみたいですね」

「あ、いやあ、調べものなんて、そんな大層なものじゃないんですよ」彼は愛想笑いをしながら手を振った。「変わった本があるなあと思って、ちょっと眺めてただけです」

「そうなんですか」彼女は本棚のほうに、ちらりと目をやった。『超常現象の事典』をはじめ、ずらりと並んだ胡散臭そうな背表紙に、いうべき感想が思いつかない様子だった。

彼女――橋本多恵子は藻奈美の担任教師だ。年齢はまだ二十代半ばといったところか。直子の葬儀の日、平介は初めて、このほっそりとした美人教師と会っていた。それまでは電話でしか話したことがなかったのだ。

「先生は、どうしてこんなところに？」平介は訊いた。

「それは……調べものがあったからですけど」

「あ、そうか。学校の先生が図書館に来たって、全然不思議じゃないですよね」

はははは、と平介は笑い声をたてた。すると周りにいた何人かが、冷たい視線でじろりと彼を見た。

「あっ……ええと、あっちのほうに行きましょうか。あっちのほうには椅子がたくさんありましたから」入り口のほうを指して平介はいった。

「あそこの椅子は、本を読む人たちのためにあるんですよ」橋本多恵子は苦笑を浮かべ、小声でいった。「いったん外に出ましょう」

「あ、はいはい」

図書館を出ると、平介は大きく伸びをした。

「こういうところに来ると、なんかこう妙に緊張しちゃうんですよね。肩が凝っちゃったなあ」首を回しながら平介はいった。「でも、結構居眠りしてる人がいましたね」

「平日の昼間だと、よくサラリーマンらしき人が昼寝をしておられますよ」橋本多恵子はいった。

「えっ、そうなんですか。外回りの人には、そういう役得があるんだなあ」

「杉田さんは工場で働いておられるんでしたね」

「はい」返事してから、平介は女性教師の顔を見た。「あれっ、よく御存じですね」

「藻奈美さんの作文に書いてありましたから。うちのお父さんはメーカーの工場にいます、三週間のうち一週間は夜勤です、みんなが眠っている時に働かなければならないのでかわいそうです――たしかそういう内容だったと思います」

「あ、そうでしたか。へえ、あいつがそんなことを」

反抗期に入りつつあったせいか、このところ藻奈美は自分から進んで父親と話をしようとはしなかった。父親の仕事にも無関心そうだった。きちんとお金を稼いで、お小遣いさえくれるなら、別に家にいなくてもいい――そういう態度さえ見えた。それはたぶん演技ではなかっただろう。だが、まるっきり父親のことを見ていなかったわけではなかったのだ。そう思うと平介は胸の中心が少し熱くなった。その藻奈美は、今はいない。

図書館の前は小さな公園になっていて、おもちゃのような噴水もあった。ただし水は出ていない。その噴水を囲むようにベンチが置いてあったので、平介は橋本多恵子と並んで腰掛けた。座る直前、彼女の座るあたりにハンカチか何かを敷いたほうがいいだろうかと平介は一瞬考えたが、どうしても手が動かなかった。

「藻奈美さんのお加減は、その後どうですか」腰を下ろしてから、橋本多恵子が訊いてきた。

「ええ、あの、おかげさまで何とか元気を取り戻しつつあるようです。本当に、いろいろと御心配をおかけして申し訳ありません」平介は頭を下げた。

藻奈美が口をきけるようになったことは、すでに電話で橋本多恵子にも伝えてある。ただし人格が直子のものであることは、当然のことながら黙っていた。

「来週あたり退院できそうだと伺いましたけれど」

「ええ。あと精密検査が一回だけ残っているんですけど、それをやってみて異状がなければ退院できるそうです」

「そうしますと新学期には間に合いそうですね」

「はい。みんなと一緒に六年生になれるといって、本人も喜んでました」

「じゃあ、その前に一度お見舞いに行ってもいいでしょうか。子供たちもすごく心配していますので、何人か連れて行きたいんですけど」

「ええ、はい。それはもう、いつでもどうぞ。直子も喜ぶと思います」

平介がいうと、橋本多恵子は一瞬返答に困ったような顔を見せた。どうしたのかなと疑問に思った直後、自分がいい間違いをしたことに気づいた。

「あっ、いえ、直子じゃなくて藻奈美です。藻奈美が喜ぶと思います」

すると橋本多恵子はベンチの上で少し尻をずらし、彼のほうに身体を向け、背筋をぴんと伸ばした。表情が先程までよりも、幾分強ばっている。

「杉田さん、このたびのこと誠にお気の毒に思います。奥様を亡くされて、さぞ辛い思いをなさっていることだろうとお察しします。私、大したことはできませんけど、藻奈美さんの相談相手になりたいと思っているんです。杉田さんも、もし私で何かお役に立てそうなことがあれば、どうか遠慮なくいってくださいね」

真摯な目をして彼女は力説した。若い教師特有の初々しさと力みが、その台詞からは感じられた。平介が直子の名前を口走ってしまったのを、妻を亡くした悲しみが尾を引いているせいだと解釈したのかもしれない。

「はい、どうぞよろしくお願いします」平介は膝を揃え、頭を下げた。そうしながらその頭の中では、だけど今の藻奈美の人格はあなたよりも十歳は上なんですよと、冷めたことを考えていた。

7

平介が橋本多恵子と図書館で会った二日後、彼女は五人の子供を連れて病院にやってきた。女の子三人、男の子二人という内訳だ。藻奈美と特に仲の良かったクラスメイト、ということらしい。

「テレビを見ていたらモナちゃんの名前があるんだもの、ものすごくびっくりしちゃった。最初は同姓同名かとも思ったんだけど、藻奈美っていう名前は珍しいし、年齢も同じじゃない。これきっと間違いないと思ったら、どうしていいかわかんなくなって、あとはもうわあわあ泣いちゃった」勝ち気そうな顔をした川上クニコという少女がいった。顔は笑っているが、目が充血しているのが平介にもわかった。事故を知った時の衝撃が蘇ってきたのかもしれない。

そして彼女の話を聞いていた藻奈美の、つまり直子の目も潤み始めていた。

「そう……。そうよねえ、びっくりしたでしょうねえ。川上さんと藻奈美は、いつも一緒にいたものね。クリスマスの時だって、厚かましくお宅までお邪魔しちゃって、おまけにあんな大きなケーキまでおみやげにもらってきたりして……」洟をすすり、目頭を押さえて彼女は続ける。

「あの時もね、バスの中で、クニコちゃんたちにも信州のおみやげを何か買って帰るんだって、あの子はいってたのよ。それがあんなことになって……」

彼女の口調は、娘を亡くした母親のものになっていた。それを聞いて一瞬平介は自分の目頭が熱くなるのを感じたが、すぐにそれどころでないことに気づいた。子供たちや橋本多恵子が怪訝《けげん》そうに藻奈美を見ていた。

「あっと……そ、そうだな、藻奈美。おみやげを買うんだって、出発前からいってたよな、藻奈美。うん、それはお父さんも覚えてるよ。な、藻奈美」

平介の言葉に、藻奈美の姿を借りた直子はきょとんとした顔をし、すぐに何かを思い出したように口を押さえた。

「あっ、そう、うん。本当に心配かけてごめん」彼女はクラスメイトたちに向かって、ぺこりと頭を下げた。

「もう身体のほうはすっかりいいの？」橋本多恵子が訊いた。

「ええ、おかげさまで、特に具合の悪いところはないんです」

「頭が痛いとか、そういうことはない？　交通事故って、後からいろいろと出てくるっていうから」

「ええ、今のところは大丈夫なんです。でも、たしかにまだわかりませんよねえ。交通事故の後遺症で悩んでいる人が多いって聞きますし。とにかくもう、スキーバスなんてこりごりです」

本人としては気をつけているつもりなのかもしれないが、藻奈美の口から発せられる言葉のすべてが、およそ小学生の女の子らしくないものだった。橋本多恵子もさすがにちょっと眉を寄せたが、すぐに笑顔に戻った。

「新学期から出てこられそうだと聞いて、すごく喜んでいるのよ。でもあまり無理しないでね。具合が悪いようだったら、無理して学校に来なくていいから」

「はい、ありがとうございます。そういっていただけると助かります」

藻奈美が改めて頭を下げた時、「あのー」と横から一人の男子が花を持って一歩前に出た。「これ、お見舞いに持ってきたんだけど」

「わあ」直子の表情が、ぱっと輝いた。だが次の瞬間彼女の目は、花ではなく少年のほうに向けられていた。「あれっ、あなた、今岡君よね」

うん、と彼は頷いた。きょとんとしている。

「へええ」藻奈美の口から頓狂な声が漏れた。「大きくなったわねえ、前に会ったのはたしか二年生の……」

「本当に大きな花だねえ」平介が花束を受け取りながら、あわてて口を挟んだ。彼女がおかしなことを口走りそうだったからだ。「これは退院してからも、家の中に飾っておこう。ううむ、じつに立派な花だ。なあ、藻奈美」

「えっ？　あ、そうね。花瓶を買わなくちゃね」

この後もしばらく会話が続いたが、藻奈美のおかしな口調はあまり修正されなかった。

本人はなんとか子供らしい言葉遣いをしなければと心がけているようだが、それが余計不自然さに拍車をかけてしまう。

「何人かの方々からお見舞い品や励ましのお手紙を送っていただいたので、ええと……マジにお礼しなきゃなあと思っててえ、それはやっぱり何かお返しの品を考えたほうがいいのかなあなんて考えちゃったりしてえ……ほんと、感謝の気持ちは言葉ではいい尽くせないほどだからあ……」

小学生が「言葉ではいい尽くせない」なんていう表現を使うかよと思いながら、平介は冷や冷やして聞いていた。

やがて橋本多恵子と子供たちは腰を上げた。だが彼等が病室を出て少ししてから、平介はこっそりと彼等の後をつけた。彼等はエレベータの前で待っていた。

「モナちゃん、ちょっと変だったね」クニコがいっている。

「うん、なんだかうちのおかあさんみたいな話し方だった」もう一人の女子も同意した。

「久しぶりだから緊張しているのよ」橋本多恵子がいった。「それに少し前まで口がきけなかったから、うまく言葉が出てこないのね、きっと」

「ああ、そうか。かわいそうだね」

クニコの言葉に、他の子供たちも頷いた。

何とか彼等なりに納得してくれたようなので、平介は安堵して病室に戻ることにした。

だが、もう少し子供らしい話し方をするよう藻奈美に、いや直子にいわねばと思った。

部屋の前まで戻り、ドアを開けようと平介がノブを摑んだ時だった。藻奈美のすすり泣く声が聞こえてきた。彼はどきりとし、静かにドアを開けた。

藻奈美は枕に顔をうずめ、しくしくと泣いていた。小さな肩が小刻みに揺れている。

平介は近づき、彼女の背中にそっと手を置いた。

「直子」彼は妻の名を呼んだ。

「ごめんなさい」彼女はくぐもった声でいった。「あの子たちを見ていたら、急に悲しくなってきたの。あの子たちは、藻奈美がもうこの世にいないことを知らない。そう思うと、あの子たちのことも、藻奈美のこともかわいそうに思えて……」

平介は黙って彼女の背中を撫でた。かけるべき言葉など、何ひとつ思いつかなかった。

8

荷物を全部スポーツバッグに詰め込み、ファスナーを閉じようとした。ところが最後に押し込んだリンゴが出っ張ってしまい、どうしても閉じられなかった。見舞いに来た親戚が置いていったリンゴだ。仕方なく平介はそれを取り出すと、服の袖で軽く拭き、そのままがぶりとかじった。リンゴの汁が何滴か、彼の頰に飛んだ。

「忘れ物はないか」着替えを終えた直子に彼は訊いた。

「うん、大丈夫だと思う」彼女はベッドの周りを見回していった。

「もっとよく確認したほうがいいんじゃないか。去年の林間学校の時だって、体操服を忘れてきたんだろ」

「それは藻奈美の話でしょ。あたしが忘れたわけじゃないわよ」

「えっ」平介は娘の顔を見返してから、ぴしゃりと額を叩いた。「あっ、そうだったか」

「早く馴れてよね。あたしはもう、鏡に写った藻奈美の顔を見ても、さほど違和感を持たなくなっているんだから」

「わかってるよ。今はちょっとうっかりしただけだ」

その時誰かがドアをノックする音がした。どうぞ、と平介はいった。

ドアを開け、担当医の山岸が入ってきた。

「やあ、これはどうも」平介は頭を下げた。

「退院の日に晴れてよかったですね」山岸はいった。

「ええ。ま、これぐらいはいいことがないと」

平介の言葉に、山岸は小さく頷いた。ひょろりとした中年で、縁の丸い眼鏡をかけているせいもあって、どことなく頼りなさそうに見える。だが、見かけ上はすっかり回復しているように思われる藻奈美の退院を延ばし、しつこいほどに精密検査を繰り返した彼の慎重さと責任感に、平介は敬意を抱いていた。

「先生、本当にこのたびはお世話になりました。落ち着きましたら、是非改めて御挨拶に伺わせていただきます」直子もスタジアムジャンパーを羽織った格好のまま、腰を折って礼を述べた。

山岸医師は苦笑して平介を見た。

「お嬢さんは本当にしっかりしておられる。まるで大人の女性と話しているようだ」

「いやいや、その……外面《そとづら》だけはいいんですよ、こいつは」

「そんなことはないでしょう。お父さんも鼻が高いはずだ」

「いえいえ、何をおっしゃいます。いい年をして、案外子供っぽいところがあって困るんですよ、全く」ははと笑ってから平介は、山岸医師が不可解そうな顔をしているのを見た。すぐに自分の台詞がおかしかったことに気づいた。「ああ、いや……」彼は首を振っていい足した。「来年は中学なんだから、少しは子供っぽさをなくしてもらわないと困るってもんです」

「厳しいな杉田さんは。まあ謙遜なさってるんでしょうが」医師は笑いながら直子に目を移した。「お父さんのいうことをよく聞いて、がんばって生きていくんだよ。少しでも身体の具合が悪くなったら、すぐにここへ連れてきてもらうこと。わかったね」

「ええ、それはもうよくわかっております。ありがとうございます」直子はもう一度頭を下げていった。声が少し震えていた。

世話になった看護婦たちへの挨拶も済ませ、平介は荷物を手に、直子と共に病院の玄関から外に出た。するとほぼ同時に、駐車場のほうから大勢の人間が駆け寄ってきた。男もいれば女もいる。そのうちの何人かはマイクを持っており、さらに何人かはテレビカメラを担いでいた。

「杉田さん、御退院おめでとうございます」女性レポーターが話しかけてきた。

「ありがとうございます」

「今のお気持ちを一言」

「ええ、とりあえずほっとしています」

「藻奈美ちゃん、ちょっとこちらを向いてくださあい」どこかのカメラマンがいった。

「奥様の墓前にはいつ報告に行かれますか」

「それはまあ少し落ち着いてから」

女性レポーターは一つ頷き、持っていたマイクを直子のほうに差し出した。

「藻奈美ちゃん、病院生活はどうだった？」

「別にどうということはありませんけど」直子は無表情で答えた。

「何か苦労したことはなかった？」

「特にそういったことはありません。主人……お父さんがとてもよくしてくれましたし」

「今は何が一番したい？」

「ゆっくりお風呂に入って、のんびりしたいです」

「すみません、娘への質問はそれぐらいにしていただけますか」平介は女性レポーターにいった。

するとレポーターは再び彼にマイクを向け、バス会社との交渉などについて質問してきた。彼は直子の手を引き、駐車場に向かいながら、それらの質問に答えた。そして最後は彼等に見送られる中、愛車のスプリンターに乗って病院を後にした。

自宅に着き、車から降りて玄関を開けていると、「あらあ、藻奈美ちゃん」と、どこからか声がした。声のしたほうを見ると、隣に住む吉本和子がスーパーの袋を手に近づいてくるところだった。

「あんた、今日退院かいな。全然知らんかったわ」

いきなりうるさいおばさんに見つかったぞ、と平介は思った。大学生と高校生の息子を持つこの中年女性は、町内の情報屋だった。だが悪い人間ではなく、世話好きでもある。

「あっ、どうも吉本さん」直子が即座に反応した。「何ですか、お葬式の時とかは、いろいろとお世話になりましたそうで。本当に申し訳ございません」

子供らしくない口調に、吉本和子もちょっと虚をつかれたような顔をした。だがすぐに笑顔に戻った。

「何いうてんの、そんな他人行儀なこと。それより身体のほうはもうすっかりええの？」

「はい、おかげさまで」

「そうか。そらよかったわ。おばちゃんも心配してたんよ」

「ありがとうございます。あの、まだちょっと片づけとかがありますので、また後ほど御挨拶に伺わせていただきます」

「ああ、はいはい。お大事にね」

直子は玄関のドアを開け、素早く中に入っていった。彼女が以前から吉本和子のことを、「しゃべり始めたら一時間は解放してくれなくて、下手をしたら家に上がり込まれる」と話していたのを平介は思い出した。

「じゃ、失礼します」彼もそういって家に入ろうとした。

すると吉本和子が彼の耳元でいった。

「なんやしらんけどちょっと見ないうちに、藻奈美ちゃん大人っぽくなりはりましたね。やっぱりおかあさんが亡くなって、自分がしっかりせなあかんと思いはったんやろね」

「ははは、どうですかね」愛想笑いを浮かべ、平介は逃げるように家に入った。

家では直子が仏壇に向かって手を合わせているところだった。

その仏壇には直子自身の写真が飾られている。もちろん傍からは、娘である藻奈美が母親の霊前で合掌しているようにしか見えない。

しばらくして直子は顔を上げ、平介のほうを振り返った。その顔には、寂しそうな笑みが浮かべられていた。

「何だか変な気持ち。自分の写真が置いてある仏壇を見るのって」

「藻奈美の写真を置くわけにはいかないからな」

「そうでしょうね。人が訪ねてくることもあるものね」

「だけど、全然意味のないことをしているわけでもないんだぞ」

平介は直子の写真の入った小さな額縁を手に取った。裏の板を外し、中の写真を取り出す。それは二枚重ねになっていた。直子の写真の後ろに、藻奈美の写真が隠されている。去年の遠足で撮ってきたものだ。こちらを向いて、ピースサインをしている。

「ほら」と彼は妻に見せた。

直子は瞬きを繰り返した後、泣き笑いのような表情を作って平介を見た。

「久しぶりに本物の藻奈美の顔を見たような気がする」

「直子が偽者ってわけじゃないよ」と平介はいった。

平介がインスタントラーメンを作り、簡単な昼食とした。ラーメンの上には、モヤシとチャーシューを炒めたものを載せた。彼は自炊ができなかっただけに、それだけのことで直子は甚《ひど》く感心した。

「たまには亭主を一人にするのも悪くないわね」ラーメンを啜りながら直子はいった。

「何いってるんだ。その気になれば、フランス料理だって作れるさ」

「大きく出たわね。じゃあ作ってよ」

「その気にならないだけだ」

杉田家では、藻奈美がいる場合は食事の時にテレビをつけないことになっていた。彼女がもっと小さかった頃に、直子が決めたことだった。だからラーメンを食べている間、テレビ好きの平介もスイッチに手を伸ばそうという気にはならなかった。直子が食べ終わるのを待って、彼は床に転がったコントローラを拾い上げた。そうしながら、ああそうか藻奈美はいないんだったと気づいた。

テレビをつけてみると、いきなり画面に見たことのある建物が映った。直子が入院していた病院だった。

「あっ、平ちゃんが映ってる」直子が指差していった。

つい先程平介と直子がレポーターたちに囲まれた時の模様が映っていた。ほんの一、二時間前のことがこうして放送されているのは、妙な気持ちのするものだった。

画面では、平介が藻奈美の、つまり直子の手を引いて足早に駐車場に向かっている。それを追うレポーターたち。

「賠償問題については、今後どのようにしていかれるおつもりですか」女性レポーターが質問する。

「それにつきましては、基本的には弁護士さんに任せてあります」

「弁護士さんに何か希望は出されているんでしょうか。たとえば賠償額などについて」

「金なんかは問題じゃないです。とにかく誠意を示してほしいということです。藻奈美の命を奪われ、直子も深く傷ついているんですから」早口でいった後、平介は直子を車に乗せ、自らも運転席に乗り込んだ。

テレビカメラは平介たちの車が遠ざかっていくところもとらえていた。その後で女性レポーターが映った。

「杉田平介さんは藻奈美ちゃんが無事に退院できたということで、とりあえずほっとされたようです。ただバス会社の責任問題に話が及びますと、奥さんとお嬢さんの名前を逆にいったりして、落ち着いておられるように見えても、まだ心の内に大きな痛手があることが窺えました。現場からお伝えしました」

「あっ、間違えちまったか」今はじめて自分が間違ったことに気づき、平介は舌打ちをした。

テレビ画面は、先頃浮気が発覚した男性タレントのインタビューシーンに変わっていた。平介はコントローラを操作し、チャンネルを替えてみた。だが彼等の姿を映している番組は見つからなかった。彼はテレビを消した。

「ねえ」直子が口を開いた。「これから、どうする？」

「どうするって？」

「あたしはどうやって生きていけばいいと思う？」

「うん……」平介は腕組みをした。

大きな問題だった。とりあえず平介は、現在の異常な状況にどうにか慣れつつある。そして直子のほうも、表面上は諦めて見える。ただ、この状態を他人に受け入れてもらえるとはとても思えなかった。彼女が精神異常者扱いされることは確実だし、下手をすれば平介もそういう目で見られることだろう。仮に憑依を証明することができたとしても、その場合には好奇心まるだしで近づいてくるマスコミをはじめ、多くの野次馬たちに生活を壊されることは明白だった。

平介は唸った。一つだけ考えがあったが、それを口にすべきかどうか迷っていた。

すると直子がいった。「ちょっと聞いてくれる？　あたしとしては、こういうふうにしようかなと思っていることがあるんだけど」

「うん、ああいいよ」平介は胡座をかいていた足をほどき、正座した。

「あたしは」彼女は夫の目を見つめた。「藻奈美として生きていこうと思うの」

「ああ……」平介は口を中途半端に開けたまま黙った。後の言葉が出なかった。

「杉田直子としての立場だとか、生活だとかをなくすのはとても寂しいけど、それが一番いいと思う。どう考えても、あたしが杉田直子として生きていくのは難しいもの。どんなに説明したって、きっとあなたのようには受け入れてくれないと思う」

「そうだな……」

「平ちゃんはどう思う？」

「俺も、それがいいと思うよ。じつをいうと俺も、そんなふうにしたらどうだって提案しようと思っていたんだ。だけど、なんかいいにくくってさ」

「直子という人間を、この世から消してしまうことになるから？」

「うん、まあそうだ」

「だけど」直子はいったんうつむいて唇を舐め、改めて顔を上げた。「あなたにとっては、生きているわけでしょう」

「そりゃあそうだ。俺にとっては、直子は直子だよ」そういってから平介は、直子は直子というより、藻奈美は直子だといったほうがよかったかなとふと思った。だがせっかく盛り上がっている感動的なムードを壊したくなかったので訂正しないでおいた。

直子はふっと吐息をついた。それから両手を上げ、気持ちよさそうに伸びをした。

「口に出したらすっきりしちゃった。決心するのに、ちょっと時間がかかっちゃったんだけど」

「それは仕方ないだろ」

「前向きに考えようと思うの。もう一度人生をやり直すチャンスを与えられたんだって。身体は違うけれど」

「でも赤の他人の身体じゃないぜ」

「うん。藻奈美はあたしの子供の頃によく似てるって、みんなからいわれる」

「俺たちの娘にしちゃ美人だともいわれたぞ」

「そう。だけど鼻はあなた似なのよね。このちょっと上を向いた鼻」

「何いってるんだ。それがあるからチャーミングなんだろうが」

「えー、そうかなあ」直子は顔をしかめた。だが目は笑っている。平介も笑顔になった。

事故以来、初めて本当に笑ったような気がした。

直子は、「お茶を淹れるね」といって立ち上がり、台所へ行った。食器棚から急須を出し、茶の葉を入れている。その身のこなしは、間違いなく直子のものだった。

茶を淹れた湯飲み茶碗を二つトレイに載せて、彼女は和室に戻ってきた。

「藻奈美も、もう六年生よね。しっかり勉強しなきゃいけないな。成績を下げて、あの子に恥をかかせたくないから」

「藻奈美は結構勉強してたぞ。直子はよく叱ってたみたいだけど」

「あの子、女のくせに算数とか理科が得意だったのよね。国語と社会は今一つだったけど。たぶんあなたに似たのよ」

「算数と理科、大丈夫かい？」平介はにやにやして訊いた。

「大丈夫じゃないけど、なんとかしなきゃあねえ」直子は浮かない顔で、湯飲み茶碗の一つを平介の前に置いた。「ねえ、あの子の将来の夢って何だったかな」

「夢か……」平介は再び胡座に戻り、腕組みをした。

「できれば叶えてやりたいと思うの。そういう目標があれば、あたしもがんばれると思うし」

「たしか……」平介は茶を啜った。「たしか、ふつうの奥さんがいいっていってたぞ」

「ふつうの奥さん？」

「うん。おかあさんみたいなふつうの奥さんがいいっていってた」

「なんだ。じゃあ、今のままでいいってことじゃない」

「いや」平介は湯飲み茶碗を持ったまま直子を見た。「それはちょっとおかしいだろ」

「どうして？」いってから彼女は、はっとしたような顔で自分の手を見つめ、それからまた夫に視線を戻した。ぎごちない笑顔が浮かんだ。「馬鹿なことをいわないでよ。あたしはずっと、あなたのそばにいますからね」

だが平介は頷かず、茶を啜った。

「あっそうだ。ねえ、あたしの指輪、どこにある？」

「指輪？」

「結婚指輪よ。バスに乗ってた時、はめてたはずだけど」

「ああ。仏壇の引き出しに入ってるんじゃないか」

直子は引き出しを開け、中から小さなビニール袋を取り出した。そこに彼女が薬指にはめていた指輪が入っている。プラチナの細い棒を単に丸くしただけのような指輪だ。同じ形の指輪を、現在平介は薬指にはめている。

直子は袋から指輪を取り出し、自分の指にはめてみた。だが薬指には大きすぎた。中指でもまだ大きい。最後には彼女は親指に通してみた。それでようやくちょうどだった。

「親指にはめるわけにはいかないわよねえ」直子は自分の手を見てため息をついた。

「それ以前に、小学生が指輪をはめてちゃ変だろ」平介はいった。「しかもそんな地味な指輪を」

「だけど、この指輪だけはいつもそばに置いておきたいのよ」

「その気持ちはまあ、うれしいけどな……」

「そうだ」直子はぽんと手を叩き、立ち上がった。そして部屋を出ると階段を上がっていった。

すぐに彼女は戻ってきた。右手にテディベアのぬいぐるみを持ち、左手には裁縫道具入れを提げていた。

「何をする気だ？」と平介は訊いた。

「まあいいから」

直子は裁縫用の鋏を取り出し、テディベアの頭部の縫い合わせ部分の糸を切った。そして合わせ目を開いた。

このテディベアは元々直子が藻奈美のために作ってやったものだった。直子は裁縫が得意なのだ。

彼女は結婚指輪をぬいぐるみの頭の後ろに埋め込むと、もう一度布を丁寧に合わせ、針と糸で縫っていった。見事な手つきだった。

「完成」と彼女はいった。

「どうするんだ、そのぬいぐるみ」

「藻奈美はこのぬいぐるみをとても大切にしてくれたの。寝ている時なんか、いつも布団の中に入れてたのよ。だからあたしも、これをいつもそばに置くことにする。そうすれば、あなたの妻だということも自覚できるから」

彼女の言葉に対して返すべき台詞が、平介は思いつかなかった。そういう自覚に意味があるのだろうかという気がふとした。

「このテディベアの正体は、二人だけの秘密ね」そういって直子はぬいぐるみを胸に抱きしめた。

9

直子にとっての初登校の日は、生憎《あいにく》朝から小雨が降っていた。玄関先で彼女は、長靴を履いていくべきかどうかを大いに迷った。

「運動靴でいいじゃないか。まだそれほどの降りじゃないぞ」平介は彼女の背中に向かっていった。

「天気予報によると、午後から雨が激しくなるらしいのよ。そうなったら、運動靴が泥だらけになっちゃう。この靴、先月買ったばかりで、六年生になるまで履くのを我慢するって藻奈美がいってたから、わざわざ新品のまま取ってあったのに」真新しい運動靴を手にとって直子はいった。

平介は玄関のドアを開け、空を見上げた。

「だけどまだ、長靴っていう天気でもなさそうだけどなあ」

「降ってからじゃ遅いのよ。うん、決めた。やっぱり長靴にする」そういうと彼女は靴箱の中から長靴を取り出した。赤いビニール製で、縁に白のラインがある。いつだったか、直子がスーパーの福引きで当ててきた商品だ。

「長靴って、それのことか」

「そうよ」

「それを履いていくのは、ちょっとまずいんじゃないか」

「どうして？」

「だって藻奈美はその長靴のことを、ダサくて履きたくないっていってたぞ」

「知ってるわよ。でもせっかくあるんだから勿体ないじゃない」

「だからだな」平介は玄関のドアをいったん閉めた。「それは直子の考えだろう？　だけど世間的には直子はこの世にいなくて、着ている洋服も履いている靴も、全部藻奈美が自分の判断で選んだってことになるんだよ。そうすると、藻奈美が自分から進んでそのダサい長靴を履いて学校に行くというのは、ちょっとおかしいんじゃないか」

藻奈美の姿をした直子は、しばらく夫の顔をぼんやり見つめてから、「ああ……」と口を開いた。「それもそうか」

「俺のいってること、わかるか？」

「わかる」直子は頷き、長靴に突っ込みかけていた右足を抜いた。「じゃあ、運動靴にする。それでいいのね」

「そのほうがいいと思うぞ」

「ちぇっ、この靴、早速泥だらけになったらどうしよう」ぶつぶついいながら直子は靴を履いた。

いろいろと心配をかけたということで、今日は平介も彼女と一緒に学校へ行き、挨拶することにした。彼女の小学校ではクラス替えは二学年ごとである。したがって担任も、橋本多恵子がそのまま持ち上がることになっている。

「別にいいんだけど、一緒に来てくれなくても。あたし一人で平気だよ」靴を履いてから直子はいった。

「だけどこういう時には、一言挨拶しておくってのが筋だろうが」

「そうかなあ」直子は首を傾げてから、横目で夫を見た。「ほかに目的はないよね?」

「目的?　なんだそれ」

「橋本先生、若くて奇麗だからね。ほっそりしてるのも平ちゃん好みだし」

「ばか、何いってるんだ。早く出ろよ。ぐずぐずしてると初日から遅刻するぞ」平介は直子の背中を押しながらいった。だが心の中では、外見は違ってもやっぱり女房というのは鋭いなあ、と舌を巻いていた。橋本多恵子に会うのを楽しみにしているという気持ちも、じつはほんの少しあったからだ。

傘をさして表に出てみると、隣の吉本和子がゴミ袋を出しているところだった。

「あら、藻奈美ちゃん。今日から学校?」

「おはようございます。ええ、おかげさまで新学期に間に合いました」

「そう。今日はお父さんも付き添いで?」吉本和子は平介に訊いてきた。

ええまあ、と彼は答えた。

「あたしはいいっていったんですけどね、この人が行くってきかないものですから」

「へええ、ああそう……」吉本和子は口元には笑みを浮かべながらも、怪訝そうな目で直子と平介を見比べていた。

家の前からずいぶん遠ざかってから、「俺のことを、この人って呼ぶのはおかしいぞ」と平介はいった。

直子は手で口を押さえた。「えっ、あたし、そんなこといったっけ」

「いったよ。だから隣のおばちゃんも変な顔をしてたんだ。気をつけろよ、全く」

「ごめん。どうも馴れなくてさ」

「まあそれは俺も同じだけどな。今日もボロを出さないようにと思うと、ちょっと緊張しちゃうんだ」

「ああ、そうか。今日は会合があるんだったね」

「うん。新宿だ。帰りが何時になるかはわからないけど、まあそんなには遅くならないと思う」

「わかった。藻奈美のために、がんばってね」

「藻奈美と直子のためにだよ」と平介はいった。

会合とは、被害者の会の集まりのことだった。すでに何度か都内で集まり、今後の方針などを決めている。基本的に会合が開かれるのは休日ということになっていたが、今回は弁護士の時間がとれず、平日になってしまったようだ。平介は会社に事情を話し、今日は有給休暇を取っていた。こうして直子に付き添っていけるのも、そのせいだ。

学校に向かう途中、大きな交差点があった。そこで信号待ちをしていると、反対側の歩道で手を振っている少年がいた。最初は気にしていなかったが、どうやら直子に向かって合図を送っているつもりらしいと平介は気づいた。背の高い、瘦せた少年だ。さっぱりとした顔立ちをしており、さっぱりとした髪形に決めている。

「おい、あの男の子、藻奈美の知り合いらしいぞ」平介は小声でいった。

「らしいね」直子も小声で返事した。

「誰なんだ」

「さあ」

「さあって……」

直子はくるりと平介のほうを向き、シャツの胸ポケットから一枚の写真を取り出した。それは藻奈美の五年生の遠足の時に撮られた集合写真だった。直子がこの写真で見てクラスメイトの顔と名前を覚えようとしていたことを平介は知っている。うまい具合に写真の裏に、藻奈美の手によって各人の配置と名前が書きこんであったのだ。

「おい、どうするんだ。信号が青に変わっちまったぞ。渡らないと変だぞ」

「う……うん」歩きだしながら、直子は写真を平介のほうに差し出した。「平ちゃん、これ持ってて」

「えっ、俺が持っててどうするんだ」

「あの子の名前を調べてよ。で、わかったらこっそり教えて」

「ええー」

二人で横断歩道を渡るのを、少年はじっと見つめていた。その顔には爽やかな笑顔があった。教育用雑誌の表紙にできそうな表情だなと平介は思った。

「杉田、今日からもう学校に行けるのかい」少年は尋ねてきた。大人びた口調だった。

「うん、おかげさまで」直子は答えた。それから平介のほうを見上げて、「うちのお父さん」と紹介した。

「おはようございます」少年は頭を下げた。

「あ、おはよう」平介もあわてて同じようにした。

少年が歩き始めたので、直子も並んで歩きだした。したがって平介も彼等に続く形になった。彼は少年に気づかれぬよう、先程の写真を盗み見した。遠足の行き先は高尾山だ。子供たちの背後に薬王院が見える。季節は初夏のようだから、約十か月ほど前ということになる。

「俺、見舞いに行こうと思ったんだけどさ、杉田の様子がどんなふうかよくわからなかったから、何となく行きにくかったんだ。でも川上たちに聞いたら、わりと元気そうだっていってたから、安心はしてたんだ」

「そう、ありがとう……」

「だけど、あんまり元気そうじゃねえな。どうしたんだ？」

「ううん、そんなことないよ」直子はちらりと後ろを振り返った。早く名前を調べろという合図だろう。

その時平介は、少年と思われる人物を写真の中から見つけだした。雰囲気は少し違うが、それは髪形が違っているせいと思われた。裏を見ると、田島剛とある。たじまつよし、と読むのだろうか。

「ええと、藻奈美、ちょっと」平介は後ろから声をかけた。直子は立ち止まり、「何？」といって彼のほうに寄ってきた。平介は傘で少年の視線を遮ってから、写真の裏を彼女に見せた。「たぶんこの子だ」そう囁いて田島剛という名前を指差した。

「たじま、たけし……つよし、かな」彼女は傘の下で首を傾げた。

「どっちかな、わからん」

「まあいいや——うん、わかったよ。お父さん」少年に聞かせるつもりか妙に元気な声でいい、直子は彼の横に戻っていった。「お待たせ」

小学生が『お待たせ』なんていうかなあと平介は思った。

「どうしたの？」

「ううん、どうってことない」そういってから直子はまた平介をちらりと見た。「あの、お父さんがね、田島君……のことをいろいろ知りたいんだって」

「えっ」平介はつい目を丸くした。それから直子の魂胆に気づいた。この、藻奈美に対して妙に馴れ馴れしい口をきく少年のことを、彼女が知りたがっているのだ。

「どうしてですか」少年が平介に尋ねてきた。

「いや、まあその、藻奈美の友達のことを、いろいろと知っておこうと思ってね」平介は愛想笑いをした。

「へえ……」少年のほうは戸惑っている。無理もない、と平介も思う。

「家は何をしておられるのかな。ふつうのサラリーマン？」

「誰の家ですか」

「だから田島君の家だよ」

「魚屋ですけど」

「ふうん、魚屋さんかあ。それはいいなあ」平介は意味もなくいう。なぜ魚屋だといいのか、自分でもよくわからない。

「春休みはどこかに行ったの？」直子が訊いた。

「三浦半島に行った」少年はうれしそうに答えた。「親戚のおじさんがクルーザーを持っててさ、沖まで出て、釣りをしたんだ。結構でかいのがたくさん釣れた。タイとかイサキとかさ。クーラーボックスがいっぱいになった」

「ふうん」直子は歩きながら頷いた。

家でしょっちゅう魚を見ているくせに、釣りなんかをするんだなと、平介はちょっと妙な気がした。それとも、ふだんから魚に慣れ親しんでいるので釣りが好きなのか。

「特にイサキがいっぱい釣れたからさ、近所の人にあげたんだ。でかいから、みんなびっくりしてた」

「へえ……ただであげたの？」直子が訊いた。

「そうだよ」

「ふうん、売ればいいのに」

「そんながめついことしないよ」少年は直子の言葉に吹き出した。

売ればいいのにな、と平介も後ろで聞いていて思った。大きくて新鮮なイサキなら、結構な値段をつけられるだろう。

「田島君は」平介は後ろから声をかけた。「勉強のほうはどう？　得意科目なんかあるのかい」

「えっ、どうかな」少年は首を傾げた。「算数……かな」

「へえ、すごいね。算数の成績がいいんだ」

「でも、ほかもいいですよ。国語も理科も社会も」

自分でいうところが、ちょっと嫌みではある。

「ふうん、秀才だねえ」

「そうですね」眉ひとつ動かさずにいった。「あっ、でも、体育は苦手だな」

「あ、そう」そうは見えないがなと、少年のすらりと伸びた足を見て平介は思った。

学校が近づくにつれて、同じ方角に向かって歩く子供たちの姿が増えてきた。歩きながらはしゃぎ、笑い、ふざけ合う。子供たちの世界だ。

「モナちゃんっ」どこからか声がした。見ると、川上クニコが手を振りながら駆け寄ってくるところだった。チェック柄のスカートがひらひら舞っている。

きゃあきゃあと騒ぎながら川上クニコは直子の脇に辿り着いた。

「なんだもう、早速二人で歩いてるんだもんなあ。いやんなっちゃうなあ」彼女は少年と直子を交互に見ていい、そのついでのように平介に向かって頭をちょんと下げた。

「おはようございます」

おはよう、と平介が答えた時には、彼女の顔はもう直子のほうを向いていた。そして昨日のテレビの話を早口でしゃべり始めた。直子のほうは黙って聞いている。

平介は川上クニコが最初にいったことを頭の中で反芻していた。なんだ、どういうことだ。早速二人で歩いてるんだもんなあ、とはどういう意味だ。口調からして、冷やかしているらしい。するとこの二人は公然の仲ということか。馬鹿な。小学生が。まさか。

学校が見えてきた。色褪せたコンクリートの建物が三つ。藻奈美たちの教室がどこにあるか、平介はもちろん知らない。直子は知っているのだろうかと考えた。そして彼女が何度か授業参観で訪れていたことを思い出した。

太った男子が一人、近づいてきた。まだ肌寒い季節だというのに、こめかみのあたりに汗をかいている。暑苦しい子供だなと平介は思った。

やあ、といって太った男子は直子たちに声をかけた。「元気だった？」

「ツーヤン、また太ったみたいだな」直子の隣にいる少年がいった。

「えっ、そんなことないよ。前とおんなじだよお」太った男子は唇を尖らせた。それから平介のほうをちらりと見て、気後れしたように首をすくめた。

正門をくぐったところで、平介は直子たちと別れた。直子は一度彼のほうを振り返り、素早く片目をつぶった。大丈夫、うまくやるからね、と語っているように見えた。

一人になってから、さて、と彼は学校を見回した。考えてみたら、職員室の場所も知らないのだった。

その時だ。先程の太った男子が戻ってきた。平介のほうを上目遣いに見ている。

あの、と彼はいった。

「なんだい」と平介は訊いた。

「僕がどうかしたんですか」

「えっ」平介は太った少年を見下ろした。「どうかしたって……どういうこと？」

「だって」少年は時折後ろを振り返りながらいった。「杉田さんのお父さんが、僕のことをいろいろ訊いてたって……」

「はあ？」平介は口を開けた。それから事情を察した。彼は少年の胸元を指して訊いた。

「君、田島君？」

こくり、と太った少年は頷いた。

「あ……そうかあ、へええ、君が田島君か。魚屋さんの？」

「はい」

「そうか。ははは。そうだったのか。いや、別に君一人のことだけを知りたかったわけじゃないんだ。直子……いや藻奈美のクラスの子供たちのことをね、知っておきたいと思ったんだよ」

「じゃあ、もういいんですか」

「いいよ、あ、でもちょっと待って。さっきの彼は何という名前なのかな。藻奈美と一緒に歩いてた男の子だけど」

「エンドウですか」

「あ、エンドウ君というのか。ありがとうありがとう。じゃ、しっかり勉強して」

平介の言葉に訝しそうな顔をしながら、田島少年は太短い足で小走りに去っていった。

その後ろ姿を見ながら、なるほど体育が苦手そうだと平介は思った。

彼は例の写真をもう一度出してみた。そして名前と照らし合わせてみる。するとたしかに、先程見つけた少年は、今の太った少年と同一人物のようではあった。ただし太さが違う。田島少年は十か月の間に体重が倍になってしまったらしい。

平介は写真を裏返し、ずらりと並んだ名前の中から遠藤直人という文字を見つけた。位置をよく確認してから、表の写真を見た。

遠藤少年は、担任の橋本多恵子の隣にいたのだった。だがまだ顔が幼いうえに身体も小さく、橋本多恵子と母子に見えなくもなかった。彼は田島少年とは対照的に、この十か月間で身長と大人っぽさを獲得したらしい。

平介は直子たちが入っていった校舎を仰ぎ見た。

直子、そこはとんでもない世界みたいだぞ、心してかかれよ——心の中で妻にエールを送った。

10

午後を過ぎると本降りになった。おまけに肌寒い。平介はブレザーの上にレインコートを羽織って家を出た。今朝、直子と歩いた道のところどころに水たまりがある。やっぱり長靴を履いていけばよかったと悔しがるに違いないと想像し、傘の下で思わずにやりとした。

新宿駅西口から歩いて十分ほどのところにあるシティホテル内の会議室が、被害者の会の会場になっていた。入り口に小さな机が置かれ、若い女性が座っている。平介はそこで署名してから入室した。

室内には机と椅子が、ずらりと並べられていた。百人近くは席につけそうだ。そのうちの半分ほどが埋まっていた。例のバス事故による死亡者は二十九人。重傷で今も入院中という人が十人以上いる。このぐらいの部屋を用意するのは当然といえた。そしてこの会議だけは、雨が降っているとか、平日だとかいう理由で、出席率が低下することはないはずだった。

事故を起こしたのがスキーバスだったから被害者は殆ど若者である。しかも大半が大学生だった。だから出席している顔ぶれは、彼等の親と思われる年代の人々ばかりだった。平介はかなり若いほうだ。女性が多いだろうと思ったが、男性が半分以上を占めていた。町内会の集まりには顔を出さない人も、今日ばかりは仕事を休んで来ているのだろう。

平介の斜め前に座っているのは、夫婦と思われる二人連れだった。年齢は男性のほうが五十歳過ぎ、女性はそれより少し下というところか。奇麗に散髪された男性の髪は、ほぼ白髪に占拠されつつあった。男性が何か小声で話しかけ、それに応えるように女性は小さく頷いている。手にはクリーム色のハンカチが握られていて、彼女は時折それで目頭を押さえた。

失ったのは息子か娘か。どちらにせよ、さあこれからという青春の真っただ中にいたのであろう。両親も大きな夢を託していたに違いない。平介は、藻奈美を失った自分の悲しみを想起し、彼等の心中を想像しようとしてみたが、やはり見当はつかなかった。同様に、それぞれの悲しみは誰にも理解できないのだと思った。

「杉田さん……ですね」隣から声をかけられた。平介がそちらを向くと、五十歳ぐらいのよく日に焼けた男がぎごちない笑みを浮かべていた。

ええ、と平介は答えた。

男は少し安堵したように吐息をついた。「やっぱりそうだ。テレビでお見かけしたものですから」

ああ、と平介は頷いた。テレビのことで人から何かいわれるのは馴れていた。「テレビの連中は何でも映しますから」

「そうらしいですな。お嬢さんは元気にしておられますか」

「ええ、おかげさまで」

「そうですか。それはよかった。お嬢さんだけでも助かって本当によかった」男は何度も頷いた。

「失礼ですが、おたくは……」

「あっと失礼」男は背広の内ポケットから名刺を出してきた。「こういう者です」

男は印刷会社を経営していた。有限会社、とある。名前は藤崎和郎。会社の所在地は江東区となっていた。

礼儀上、平介も名刺を渡した。

「杉田さんは今度の事件で奥さんを亡くされたんでしたね」名刺をしまいながら男は訊いてきた。はい、と平介が答えると、男は一つ頷いていった。「私は三年ほど前に病気で妻を亡くしました。その上で今回のことで娘を亡くしましたから、もう完全に一人っきりです。おかげで何をするにも力が入りませんでね」

そうだろうと思い、平介も頷いた。「じゃあ事故が起きる前は、今のうちと同じだったんですね。つまり父娘二人きりの家族……」

するとと藤崎は薄く笑って首を振った。

「いえ、父娘三人です」

「え、でも……」

「娘は二人です」藤崎は指を二本立てて見せた。「双子だったんです。お揃いのスキーウェアを着てね、一緒に死にました。同じ死に顔をしていました」

同じ死に顔といった時、藤崎の声に嗚咽が混じった。平介の胸に鉛のように重く冷たいものが生じ、胃の底に沈んだ。

「どちらか一方でも生き残ってくれればね、もう一人のほうも一緒にいるような気になれたと思うんですけどね、両方共ですからね、全く神様は残酷です」藤崎の笑い顔は、すでに醜く歪んでいた。

全くそのとおりだと平介は思った。直子と藻奈美の間に起こった出来事が、もしもその双子に起きていたなら、たぶん誰も、もしかしたら本人も気づかず、単に一人が助かっただけということで済んでいたかもしれないのだ。

気がつくと、会議室のあちらこちらに、すすり泣いている人がいた。事故はまだ終わっていないのだと平介は思った。

被害者の会には四人の幹事役がいた。最初の会合の時、立候補してくれた四人だった。一流企業のやり手部長といった雰囲気の人物、商店主らしき人、もう隠居生活が許されそうな老人、そして主婦。外見はばらばらだが、四人の表情には共通した迫力のようなものがあった。この人たちに任せておけば大丈夫だ、最初に見た時平介は確信した。

まずやり手部長——実際はどうかわからないが——の林田という男性が、現在までの経緯を詳しく説明してくれた。バス会社は運転手のミスを認めており、賠償その他については可能なかぎりの誠意を示すといっているらしいこと、一方で過労運転の疑いもあり、その方向でも会社側の責任を追及する必要があることなどだ。長野県警が大黒交通を道路交通法違反の疑いで家宅捜索したという話は、平介もニュースなどで知っていた。

次に弁護士の向井という人物が前に出てきた。体格がよく、髪を五分刈りにした、まるで柔道選手のような風貌だ。彼はよく通る声で、補償額については年齢差や男女差に拘わらず基本的に一律になる見通しであり、もし被害者の会として獲得できる額に不満がある場合は、個人的に会社と交渉してほしいという旨のことをいった。

いくらぐらい要求するつもりかという質問が出された。向井弁護士は躊躇《ちゅうちょ》なく、「八千万円を一つのラインとして考えています」と答えた。その言い方から、たぶん上限がそのぐらいなのだろうと平介は解釈した。

八千万円——高いのか安いのかわからない数字だった。もちろん金額がどれだけ大きくても、悲しみが薄れるわけではないのだが。

しかし遺族の中には、平介よりも現実的に物事を考える人間もいた。一億円はとれないか、という質問が出たのだ。隣の藤崎がそれを聞いて頷いていたから、自分なりに補償額を予想してきた者は意外に多いのかもしれない。

「もちろん、なるべく上を狙うつもりではいます。しかし何しろ交渉事ですから、双方の歩み寄りは必要だと思います。長引くのは、皆さんの本意でもないと思いますし」

弁護士の言葉に多くの者が頷いた。平介もその一人だ。長引かせたくない。全くそのとおりだった。こんなことは早く終わりにしたい。

ただし、と注釈をつける。忘れるわけにはいかない。世間の人々にも忘れられたくはない。あの痛ましい事故を風化させてはならないのだ。

幹事の林田が再び立ち上がり、今後の方針などについて話した。さらに、ここでの話し合いの内容については極力口外しないでほしいという注意が添えられた。特にマスコミには気をつけるようにとのことだった。

「金額の話なんか、連中は興味本位で面白おかしく書き立てますから」林田は眉間に皺を寄せていった。彼もまた、マスコミの無神経さに傷つけられたくちなのだろうと平介は想像した。

「ええとそれからもう一つ、皆さんにお話があります」林田の口調が微妙に変わった。少し表情も強張ったようだ。「じつは今日、どうしても皆さんに会いたいという方がいらしてるんです」さらに彼は、いいにくいことは一気にしゃべったほうがいいとばかりに続けていった。「梶川さんなんですけど」

一瞬の沈黙の後、ざわ、と空気が乱れた。

「あの、梶川さんというと……」前のほうで声がした。中年女性の声だ。

「はい」林田は頷いた。「梶川運転手の奥さんです。今、そこに来ておられて、我々の話し合いが終わるのを待っておられるんです。それで、どうしても一言皆さんにお詫びをいいたいとおっしゃってるんですが」

先程乱れた空気が、今度は冷たく固まった。そのくせ各自の体内では、血が急速に逆流を始めたに違いなかった。平介がそうだったからだ。顔が熱くなっていくのがわかる。そのくせ手足は痺れるほどに冷たくなる。

突然がたんと音をたて、平介の前に座っていた男性が立ち上がった。夫婦連れと思われる二人の、夫のほうだ。彼は小声で妻に、「帰るぞ」といった。その鋭く短い言葉に、彼のいいようのない無念さが込められていた。

妻らしき女性のほうも、夫の行動に同感のようだった。一つ頷き、腰を上げた。皆が注目する中、二人は後ろのドアに向かってゆっくりと歩いていった。林田は声をかけない。彼等二人を止められる者など誰もいないのだ。

数人が彼等に同調した。出ていく者たちは皆、能面のように表情がなかった。

残った者の顔を見渡してから林田が訊いた。「では、梶川さんに入っていただいてもよろしいでしょうか」

誰も返事しない。林田は少し困惑した顔をしている。気の毒だなと平介は同情した。林田だって、事故を起こした運転手の妻など、喜んで迎えたくはないはずなのだ。

「じゃ、山本さん」林田は幹事の中の紅一点である山本ゆかりに声をかけた。彼女は頷いて、前のドアから出ていった。

気まずい沈黙が一、二分。その後、ドアが再び開いて山本ゆかりが顔を出した。「お呼びしてきました」

「入ってもらってください」林田がいった。

山本ゆかりの後から、痩せた小柄な女性が入ってきた。蛍光灯の光にさらすのが気の毒なほどやつれ、顔色も悪かった。白いカーディガンの肩の部分が濡れている。雨の中を歩いてきたからだろう。

「梶川の妻です」ややうつむき加減のまま彼女は口を開いた。身体と同様に細い声だった。「このたびは夫のミスで、皆様から大切な御家族を奪うことになってしまい、本当に申し訳ございませんでした」そして彼女は深く頭を下げた。薄い肩の震えているのが、平介の位置からでもはっきり見えた。

室内の空気がずっしりと重くなった。それがすべて彼女の細い身体にのしかかっていくようだった。今にも押しつぶされそうな気配がある。だが彼女はゆっくりと頭を上げた。「夫は亡くなってしまいましたけれど、夫にかわって私が、できるかぎりの償いをしていきたいと思っています。とにかく、そのことをどうしても申し上げたくて、今日ここへ来させていただきました」途中から声が震えた。手に持っていたハンカチで目を押さえた。

「林田さん」その時一人の男性が立ち上がって発言した。スーツを着た男性だった。「どうしてこんな人を呼んだんですか」

「それはですね――」

林田が説明しようとすると、「私がお願いしたんです」と梶川の妻がいった。「私が無理をいって……」

「あなたは黙っててください」スーツの男性が遮った。「私は今、林田さんに訊いているんですから」

ひやりとするほど冷たい口調だった。梶川の妻は口を閉ざした。

「ええとですね、理由は二つあるんです」林田がいった。「一つは、謝罪したいという梶川さんの希望をきいたわけです。もう一つは、さっきもいいましたけど、過労運転の問題を明らかにするためにはですね、梶川さんの証言なんかも貴重になってくるので、早い段階で顔つなぎをしておこうと思ったわけです」

説明は理にかなったものだった。スーツの男性も納得はしたようだ。しかし腰をおろす時、「我々と顔つなぎをしておく必要なんかあるのかな」と独り言のように呟いた。

「あなたね、別に謝らなくてもいいですよ」どこからか声がした。女性の声だった。平介は首を伸ばした。最前列に座っている初老の女性が梶川の妻のほうを向いていた。「運転していたのはあなたじゃないんですからね。あなただって、本当はそう思っているんでしょ？　でも世間体のこともあるし、何もしないと人から何といわれるかわからないから、こうして謝りにみえたんでしょ？　そんな形だけの謝罪なんて、いくらしてもらったって嬉しくも何ともありませんからね、もうやめてください」

「いえ、私はそんな……」梶川の妻は反論しようとした。

「いいです、いいです。もう何もいわないでください。そこでそんなふうに立っていられると、まるでこっちがあなたをいじめているような気がするんです」そういってから初老の女性は、ふうーっとため息をついた。それがよく聞こえるほど、室内は静まり返っていた。

彼女の台詞は全員の言葉を代弁しているのかもしれなかった。そうだそうだ、という呟きが聞こえてきそうだった。平介もじつは呟いた一人だ。梶川の妻も夫を失って辛いのだろうと頭ではわかっていても、同志とは見られなかった。

「ええと、では梶川さん、これぐらいでいいですね」うなだれている彼女に、林田が声をかけた。この局面には不似合いなほど、軽い口調だった。

梶川の妻は小さく頷いた。それを見て林田は山本ゆかりに目で合図を送った。山本ゆかりは彼女を連れて、前のドアから出ていこうとした。

ドアが開けられた時だった。平介の隣にいた藤崎が立ち上がった。

「あんたの旦那は人殺しだ」彼の声が響いた。

部屋全体がストップモーションになった。次にコマ送りになった。今にも泣きだしそうになっている梶川の妻を、山本ゆかりが肩を抱くようにして連れ出していく。遺族のうちのある者は藤崎を見上げ、またある者は敢えて彼から目をそらしたようだ。

皆がどう思っているか、平介にはわからなかった。はっきりしていることは、藤崎の台詞によって救われた者など一人もいないということだった。彼が口にしたのは、やはり禁句だったのだ。すきま風が吹くような薄ら寒さが空間を占めていく。先程発言した最前列の老婦人は、明らかな不快感をその表情に漂わせていた。

しかし無論誰も藤崎を責めることはできなかった。皆にできることは、彼の台詞を聞かなかったふりをすることだけだった。

「ええと、では」林田が一同を見回していった。「何か質問はありますか」

11

ホテルを出る頃には、雨はますます激しくなっていた。平介は傘をさし、一人で新宿駅に向かった。

直子にケーキでも買って帰るか——そう思い新宿駅の近くをうろうろした。妙なものだった。直子が彼の妻の姿をしていた時には、土産を買うことなどめったに思いつかなかったのだ。

いい店が見つからないので小田急百貨店に入ろうと思った時だった。駅の柱の陰で、一人の女性がしゃがみ込んでいるのが見えた。梶川運転手の妻だった。気分でも悪いのかと思ったが、そうではなさそうだった。彼女は煙草を吸っていたのだ。時折すぐ横の灰皿に手を伸ばし、灰を落とす。さすがに足は奇麗に揃えていたが、大人の女が公共の場でしゃがんでいるのは、見てくれのいいものではなかった。しかしたぶんそれほど疲れているのだろう。年齢は四十歳前後と思われたが、背中を丸めた姿は老婆のようだった。

平介は気づいていないふりをしようと思ったが、一瞬遅れた。彼女の目が彼を捉えたらしいのだ。虚ろだった目が、大きく開かれた。口も開けられた。小さく、あっと叫んだ感じだった。

仕方なく平介は頭を下げた。おそらく彼女のほうは、テレビで見て平介の顔を知っていたのだろう。

彼女は即座に立ち上がり、会釈を返してきた。そしてそのまま足早に、どこかへ立ち去ろうとした。

だが次の瞬間、彼女の身体は踊るように舞っていた。そして宙を摑むように手を動かしながら、コンクリートの地面に崩れ落ちた。「あっ」という小さな悲鳴が彼女の口から発せられたのは、その後だった。

平介は急いで駆け寄った。通りかかった人々がじろじろと見る。だが彼女を助けようとする者は、平介のほかにはいなかった。

「大丈夫ですか」右手を差し出しながら平介は尋ねた。

「ええ……はい、大丈夫です」

「目眩をされたようですが」

「はい、ちょっと立ち眩みを」しゃがんでいて、急に立ち上がったからだろう。それに体力もなさそうだ。

「摑まってください」彼は改めて右手を出した。

すみません、といって彼女はそれに摑まってきた。だが立ち上がりかけたところで顔を歪め、再び腰を落としてしまった。右足の足首を擦っている。

「あ、くじきましたか」

「いえ、大丈夫です。本当に……はい」彼女は自力で立ち上がろうとした。しかし足首がかなり痛そうだ。平介が手を貸して、何とか立ったが、歩くのは無理なようだ。

「お宅はどちらなんですか」平介は訊いた。

「あ……もう御心配なく。帰れますから」いいながら顔をしかめている。

「迎えに来てくれそうな人はいないんですか」

「ええ、あの、何とかします」

梶川運転手の妻は、何としてでも平介の世話にはならないでおこうと決めているようだった。その気持ちはわかるし、彼としてもこのまま逃げたい気分だったが、やはり放り出すわけにはいかなかった。

「家はどこですか。それを教えていただかないと、どうしようもないんです」ちょっときつい口調でいってみた。彼女は、はっとしたようだ。

「あの……調布です」

「調布。それなら同じ方向です。タクシーに乗りましょう」

「あ、いえ平気です。歩いて帰れます」

「無理ですよ。人がじろじろ見ますから、いうとおりにしてください」

彼女の持ち物は黒いハンドバッグとデパートの紙袋と折り畳み式の傘だった。平介はそれらをまとめて右手で持ち、左手を彼女が身体を支えられるように貸した。それでようやく移動することができるようになった。

タクシーの中では殆ど会話はなかった。彼女はどうもすみませんとしかいわないし、平介はそのたびに、いいえ、と答えるだけだった。

タクシーは二階建てのアパートの前で止まった。パネルを組み立てるだけで出来上がりそうな簡単な建物だった。

料金は平介が払うつもりだったが、梶川の妻は自分が払うといってきかなかった。結局割り勘にした。

ここでもういいから、このままタクシーに乗って帰ってくれと彼女はいったが、平介は降りた。部屋は二階にあると聞いたからだった。

四苦八苦しながら二階に上がると、今度はこのまま帰してはいけないと思ったか、お茶でもどうぞ、と彼女はいった。

「いや、お構いなく。荷物を置いたら、すぐに帰ります」

「そんな、わざわざここまで来ていただいて……お茶ぐらい淹れさせますから」

この言葉が平介は少し気になった。淹れさせますから？

ドアの横には表札が出ていた。梶川幸広と書いた横に、征子、逸美と並んでいる。征子というのが、この女性の名前らしい。逸美というのは娘だろう。ドアを開けると梶川征子は、「イツミ、イツミ」と奥に向かって呼びかけた。すぐに物音がして、ショートカットの中学生ぐらいの女の子が出てきた。ジーンズにトレーナーという出で立ちだった。彼女は平介を見て、ちょっと驚いたようだ。

梶川征子が娘に事情を説明した。「ドジ」と梶川逸美はうんざりした顔でいった。

「とにかく杉田さんにお茶を淹れてちょうだい。それからお座布団用意して」梶川征子が指示する。平介は居心地が悪くなった。

「本当にもう、これで失礼しますから」

梶川征子は彼に向かって頭を下げた。「お茶だけでも飲んでいってください。お願いします」

やつれた顔の彼女にいわれると、あまり強く固辞するのも大人げないような気もした。では少しだけ、と断って平介は靴を脱いだ。

梶川家の間取りは２ＤＫのようだった。入ってすぐのところに少し広めのダイニングキッチンがあり、奥に部屋が二つ並んでいる。一方は洋室で、もう一方は和室らしかった。たぶん和室には仏壇が置かれているのだろうと平介は察した。線香の匂いが漂ってくるからだ。

突然梶川征子が床にしゃがみこんだ。また立ち眩みをしたのかと平介は思ったが、そうではなかった。彼女は彼に向かって土下座していたのだ。

「杉田さん……このたびは、本当に申し訳ありませんでした。奥さんのこと、何といってお詫びしていいかわかりません」額をクッションフロアにこすりつけていた。

「梶川さん、やめてください、そんなことしてほしくはないです。やめてください、お願いします」平介は彼女の腕を摑み、立たせようとした。そうしながら、この土下座をしてみせるために俺を部屋に入れたのだろうかと彼は考えていた。

くじいた足が痛んだのか、「痛っ」といって彼女が顔をしかめた。

「あっ、大丈夫ですか」平介はゆっくりと彼女を立たせ、そのまま椅子に座らせた。

梶川征子は、ため息をついた。

「すみません、満足に謝ることもできなくて……」

「もう本当に、そういうことはしていただかなくて結構ですから」平介はいった。

気まずい沈黙が室内に広がった。薬缶がしゅーしゅーと音をたてている。逸美がガスレンジの火を消し、急須を使って茶を淹れ始めた。

平介の前に湯飲み茶碗が置かれた。何かの景品でもらったような茶碗だった。

「ありがとう。ええと、中学生?」

「中学二年です」

「そう。じゃあ、うちの娘よりも二つ上だ」

特に意味もなくいったのだが、梶川征子は簡単には聞き流せなかったようだ。

「お嬢さんにも、大変な目に遭わせてしまって……本当は直《じか》にお会いしてお詫びしたいんですけど」絞り出すようにいった。

娘は死んだんですよ。そういいたかった。生きているのは身体だけです。そして妻は身体を失った。あなたの旦那のせいだ――。

「お父さんは」立ったまま、不意に逸美がいった。「とても疲れてたんです」

「そうなのかい」

平介が訊くと、彼女は小さく顎を引いた。

「去年の暮れから全然休みもなくて、お正月もなくて、家には寝るために帰ってくるだけでした。いつもくたくたで、スキーバスの仕事がある時は、なかなか仮眠もとれないから辛いっていってました」

「たしかに超過労働が問題になっているようですね」平介は梶川征子にいった。

征子は頷いた。

「一月と二月は特にひどかったと思います。スキー場のホテルに一応仮眠室を確保してあるそうなんですけど、連休なんかで混む時期には、それも客室として取り上げられてしまうので、食堂でうとうとしながら過ごすこともあったようです。一応バスは交代で運転するんですけど、車内で熟睡なんかできないともいってました。ドライブインに止まるたびに、チェーンをつけたり外したりもしなきゃならないから、ちっとも休めないとも」

「それは大変だ」平介は相槌をうつ。しかし完全に同情しているわけではない。事故を起こしたことの言い訳にしか聞こえない。少し皮肉を込めていってみる。「体調管理も仕事のうちということでしょう」

梶川征子は、目の前でぱんと手を叩かれたような顔になった。瞬きをし、うつむいた。

「うち、貧乏だから」逸美がいった。「少しでもたくさんお金をもらおうと思って、お父さん、無理したみたいです」

「貧乏だったら、こういう部屋にも住めないと思うよ」

「だからそれは、お父さんががんばってくれたから……」そこまでいうと彼女はくるりと身体の向きを変え、奥の洋室に入ってしまった。

「どうもすみません。失礼なことばっかりで」梶川征子が頭を下げた。

いえ、といって平介は茶を啜った。薄い玄米茶だった。

「では私はこれで」彼が腰を浮かした時、電話が鳴った。電話機は壁際の小さな組立棚の上に載っていた。

征子が腕を伸ばして受話器を取ろうとした時、洋室のドアが開き、逸美の甲高い声が飛んできた。「いやがらせっ」

それで征子は少し躊躇したようだが、結局そのまま受話器を取り上げた。「もしもし」すぐに彼女は眉を寄せ、受話口から少し耳を離した。数秒間そうした後、静かに受話器を置いた。

「やっぱりそうでしたか」と平介は訊いた。

彼女は小さく頷いた。「最近はかなり減ったんですけどね。時々思い出したように」

今日もすでに何度かかかってきているのだろう。逸美も電話に出たに違いない。

いやな気分だった。その不快感を断ち切るために、平介は勢いよく立ち上がった。

「じゃ、これで失礼します」

「あ、どうもありがとうございました」

彼が靴を履こうとした時、再び電話が鳴りだした。征子は彼を見上げて悲しげな顔をした後、さっきと同じように電話機に腕を伸ばした。

平介はその手を上から軽く押さえた。征子は少し驚いて彼を見る。その顔に向かって一つ頷き、彼は受話器を取り上げた。

「ひとごろし」

深い井戸の底で呟くような声が聞こえた。男か女か、すぐには判別できないほど低い声だった。

「いつまで生きているんだ。早く死んでしまえ。そうするしか、つぐなえないだろう？明日の午前二時までに首を吊って死ね。さもないと」

「いい加減にしろっ」平介は怒鳴った。男が出るとは思っていなくて驚いたのか、相手は即座に電話を切った。ツーツーという発信音だけが残った。

彼は受話器を元に戻した。「警察には届けましたか」

「いいえ、悪戯電話の相談なんかには、あまりまともにのってくれないと聞きましたから」

そうかもしれないなと思い、平介は黙っていた。それにいやがらせの根拠が明白なだけに、彼女としても警察に訴えにくいのだろう。

電話機の横に、小さなカードのようなものが載っているのが目に留まった。平介はそれを手に取った。ある会社の従業員証だった。征子の写真が貼られている。『準』という印が押されているのは、正式社員ではなく、季節労働者などの準社員という意味だろう。

「田端製作所……金属加工の会社ですね」

「ええ、よく御存じですね」

「うちの下請け会社ですから。何度か出向いたことがあります」

「ああ、そうなんですか。じゃあ、ビグッドに？」

「はい」平介は頷いた。株式会社ビグッドというのが、彼の勤める会社の名だった。創始者の名字が大木だったのでビッグ・ウッドを縮めてビグッドとなったという話だ。

「いつから働いておられるんですか」

「去年の夏からです」梶川征子は答えた。

「へえ」意外だった。一家の大黒柱がいなくなったから、やむをえず征子が働き始めたのだろうと思ったのだ。

「こんなことを杉田さんにお話しするのは変なんですけど、うちは本当にお金がなかったんです」彼の内心を察したように征子はいった。「主人は休む間もなく働いていたんですけど、どういうわけかお金は全然残りませんでした」

「お金は使えばなくなりますよ」

「それが、そんなに無駄遣いをした覚えがないんです」

「御主人がそれほど超過労働を強いられていたのなら、手当も少なくはなかったと思いますが」

「だけど本当に、お給料は大したことなかったんです。いつも赤字を出さないようにするのが精一杯でした」

「どういう賃金形態になっていたのかなあ」平介は首を傾げた。

「わかりません。主人は私に、お給料の明細とかを見せてくれませんでしたから。生活費は、主人が銀行から下ろして私にくれていたんです。でもそれだけではどうしても苦しくて、少しでも足しになればと思って私も働くことにしたんです」

「御主人が倹約家だっただけかもしれませんよ。銀行には結構預金してあるのかもしれない」

平介の言葉に、彼女はかぶりを振った。

「預金なんて大してありませんでした。だから私がすぐにでも働かなきゃいけなかったんです」

妙な話だなと平介は思った。バスの運転手がそんなに低賃金では、誰もやりたがらないのではないか。しかし梶川征子が嘘をついているようにも見えなかった。

「バス会社の労働条件などについては、これからどんどん明らかになっていくと思いますよ」幾分傍観者的な響きをもたせてそういい、平介は靴を履き始めた。同情しないこともないが、この女性と連帯意識を持つわけにはいかないと思った。それは先程顔を合わせた被害者の会の仲間たちを裏切ることになるような気がした。

失礼しましたお大事に、といって彼は部屋を出た。梶川征子のほうも何かいったようだが、彼の耳には届かなかった。

12

夕飯は筍ご飯と茶碗蒸しとブリの照り焼きだった。いずれも平介の好物だ。

「筍ご飯の味がちょっと濃すぎちゃったかな」と直子はいったが、平介はいつもどおりだと感じた。塩分の取りすぎに敏感な直子は、「味が濃すぎたかな」と呟くのが癖なのだ。

「今朝の件、あれからどうなった」

「今朝の件って？」

「田島君と遠藤君のことだよ。俺、間違えちまっただろ」

「ああ」直子は笑いだした。「そうだった。あれ、危なかったわよねえ。大丈夫、特に誰も気にしなかったみたいだから」

「それならよかった。やっぱり子供ってのはすごいよな。一年で、あんなに変わるものなんだな」

「あたしもそれで今日は一日大変だった。特に六年生っていうのは、体格だけじゃなく顔つきも急に大人びる子がいるのよ。結局顔と名前を覚え直すことになっちゃった」

「覚えられたか」

「無理無理。ごまかしながら覚えていく」直子は箸ご飯を食べながらいった。手に持っているのは彼女の茶碗だ。藻奈美の茶碗でないのが、平介には少し妙な感じだった。

「ところで、あの遠藤って子は何者なんだ。どうして直子に……というか、藻奈美に対してあんなに馴れ馴れしいんだ」

「気になる？」直子はにやにやした。

「何だよ、その笑いは」

「いやあ、やっぱり気になるだろうなあと思って。あたしだって気になったし」

「もったいぶるなよ。どうせ調べたんだろう」

「まあね。あの遠藤君はね、藻奈美の第一ボーイフレンドだったのよ」

「第一？　何だ、それ」

「ほら、アラブの王様なんかだと、第一夫人第二夫人っているじゃない。あれみたいなものよ」

「くだらない。じゃあ、第二第三のボーイフレンドもいるのか」

「まあ、誰が第二で誰が第三とはっきり決まっているわけではなさそうだけどね。とにかく今のところ第一は遠藤君。今年の冬から急に仲良くなったみたいよ」

「何だ、それ。ガキのくせに生意気な」吐き捨てるようにいい、平介は茶碗蒸しを啜る。鰹だしがきいていて、じつに美味だ。直子の味だな、と思う。

うふふ、と直子は笑った。

「平ちゃんは面白くないかもしれないけど、藻奈美はかなりもてたみたいよ。廊下を歩いていると、よそのクラスの男の子たちも、いろいろとちょっかいをかけてくるの」

「からかわれてるだけだろ」

「馬鹿ねえ。小学生ぐらいの男の子は、好きな女の子の気をひこうとして、逆にその子の嫌がりそうなことをするのよ。平ちゃんだって覚えがあるでしょ」

「忘れたよ、そんなこと」

夕食を食べ終えると、平介は直子が食器を洗うのを手伝った。彼女が洗剤でこすったものをすすぐのだ。前はこんなこと一度もしてくれなかったのにと彼女はいった。

「中身は直子だってわかっているんだけど、その小さい手とかを見てると、どうもほっとけないんだよな。皿とか落として割るんじゃないかと思ってさ」

「そういうけど、身長も手の大きさも、あたしと藻奈美じゃさほど変わらないのよ。ずいぶん細いっていうだけ」

「そりゃま、細いよな」直子の本来の姿を思い出して平介はいう。身長百五十八センチ、体重は五十キロプラスアルファ。

「それにあなたは知らないかもしれないけど、藻奈美も近頃じゃずいぶんと家事がこなせるようになってたのよ。今日あたしが作った料理なんか、たぶん作れたんじゃないかな」

「へえ、そうなのか」

「裁縫だって上手だったわ。あなたのチャコールグレーの上着のボタン、あの子がつけたのよ。気がつかなかったでしょ」

「全然気づかなかった。ふうん、あいつがねえ」そういって直子の、つまり藻奈美の姿をしげしげと眺める。あの上着のボタンは大切にしなきゃなと思った。

「ただし」と直子は右の肩を回した。「力はないのよね。食器を洗っていると腕がだるくなってきちゃう」

二の腕の太さが半分だものな、と平介は心の中で呟く。

「それで会合のほうはどうだった」

「うん、それほど大きな進展はなかったんだけどな」

平介は補償金の話をした。八千万円という金額を聞いても、直子はぴんとこなかったようだ。ふうんといって首を捻っただけだ。

「目標が八千万ということだろう。たぶんもっと下になるんじゃないか」

「きっとね」食器をすべて洗い終えた直子は、自分の手についた洗剤を湯で流した。

「それより、話し合いの後でおかしなことになっちゃってさ」

「おかしなこと？」

「うん」平介は梶川征子が来たことや、帰りにその征子の家に寄る羽目になったことなどを話した。直子は大きな黒目をくるくる動かしながら聞いていた。

「それは大変なことだったわね。お疲れさま」

「まあ、ちょっとしたハプニングだよ」

二人は和室に戻った。いつもなら即座にテレビのスイッチを入れるところだ。だがその前に直子がいった。「あたし、今の平ちゃんの話を聞いてて、思い出したことがある」

「何だ」

「バスの中でのこと」

「どんなことだ」

「二人の運転手が話してるのを、ちょっと聞いちゃったのよ。どこかのドライブインに着いた時だったと思う。ほかのお客さんは休憩のために出ていっちゃったんだけど、あたしと藻奈美は残ってたの。というより、藻奈美があんまり気持ちよさそうに寝ているものだから、起こすのがかわいそうになっちゃったのよね。それでどうしようかと思っていたら、前から声が聞こえてきたの。あたしたちのすぐ前が交替した運転手の仮眠用の席で、その前が運転席だったわけ」

「何か変なことでも話してたのか」

「別に変なことじゃない。でもちょっと気になることではあったの。ユンケルを飲んどいたほうがいいかなあとか、カフェインはまだ残ってたかなあとか、そういうこと。どっちがどっちにしゃべってたのかはわからないけど」

ふうん、と平介は腕組みをする。その言葉からだけでも、超過労働だったことが窺えるわけだ。

「そのこと、警察に教えてやったほうがいいかなあ」彼は首を捻った。

じつは事故直後、長野県警から平介に、お嬢さんの話を聞かせてもらえないかという申し出があった。助かった人たちの証言を彼等は集めていたらしいのだ。その時平介は、娘はショックで口がきけない状態だからという理由で断った。それから数日して、再び県警から同様の依頼があった。杉田藻奈美ちゃんが口をきけるようになった、というニュースを聞いたからだろう。だが平介は再び断った。精神状態が不安定のままだし、事故時には眠っていて何も見ていないらしいからと説明した。本当は、藻奈美を迂闊《うかつ》に他人に会わせたくなかったのだ。その理由はいうまでもない。

「別にいいんじゃないの、この程度のことなら」と直子。

「そうかな」平介は頷く。直子を証言台に立たせたくない気持ちは変わらない。

「それより、この話には少し続きがあるんだけど」

「何だ」

「どっちかの運転手がこんなふうにいったのよ。あんたもがんばるなあ、今日ぐらいは休めばよかったのに、そんなに稼いでどうするんだ——」

「ははあ、やっぱり働きすぎを意識していたということだな」

「そんなことじゃなくて、変だと思わない？　そんなに稼いでどうするんだっていう台詞。だって梶川って人の奥さんの話だと、いくら働いてもあまり収入が増えなかったわけでしょう？」

「あの人はそういってた」

「ねえ、いくら残業しても手当が大したことないって場合に、『そんなに稼いでどうするんだ』なんていう？　やっぱりこれは、それ相当のお金をもらってるってことじゃないのかなあ」

「だけど、それ相当っていうのは個人の感覚だぞ」

「でもあなたの目から見て、梶川さんが贅沢をしているようには思えなかったんでしょ」

「それは、まあな」

2DKのアパート。安っぽい組立家具。何かの景品らしき湯飲み茶碗。

「じゃあどういうことだ。稼いでたのに、家には金がなかったってことになるのか」

「そういうことでしょ」

「梶川運転手が、家には金を入れず、ほかのことに使ってたってわけか」

「たぶんね」

「博打とか？」

「女とか」

「ああ」それもあったか。いや可能性としては、そちらのほうが高いか。「奥さんは、そういうことは全然いってなかったけどな」

「知らないか、とぼけてるかのどっちかでしょ」

「そういうことなんだろうな」平介は梶川征子の痩せた顔を思い浮かべた。嘘をついているようには見えなかった。それとも芝居がうまかっただけだろうか。

突然直子が含み笑いを始めた。平介は驚いて彼女の顔を見た。何かがおかしくて笑っているのではなさそうだった。藻奈美の特徴だった大きくて少しつり上がり気味の目は、空間の一点を見つめていた。どうしたんだ、と彼は訊いた。

「なんだか情けなくなっちゃって」と彼女はいった。口元にはまだ意味不明の笑みが張り付いている。

「情けない？　何が」

「だって」彼女は平介を見た。「事故の原因を考えたら情けなくなるじゃない。女に貢ぐつもりだったか、競輪競馬につぎ込む気だったかはわからないけど、とにかくそういう金を稼ぐために運転手は無理をしてバスを動かした。その結果事故が起きて、何の関係もない人が大勢死んだ。あたしと藻奈美はこういうことになってしまった」

ばかばかしい死、と彼女は付け加えた。氷の破片のように冷たく鋭利な言葉だった。

「調べてみるよ」平介はいった。「梶川運転手の稼いでいた金がどうなっていたのか、はっきりさせてみる」

「いいわよ、平ちゃんがそんなことしなくても。ごめんね、ちょっと愚痴ってみたかっただけ」直子は微笑《ほほえ》んだ。今度は不自然なものではなかった。

「いや、このままじゃ俺も納得できないから」そういって平介は仏壇に飾ってある直子の写真を見た。

13

威勢よくいったはいいが、梶川運転手について何も調べないまま二週間が過ぎた。何かしなくてはと思うのだが、時間がなかった。日本経済は活況を呈しているようで、平介の会社も残業や休日出勤が増えている。

電子式燃料噴射装置製造工場というのが現在の彼の職場だった。その電子式――というのは、エンジンに送るガソリンの量をコンピュータで制御するというもので、従来のキャブレターにとってかわるものだった。高級志向の象徴だなと平介は内心思っている。

火曜日の昼休み、彼はいつものようにいつもの場所でいつものメンバーとトランプに興じていた。いつもの場所というのは、工場の入り口にある休憩室である。会議机があり、それを囲むようにパイプ椅子が置かれている。いつものメンバーというのは、同じ生産ラインにいる仲間たちだ。現場一筋三十年のベテランもいれば、二十歳前の若者もいる。トランプの種目はセブンブリッジ。もちろん賭けてやっている。月末に集計するのだが、平介はいい思いをした記憶があまりない。

「あっ、またかよ」あと一歩で上がれる時になって、すぐ横の若者に先を越された。入社二年目の拓朗だ。平介はカードを叩きつける。「ちょっとは遠慮しろよなあ。こっちは当分夜勤がないんだからさあ」

「えっ、俺たち来週夜勤じゃなかったっけ」拓朗が訊く。ムースでぴたりと決めた髪形を乱さないため、作業帽を常に斜めにかぶっている。

「夜勤じゃないのは俺だけだよ。おまえたちは夜勤。がんばってちょうだい」

「へえ、どうして班長だけ違うわけ」

「どうしてって、夜勤をやるわけにいかないからだよ」

それでもまだわからないらしく拓朗は何かいおうとした。その彼の腕を、隣の中尾達夫がぽんと叩いた。鈍いな、おまえ——という感じだ。

「課長のほうからオーケーは出たのかい」中尾がそのまま訊いてきた。彼は平介よりも二つ年上だ。寿司職人の見習いだったこともあるという変わり種である。

「うん。夜勤の間はB班の手伝いをすることになった」

「そうか。B班は人が足りないっていってたからなあ、平さんが行けば助かるだろう」

この頃には拓朗も事情を飲み込めたらしく、黙って頷いていた。

夜勤を何とかしてもらえないだろうかということは、事故後初めて出社した日に課長の小坂にいってあった。彼が夜勤に出れば、その一週間、直子が一人で夜を過ごさねばならない。女一人というだけでも不安なのに、直子の外見は小学生なのだ。

何とか考えてみようと小坂課長はいってくれていた。その答えが先日出たのだ。夜勤手当がなくなるのは痛いが、何かあってからでは遅い。

「おっ、噂をすれば」中尾が入り口のほうを見た。小坂が近づいてくるところだった。

「やってるな、誰が勝ってる？」得点表を見ながら小坂は訊く。背が低く、顔が大きい。頭が身体にうずもれたように見えるほど首が短い。「おっ拓朗か。平さんはどうだ」

いつもどおり、と声が飛ぶ。皆が笑う。つまり勝ってないということだ。

「これからだって。まあ見てな」平介は帽子の鍔《つば》を後ろ向きにし、配られたカードに手を伸ばした。

「はりきっているところを悪いんだが」小坂が平介の顔を見ていった。「ちょっといいかな。頼みがあるんだ」

平介は舌打ちをし、伸ばした手を引っ込めて腰を上げた。「なんだ、せっかくいい手が来そうだったんだけどな」

「残念なのはこっちだよ。カモがいなくなった」

拓朗の頭を殴る格好をしてから、平介は『賭場』を離れた。小坂と二人で少し離れたベンチに座る。

「じつは午後からタバタに行ってきてほしいんだ」小坂はいった。「今、D型インジェクタの試作をあっちでやらせてるだろ。ところがノズルの穴あけをする時の位置決めがえらく難しいとかで、ちょっとトラブってるらしいんだ。それで生産技術の連中が様子を見に行くそうだから、平さんにも見てきてもらえるとありがたいんだけどな」

「ああ、なるほど。いいですよ。そういうことなら見ておいたほうがいいと思うし」

D型インジェクタというのは、来年本格的に生産がスタートする予定の製品だ。現在はそれを田端製作所で作っている。その試作品を使ってビグッドの研究者たちがテストを繰り返し、最終的な確認を行っているわけだ。そして正式に生産が始まるとなれば、平介がその製造ラインを担当することになっていた。だから試作する段階で出てきた問題なども、できるだけ把握しておく必要があった。

だが平介は仕事以外のことも咄嗟に考えていた。田端製作所には梶川征子がいる。

「そうかい。そうしてくれると助かる。じゃあ生技の連中にいっておくから」

「わかりました」

ところで、と課長は少し声をひそめていった。

「娘さんの様子はどうだ。もう落ち着いたかい」

「ええ、まあなんとか」平介は答えた。この話題になると、ついうつむき加減になる。

「そうか。それはよかった。いつまでもくよくよしてても仕方がないしなあ」一呼吸置いて小坂は続けた。「だけどあれだぞ。やっぱり、男手一つで子供を育てるというのは難しいぞ。特に女の子の場合は」

「それはよくわかってます」とりあえず平介はこう答えた。じつは現在の彼に、女の子を育てているという意識はない。妻と二人で生活しているという感覚だった。

「まあ、今は無理だろうが、いずれは真剣に考える必要が出てくるんじゃないかな。その時は相談に乗るから、遠慮なくいってくれ」小坂は平介の膝をぽんぽんと叩いた。

はあ、と平介は小坂の大きな顔を見返した。「課長、何のことをいってるんですか」

「何いってるんだ。再婚のことだよ。娘さんの新しい母親のことだ」

「ええー」平介は大口を開けてから、その顔の前で手を振った。「いや、それはないです。そんなつもりはないです」

まあまあ、と小坂はいった。

「今はそうだろうさ。考えられるわけはないさ。だから、頭の隅にでも置いといてくれりゃいい。そういう気になったら、俺のところへ来てくれればいい。な、な」

肩を叩かれ、はあ、と平介は答えてしまっていた。

「じゃ、そういうことで」小坂は立ち上がり、工場を出ていった。その後ろ姿を見送りながら、平介は二つのことを思い出していた。一つは小坂が世話好きであるということ、そしてもう一つは、直子との結婚式では小坂に仲人をしてもらったということだった。

午後、平介は生産技術の担当者二人と車で田端製作所に出向いた。二人とも気心の知れた人物だった。木島という担当者は平介よりも少し下で、もう一人の川辺は二十代半ばだ。生産ラインを立ち上げる時には、飽きるほど顔を合わせることになるはずだった。

田端製作所は府中にある。畑の真ん中に突然建っている感じだ。社会の教科書に載っているマークそのままに、屋根がジグザグになっている。

生産ラインがずらりと並んでいるビグッドの工場と違い、ここには種々雑多に工作機械が置かれている。無論でたらめに置いてあるのではなく、親会社の無理な注文にいつでも応えられるシステムになっているのだろう。

平介は木島や川辺と共にD型インジェクタのノズル穴あけ工程を視察し、責任者の話を聞いた。親会社から見に来たということで、明らかに平介よりも年上の班長が緊張している。俺たちはそんなに偉くないんですよと平介はいってやりたかった。

トラブルに関する話し合いは一時間半ほどで終わった。現場の班長としては参考となる話が多く有意義だった。問題はいろいろあるようだが、解決するのは生産技術担当者の仕事だ。木島と川辺はインスタントコーヒーを飲みながら、深刻そうに話し合っていた。

ちょっと知り合いに挨拶してくるからといって、平介は彼等と別れ、工場内を歩き回った。千人以上いる作業員の大多数が男性だ。女性といえばまず事務員だが、この会社もビグッド同様パートの事務員はいないはずだった。

現場作業員で女性が多い職場となると、まずは巻き線だな——。

見当をつけながら歩く。モーターの中には電磁石が入っているが、あれの導線を糸巻きに巻きつけていく作業は、女性に向いているといわれているのだ。

巻き線班は工場の隅にあった。十人ほどの女性が巻き線機に向かって作業をしていた。帽子と安全眼鏡のせいで、顔がはっきりわからない。不審に思われない程度に近づき、さりげなく全員の顔を見ていった。

すると一人の女性が作業を止め、彼の顔を凝視した。平介と目が合うと、あわてた様子で頭を下げた。帽子と眼鏡がやたらに大きく見えるのは、顔が痩せているせいだろう。

彼女は持ち場を離れると、責任者らしき男性の席まで行って何かいった。男性は平介のほうを見て、頷きながら彼女に答えた。

彼女が小走りに駆け寄ってきた。眼鏡を取った顔はたしかに梶川征子だった。

「先日はどうもありがとうございました。おかげで助かりました」彼女は頭を下げた。

「足はどうですか」

「ええ、もうすっかりよくなりました。御迷惑をおかけして、本当にすみませんでした」

「いいえ。それより、いいんですか。持ち場を離れても」

「係長に事情を話しましたから」

「へえ……」どういうふうに話したんだろうと平介は気になった。

彼女の同僚たちの気を散らせてはいけないと思い、大きな高周波電源装置の反対側に移動した。大型の箪笥ほどもあるその四角い装置は、平介が見たところ金属シャフトを高周波焼入れするのに用いられているようだった。

仕事でこっちに来たのでちょっと探してみたんです、と平介はいった。

「そうでしたか」梶川征子は緊張しているようだった。

「じつはあの後、あなたの話を思い出してみたんですが、どうしても納得できなくて」

彼がいうと、征子は顔を上げた。傷つけられたような表情をしていた。

「旦那さんの収入が仕事の割に少なかったということはないと思うんです。これは、ある筋から聞いた話なんですがね。少なくとも、あなたが働かなきゃならないということはなかったはずです」

「でも」彼女は再びうつむいた。「本当にあまりお金がなかったんです」

「それは御主人がほかのことに使っていたからじゃないですか」残酷な意味を含んでいることを承知で平介はいった。

征子は上目遣いに彼を見た。「浮気のことをおっしゃってるんですか」

「博打かもしれません。あるいは、あなたの知らない借金があったのかも」

彼女は首を振った。

「そんなこと、とても考えられません。私の知っているかぎりでは絶対にありません」

だけど旦那が女房の知らないうちに多額の借金を抱えているというのはよくあること

なんだけどな、とこれは平介も口には出せない。

「給与明細を見たことがないとおっしゃってましたよね」

「はい」と頷く。

「一度もですか。基本給がどれだけとか、知りたいとか思うことはなかったんですか」

「すみません」梶川征子は頭を下げる。教師に叱られている生徒のようだ。

「信じられないなあ」平介は嘆息する。本心から出た言葉だ。たとえば直子なら、今月の給料が大体どれぐらいになるか、たちどころに答えられるだろう。

「あの人は」征子がぽつりという。「自分のことはあまり話してくれなかったんです」

「でも、何年も連れ添ってきたわけでしょう?」

「六年です」

「えっ?」

「六年です。結婚して」

「ああ」なぜか平介の頭に逸美の顔が浮かんだ。「するとお嬢さんは」

「私のほうの連れ子です」

「そうでしたか。ええと、前の御主人とは離婚なさったのですか」

「いえ、逸美の父親は十年ぐらい前に癌で亡くなりました」

「そうでしたか」

急激に目の前にいる女性が気の毒に思えてきた。同時に、あの逸美という少女のことも哀れに思えた。六年で、新しい父親に馴れることはできたのだろうか。

「御主人のほうは初婚だったのですか」

「いえ、ずいぶん前に結婚していたことがあると聞いています。でもその頃のことは全く話してくれませんでしたので、私もよく知らないんです」

「そうですか」

俺は何をしているのだろうと平介は思った。こんなところで彼女の身の上話を聞いている場合ではないのだ。

「とにかく御主人に浮気や博打をしていた様子はなかったのですね」

「それはありません」小さいが、きっぱりした声で彼女は答えた。

あまり長い時間仕事を抜けさせるわけにはいかなかった。平介は自分の腕時計を見た。

「あっ、そろそろ行かないと。どうもお仕事中すみませんでした」

すると彼女がいった。

「あの、少しここで待っていてくださいますか。すぐに戻ってきますから」

「何ですか」

「ええ、あの、ちょっと……」彼女は小走りにどこかへ行った。巻き線の職場とは全く逆の方向だった。

数分で彼女は戻ってきた。手に白い包みを持っていた。

「これをお嬢さんに。いただきもので悪いんですけど」

ビデオテープほどの大きさの包みだった。包装紙に印刷されている文字から中身は察しがついた。ホワイトチョコレートだ。たぶん誰かの北海道土産なのだろう。

「いや、これはお宅のお嬢さんに持って帰ってあげてください。これをくれた人も、そのつもりだと思いますから」

「大丈夫です、二ついただきましたから。それに、逸美はあまり甘いものが好きじゃないので」

梶川征子は意外に強い力で押しつけてくる。台車を押した若い作業員が怪訝そうな顔で通り過ぎていった。

「そうですか、では遠慮なく」あまり強く断るのも大人げないと思い、平介は包みを受け取った。

「じゃあ私はこれで」梶川征子は職場に戻っていった。大きな目的を果たしたと思ったのか、顔色が幾分よくなっていた。

川辺の運転する車で、ビグッドに戻ることにした。車の中で平介は包みを開き、ホワイトチョコレートを二人に勧めた。食べきれなかったら、職場の仲間に振る舞うつもりだった。直子は甘いものが好きだが、梶川征子からの貰い物となると、いい気分はしないだろうと思った。

「杉田さんは食べないんですか」木島が箱を持ったままいった。

「うん、ああ、じゃ、一つもらおうかな」平介は将棋の駒ほどの大きさのチョコレートを摘み、口に入れた。懐かしい甘さが口に広がった。チョコレートを食べるのなんて何年ぶりかなと思い、その後で思い出した。虫歯になるからといって、直子はめったなことでは藻奈美にチョコレートを食べさせなかったのだ。

14

平介の帰宅時刻は九時近くになった。なるべく早く帰ろうとしたのだが、残業が二時間あったのではどうしようもなかった。

直子は和室でテレビを見ていた。平介を見ると、「お帰りなさい、すぐに晩ご飯の支度をするからね」といって立ち上がった。

平介は二階の寝室に上がってトレーナーとスウェットに着替え、再び階段を下りた。その時にはもうキッチンからいい匂いがし始めていた。

「おっ、今夜は親子丼か」鼻をひくつかせて平介はいった。

「当たり」と直子。「プラス、あさりの味噌汁」

いいねえといいながら平介は卓袱台の前に座る。親子丼もあさりの味噌汁も好物だ。

新聞を拾い上げようとして、部屋の隅に押しやられている本やノートに目がいった。手に取ってみる。算数の教科書とノートだ。教科書に挟んである白い紙は問題を印刷したプリントだった。

「勉強してたのか」キッチンに向かって訊く。

「あっ、それ宿題」大声で直子は答えた。換気扇の音がうるさいからだ。「明日まで」

「へえ、大変だな。それはご苦労さん」

「ご苦労さん、じゃないわよ。後で手伝ってよ」トレイに丼を二つ載せて直子が入ってきた。細い腕が頼りない。

「えっ、俺が手伝うのか」

「当たり前じゃない。ほかに誰がいるのよ」無事に二つの丼を卓袱台に載せると、再びキッチンに戻った。味噌汁を運ぶためだろう。

「子供の宿題を手伝っちゃいけないといったのは直子じゃなかったっけなあ」

「あたしはあなたの子供じゃありませんよー」味噌汁を運びながらいう。「だってさあ、ちょっと見てごらんなさいよ。すごく難しいんだから」

「難しいというより懐かしいな。鶴亀算だぞ、これは」プリントを見ていった。

「わかる？　さすがは高専出身ねえ」

「いくら何でも六年の算数ぐらい直子でもできるだろう」

「それが全然だめ。単純な計算問題なら大丈夫だけど、文章題とか図形の出てくるやつはまるで苦手。昔からだめなの」

「ふうん」

いただきます、と軽く手を合わせてから平介は箸を取った。親子丼も味噌汁もすこぶる美味しかった。直子の腕は、いささかも衰えていないと確信する。

料理がこんなに上手にできるなら算数なんかできなくてもと思うが、現実はそういうわけにはいかなかった。

「なあ、藻奈美ならこの宿題どうだったかな。わからないといって俺に泣きついたかな」

「たぶんそんなことはなかったと思う。あの子、あなたに似て算数は得意だったもの。じつをいうと、それでちょっと参ってるのよね」直子は眉に皺を寄せた。小学生の顔には合わない表情だった。

「何かあったのか」

「あったというか、目に見えないプレッシャーを感じるわけ。周りの子はあたしのことを算数の得意な女の子として見てるんだけど、じつは大違い。本当はこっちが教えてほしいぐらいなの。だけど急に苦手になったともいえないでしょ。おまけに先生まで、杉田さんならこの問題は軽いわねっていう顔で見る。必死で愛想笑いしてるけど、いずれボロが出るだろうと思うと気が気じゃないの」

ふうむ、と唸って平介は味噌汁を啜る。

「小学生の算数がねえ」

「しみじみいわないでよ」

「だって三十六にもなってさあ」そこまでいって平介は口を閉じる。現在の直子を何歳といっていいのか、よくわからなくなったからだ。

しかし彼女のほうは三十六歳といわれたことに抵抗はないようである。

「何歳になろうと、わかんないものはわかんないのよ。小学生の時には解けなかった問題が、歳さえとれば解けるようになるってものでもないでしょ」

「それはまあそうだ」

平介は小皿に盛ったしば漬に箸を伸ばす。テレビでは二時間ドラマが始まっていた。出演者を見るだけで、誰が犯人かはおおよそ見当がつく。

「じゃあ、飯食って一息ついたら、算数の特訓でもするか」

「気が重いけど、仕方ないわね」直子もしば漬を摘む。二人の口がぽりぽりと鳴った。

食後はテレビを消し、卓袱台を勉強机に変えての特訓が始まった。

だが平介が教え始めて一時間も経つ頃には、意外な結果が現れていた。

「なんだ、簡単じゃない」宿題のプリントを全部仕上げて直子はいった。目を丸くしている。「こんなにすらすらと算数の問題が解けたのなんて生まれて初めて。さすがに平ちゃん、教え方がうまいのねえ」

「いや、別に俺の教え方はうまくないと思うよ。ふつうだろ」

「えっ、でもとてもよくわかったよ。どうして今まで出来なかったのか不思議なくらい」

「それはもしかしたら」平介は彼女の顔を見た。さらに視線を少し上げる。「脳味噌が変わったからじゃないか」

「えっ」思わず、といった感じで彼女は自分の頭に手をやった。

「意識は直子のものだけど、脳は藻奈美のものだよな。才能の質だとか得意科目なんてものは脳によって決まるわけだから、当然今の直子は藻奈美と同じ素質を持っているってことになるんじゃないか」

「あ、そうなのかな」直子も目が覚めたような顔をした。

肉体が変わった以上、当然そうなるはずだった。もっと早くに気づいていてもいいことだった。

「でもあたし、藻奈美みたいに算数とか理科を好きになれないわよ」

「そうかな。本当にそうかな。算数の特訓する前と後でどうだ。何か少しは違うんじゃないか。やっぱり今も嫌いかい？」

直子は卓袱台の上に置いた自分の手を見つめていた。伏せた睫《まつげ》が長い。

「よくわからないけど」顔を上げた。「明日、算数の授業があるなあと思っても、おなかがしくしく痛むようなことはないみたい」

「前は痛んだのか」

「とってもね」そういって彼女はにっこりした。「コーヒーでも淹れようか」

「おっ、いいね」

直子は片方の膝を立て、そのまま立ち上がろうとした。ところがその時、彼女の顔が不意に曇った。眉間を寄せ、首を捻る。「あれ、おかしいな」

「どうした」

「おかしいの」

「だから何がだよ」

「ちょっと……」直子はゆっくりと立ち上がった。平介を見下ろし、瞬きを何度か繰り返してから歩きだした。廊下に出て、トイレに入る。

やっぱり腹が痛くなってきたのかなと思いながら平介はテレビのスイッチを入れた。ニュース番組が始まっており、今日のプロ野球の結果を伝えているところだった。彼はとりあえずそちらのほうに意識を集中させた。彼は巨人ファンだった。

スポーツコーナーが終わりコマーシャルになっても、直子は戻ってこなかった。次の天気予報が始まる時になって、ようやく彼女はトイレから出てきた。

直子は複雑な顔をしていた。考え事をしているようであり、何か奇妙な発見をしたような顔でもあった。いずれにしてもさほど深刻な表情には見えなかったので、平介も気軽に尋ねてみた。「一体どうしたんだ」

「うーん」と彼女はまず唸った。

「なんだ、どこか悪いのか」

「ううん、悪いわけじゃない」直子は元の場所に座った。だが何となく落ち着かないように平介には見えた。すると彼女は彼の顔を、じっと覗き込んできた。「明日は赤飯かな」

「えっ」一瞬何のことかわからなかった。だが彼もそれほど鈍感ではなかった。すぐに彼女の言葉の意味を理解した。目を見開き、身体をのけぞらせていた。「あっ、あれか」

「そう」彼女は頷いた。「そういえばあの子、まだだったのよね。友達なんかで早い子だと五年生あたりできたらしいけど」

「ふうん」平介としては何ともコメントしようのない話題だった。「で、どうなんだ」

「どうって？」

「何か具合の悪いことでもあるのか。その、つまり、そういうことになって」

「ああ」直子は頬を緩ませた。「別にどうってことないわよ。生理なんか馴れてるもの。何しろ二十年以上付き合ってきてるんですからね。それに最初だから大した量じゃないし」

「今はどうしてるんだ？」

「今？　ナプキンをつけたわよ。あたしのが残ってたから。ちょっと大きいけどね」

「ふうん」

ふうんとしかいいようがねえよなあこういう場合、と平介は頭を掻く。そして思った。

もし本来の藻奈美にこういうことがあった場合でも、こんなふうにとぼけた反応しか示せなかったに違いない。

「それは、どうも、おめでとう」

「ありがとう」直子はぺこりと頭を下げてから、にっこり笑った。「これで藻奈美の身体も少しずつ女になっていくわけだよね。あたしみたいに生理痛がひどくなきゃいいんだけどな。でもこればっかりは、平ちゃんに似るわけにもいかないしねえ」

「そうだな」彼女の冗談にも、平介はあまり笑えなかった。その前の「女になっていく」という台詞のほうが、いつまでも頭の中で反響していた。現在すでに精神的には完全に大人の女である直子が、今度は大人の女の身体を手に入れることになる。そうなったら自分たちはどうなるんだろうと思った。

15

杉田家の浴室は、家全体の大きさと比較するとかなり広い。浴槽は大人が足を伸ばしてゆったりと入れるほど長く、それに合わせて洗い場にもゆとりがある。前に住んでいた人が風呂好きだったのだろう。平介がこの家を気に入った第一の理由も、この広い浴室だったといってもいい。

浴室につかったまま、平介は浴室内を見回した。吸盤で取り付けた小さなフックにシャワーキャップが引っかけられている。あれを直子は最近でも使うことがあるのだろうかと彼は思った。シャンプーや石鹼を置くための棚には、柄がピンク色の安全剃刀が見える。平介が使うものではない。すぐに剃刀負けしてしまう彼は、毎朝電動髭剃り器を使うのだ。ピンク色の剃刀は直子が腋の下を剃るためのものだった。これは間違いなく現在は不必要だろうと平介は推測した。

杉田家では全員が毎日入浴することになっていたが、今夜は生理が始まってしまったため直子は入らない。平介が一人で風呂に入るのは、直子が入院していた頃以来だった。事故の前も、夜勤の週以外はいつも直子か藻奈美のどちらかと一緒に入っていた。浴室の広さを最大限に生かしていたわけだ。

しかしいつまでも直子と一緒に入るわけにはいかないのではないかと彼は思った。もちろんふつうの夫婦なら、死ぬまでそうしたって構わないだろう。だが現在の彼女は、直子であって直子ではない。外見は娘の藻奈美なのだ。

平介の知り合いにも、藻奈美と同じぐらいの年頃の娘を持った男がいる。彼等は皆、近頃では一緒に風呂になんか入ってくれなくなったと嘆いている。藻奈美も本来ならば、そろそろそうなっていたはずなのだ。となれば誰も見ていないとはいえ、我が家でもそれをするのはまずいのではないか――。

考えれば考えるほどわけがわからなくなり、頭がぼうっとしてきた。彼はタオルを水で濡らし、それを額に当てたまま浴槽から出た。

和室では直子が明日の準備をしていた。時間割を書いた紙を卓袱台に置き、それを見ながら教科書やノートを鞄に詰めていく。

「さっきも思ったんだけど、どうしてそういうことをここでするんだ？」冷蔵庫から三五〇ccの缶ビールを取り出しながら平介は訊いた。

「えっ、いけない？」

「いや、いけなくはないけどさ、せっかく藻奈美の部屋があるのにと思ったんだ」

二階の六畳の洋室が藻奈美の部屋である。

「うん、そうなんだけどさあ」直子の歯切れはよくない。

「何か問題があるのか」

「ううん、別にそういうわけじゃない。ただ、あの部屋を使いたくないだけ」

「どうして？」

「うん、まあ、つまんないことなんだけど」直子は平介を見ていった。「あの部屋、藻奈美が生きていた時のままなの」

「えっ？」

「机の上に置いてあるものだとか、ベッドの布団の形とか、できるだけそのままにしてあるのよ。教科書だとかノートだとか、どうしても必要なものを取り出さなきゃいけない時には触るけど、それでも関係のないところは極力動かさないように気をつけてる」

そういって彼女は自分の手元を見つめた。

平介は缶ビールを開けようとしていた手を止めた。なぜそんなことを、という疑問は湧いてこなかった。むしろ今日まで藻奈美の部屋がどうなっているかを考えなかった自分の迂闊《うかつ》さにうんざりした。直子のほうは藻奈美のふりをして学校に行きながらも家の掃除はしなければならないから、娘の部屋をどうするかについて毎日悩んでいたに違いない。

「そうだったのか」

「ごめん。馬鹿みたいだと自分でも思うんだけど」

「ちょっと見てもいいか」平介は尻を浮かした。

「藻奈美の部屋？」

「うん」

「それはいいけど」

平介は腰を上げた。直子も立ち上がった。

杉田家の二階には二部屋ある。階段を上がったところでドアが二つ向き合っており、右側が藻奈美の部屋、左側が夫婦の寝室だった。

右のドアをゆっくり開けると、かすかにシャンプーのような香りがした。中は真っ暗だ。明かりのスイッチがわからず壁を探っていたら、横から直子が手を伸ばしてきてパチンと入れた。蛍光灯が一度瞬きした後、白い光が部屋に充たされた。

「なるほど」という言葉が彼の唇から漏れていた。

　そこは紛れもなく藻奈美の部屋だった。窓際の机には、表紙で男性アイドルグループが笑っている雑誌が置いてある。壁にも同じアイドルグループの写真。少年隊という名前を、つい最近平介は藻奈美から教わった。本棚には少女マンガがずらりと並んでいる。小さなベッドにはギンガムチェックのカバーがかけられ、枕元ではテディベアのぬいぐるみ――あのテディベアだ――が座っていた。ベッドの表面が微妙に窪んでいるのは、藻奈美がごろりと横になった跡か。触れば体温が感じられそうな気がした。

「掃除は？」と平介は訊いた。

「床にちょっとだけ掃除機をかける程度」

「でもそれじゃあ埃だらけになっちまうだろ」

「うん」直子は頷いた。「いつまでもこんなふうにしておくわけにはいかないと思ってる」

「そうだよなあ」平介は大きくため息をついた。藻奈美が座っていた椅子に目がいく。イチゴの柄が入った小さな座布団が敷かれていた。見覚えがある。藻奈美がもっと小さかった頃、椅子が低すぎるというので、直子が作ってやったものだ。それを大きくなってからも使っていたらしい。

「直子、ちょっとそこに座ってみてくれないか」

「椅子に？」

「うん」

直子はあまりよけいなところに触らないでおこうと思っているのか、やけに慎重に椅子を引き、ゆっくりとそこに座った。平介のほうを見る。「これでいい？」

彼は腰に手をあて、座っている直子の姿を眺めた。この瞬間、彼の世界に藻奈美が戻っていた。懐かしい写真を見ているような気がした。「藻奈美……」彼は呟いていた。

夫が何を見ているのか、直子にわからないはずはなかった。「お願いがあるんだけど」と彼女はいった。「鏡を持ってきてくれない？」

「鏡か」すぐに彼女の考えを彼も察した。「どこにあったかな」

「なるべく大きいのがいい」

「わかってる」すぐに一つのアイデアが浮かんだ。「待ってろ、今持ってくる」

平介は部屋を出て、向かい側の寝室に飛び込んだ。こちらは和室だ。壁に箪笥が二つ。窓際には直子のドレッサーがある。いずれも結婚時に彼女が持ってきたものだ。

彼はドレッサーに近づくと、鏡の部分を両手で抱え、力を込めて引き上げた。この部分が外れることは引っ越しの時に確認済みだ。

鏡を完全に引き抜くと、それを抱えて藻奈美の部屋に戻った。「すごい、よく気がついたね」と直子も感心した。

平介は鏡を床の上に立て、直子のほうに向けた。「どうだ」

「もうちょっと上に向けて。それから少し左。うん、それでいい」直子は鏡に娘の姿を写すことに成功したようだ。しばらく見つめた後、少し潤んだ目を平介に向けた。「写真に撮っておきたい感じ」

「カメラ、持ってこようか」

「ううん、いらない」写真では意味がない、というような口調だった。直子はもう一度鏡の中にいる娘を眺めた。時々顔の角度を変えたり、手足を動かしたりする。

「この部屋、使えよ」平介はいった。「掃除もきちんとして……さ」

直子はうつむいた。それから顔を上げ、「そうだね」といって微笑んだ。

二階に上がったついでに布団を敷き、そのまま寝ようということになった。結婚以来、二人はダブルの布団で一緒に寝ている。

平介がうとうとしかけた時、肩をとんとんと叩かれた。目を開けると、直子がじっと彼の顔を見ていた。「どうした」と彼は寝ぼけた声で訊いた。

直子は少しもじもじした様子を見せてからいった。「あのさあ、あっちのほうだけど、どうする？」

「あっちのほう？　何だよ、あっちのほうって」

「だから、あれよ。あ・れ」

「あれ？」何のことをいっているのか、すぐにはわからなかった。だが理解すると同時に眠気は飛んでいた。彼は目を大きく開いた。「あれのことか」

「うん。どうする？」

「どうするったって、どうしようもないだろうが。こういうことになっちゃったわけなんだから」

「するわけにはいかないもんねえ」

「当たり前だ。馬鹿なこというな。そんな……じつの娘と。しかも小学生の」

「でも平ちゃん、我慢していられる？　全然しないで。溜まっちゃうんじゃないの」

「我慢できるもできないも、いくら中身が直子だとわかっていても、その姿じゃ変な気になるわけないじゃないか。俺は変質者じゃねえんだぞ」

「そうよねえ。じゃあほかの女の人とするってこと？」

「うーむ」平介は身体を起こし、布団の上であぐらをかいた。「そういうことは考えてなかったなあ。それより直子はどうなんだ。そういう欲求ってのはあるのか」

以前はあるといっていた。寝ていたら脇腹を突き、「ねえ、しようよ」と小声で囁いてきたこともあった。

「それがねえ、そういう気持ちに全然なれないの。そういうことを想像しても、なんだかピンとこないのよね。身体が反応しないというか」

「不思議なものだな。でもそれが当然なのかもしれない」セックスのことを考えるだけで身体が反応してしまう小学生というのは、かえって問題があるという気がした。「とにかくこれについては仕方がないだろう。諦めるしかないぞ」

「そうねえ」直子は浮かない顔で頷く。「手とか口を使うっていう手もあるけど、やっぱりまずいわよねえ」

「なに馬鹿なこといってるんだ。頼むからそんなこといわないでくれ。そっちはふつうにしゃべってるつもりでも、こっちは藻奈美の口から聞くことになるんだ」

「あっ、そうか。ごめん。じゃあ、あれについてはなしってことで」

「うん」平介は再び布団に足を突っ込んだ。だが掛け布団をかぶる前にいった。「俺から一つ、提案があるんだけどな」

「何？」

「お互いの呼び方なんだけどさ、今は家の中では俺は『直子』って呼んでるし、直子は俺のことを『あなた』とか『平ちゃん』って呼んでるよな。これ、改めたほうがいいような気がするんだ」

「外にいる時と同じように呼ぶってこと？」

「うん。そう習慣づける必要があると思うんだ。これから先、長いしさ」

「そうねえ……」直子は天井を見てしばらく考えていた。その間平介は彼女のパジャマの柄を見ていた。猫のイラストが描かれていた。怒った猫や泣いた猫、笑った猫、すました猫、いろいろいる。

「わかった」やがて彼女はいった。「そのほうがいいとあたしも思う」

「そうか」

「じゃ、今夜から平ちゃんじゃなくてお父さんね」

「そういうことだ」

「では、おやすみなさいお父さん」

「おやすみ……藻奈美」

平介は布団にもぐりこんだ。だが眠気はすっかりどこかへ消えてなくなっている。そのうちに直子のほうから規則正しい寝息が聞こえてきた。やはり子供は寝つきがいい。

平介は冴えた頭で闇を見つめながら、俺は娘と妻のどちらを失ったのだろうと考えていた。

16

立ち上がった男は頬のあたりを少しひきつらせていた。顔に脂の浮いているのが、かなり離れたところからでもよくわかる。焼き海苔をはっただけのような薄い髪も、べたついて見えた。ゴルフにでも凝っているのか、広い額も含めてよく日焼けしている。それでも幾分血の気がひいているようだった。

四千万から四千四百万、と男はいった。声が少し裏返っていた。静寂を破る一言だった。いわば攻防開始の合図だ。平介はこんな場にはあまりいたくなかった。だが逃げ出すわけにもいかない。

「――を、補償額として考えております。男女、年齢等に応じまして、多少増減する必要があるとは思っております」

しゃべっているのは大黒交通総務部長の富井という男だった。損な役回りだなと平介は敵ながら同情した。この男が事故を起こしたわけではないのだ。

事故遺族会と大黒交通との補償交渉は、例によって新宿のホテル内にある会議室で行われていた。事故から約三か月が経っている。土曜日ということもあり、遺族会側はほぼ全員が出席。会社側からは富井のほか、五名の代表者と顧問弁護士が来ていた。部屋の一番前に会社側の人間が座り、彼等と向き合うように遺族用の席が並べられている。何かの記者会見みたいだなと平介は思った。

「その金額はどういう根拠から出てきたものですか」遺族側の向井弁護士が質問した。

いったん座っていた富井が再び立ち上がった。

「ええと、過去の事故の例などと照らし合わせたりしてですね、当社としてお出しできるほぼ上限に近い額であると考えていただいて結構です。あの、運輸省のほうからもですね、最大限の誠意を見せるようにという指示をいただいております」

代表幹事の林田が手を挙げた。

「それはおたくの会社に基本的には落ち度がなくて、不幸にも予測不可能な事故が起きた場合の上限ということではないですか。たとえば突然天候が悪化したとか、別の車に走行を邪魔されたとか。でも今回の事故はそういうものではないですよね」

「どういう意味でしょうか」

「これは単なる事故ではなく人災だったと我々は考えているわけです。さらにいうならばかりか過失致死にも等しいものだったと受けとめています。だってそうでしょう。休みももらえず働きづめで、ふらふらになっているような運転手に危険なスキーバスの運転なんかをさせたら、いずれ事故が起きるのは明白じゃないですか。そんな物騒なバスに金を取って客を乗せるなんて、犯罪行為以外の何物でもないですよ。客なんかどうなってもいいと考えていたとしか思えません。そんな殆ど殺人に等しいようなことをしておいてですね、過去の事故の例だとかいうのは虫がよすぎると思いませんか」

興奮した口調で一気にしゃべり、林田は音をたてて椅子に座った。何人かが小さく拍手した。

当然のことながら会社側の人間は苦い顔をしている。過失致死や殺人という言葉が出ては心中穏やかなはずもなかったが、彼等としては頭から否定できない事情もあった。

つい先日労働基準局が、大黒交通の幹部二人を労働基準法違反の疑いで東京地検へ書類送検したと発表している。またそれに先駆けて、大黒交通の特別保安監査をしていた関東運輸局が、明らかに過労運転防止違反で輸送安全の確保に手落ちがあったとして、同社の観光バス八台について十四日間の使用停止命令を出していた。監査結果によると、一か月近くも休みなしで運転していた運転手が四人もいたそうで、これは自動車運送事業運輸規則に定められた運転者の過労防止違反に当たるらしい。

さらに長野県警も道路交通法違反で大黒交通を家宅捜索して捜査を続けており、その結果次第では新たな処分が下される可能性もあった。

そうした被害者にとってはいわば「追い風」があるため、林田にしても強気な発言が出来るに違いなかった。

「大体汚いんだよ。ちゃんと罪を認めてないんだからな」平介のそばにいた男が発言した。双子の娘をいっぺんに亡くした藤崎だ。「一昨日の新聞で読んだけど、運転手が過労運転になったのは本人が悪いからだなんていってるそうじゃないか」

「いや、あの、それはですね」会社側の席から別の男が立ち上がった。運行管理部長で笠松という名だということは、平介も今日の最初の紹介で聞いていた。「超過勤務を会社側から命じていたわけではないと、強制していたわけではないといったわけです。特に梶川運転手のほうは、タイムチャートを作る担当者に、自分の乗務を増やしてもらうよう頼んでいたという事実があります」

平介は笠松の顔を見た。

「本当かなあ」藤崎が疑いの声をあげる。「どんなに金が欲しいからって、全然休まないで働きたいと思う人間なんかいるかなあ」

「いえ、本当です。内部調査をしてわかったことです」笠松は熱い口調でいった。

本当かもしれない、と平介は思った。直子は一方の運転手が、「そんなに稼いでどうするんだ」ともう一人にいったのを聞いている。これは明らかに、いわれたほうの運転手が自分から進んで通常以上の勤務についていることを意味する。

やはり梶川運転手には金が必要だったのだと平介は思った。だがその金を何に使っていたのだろう。

「仮にそうだとしても、会社側の責任であることに変わりはないですよ」遺族側弁護士の向井が発言した。「労働基準法は、過労勤務を強制するだけでなく、本人が望む場合でもそれを許可することを禁じていますから」

「ええ、それはもうおっしゃるとおりです」笠松が頭を下げながらいう。「ですからその、責任逃れをしようというのではないわけです。ただ先程、先日の新聞報道について少し誤解されているような意見が出ましたので、一応訂正させていただいた次第です。梶川運転手にかぎっていえば、強制していたわけではないと……」

「でもね、強制と同じなのかもしれませんよ」林田がいう。手に何かメモのようなものを持っている。「ここに一昨年の資料があるんですけど、バスの運転手の一か月の勤務時間は全産業平均よりも六十時間以上多いんです。時間外勤務は月平均五十時間で、全産業平均の約三・五倍。どうしてこんなことになっているのかというと、結局基本給が他の産業に比べて低いからなんです。だから残業手当で補うしかない。特に教育費のかさむ三十代、四十代でこの傾向が顕著なように思われます。大黒交通さんでも、こうしたことはいえるんじゃないですか」

大黒交通の幹部たちは反論できず、黙り込んでいる。頷いている者さえいた。

「ええと、そうしますと」話が違うほうにそれてしまったため、置いてきぼりにされた格好だった総務部長の富井が口を開いた。「遺族会の皆さんのほうでは、大体どれぐらいの額を考えておられるんでしょうか」

林田をはじめとする四人の幹事と向井弁護士が何事か囁き合った。彼等の席は並んでいるのだ。遺族会の他のメンバーたちは、基本的に交渉はすべて彼等に任せるという意思を示している。

やがて向井弁護士がいった。

「補償については男女や年齢に関わりなく一律としていただきたいというのが、御遺族の方々の一致した意見です。それから金額につきましては、これまで何度か打ち合わせをしてきておりまして、これより以下は譲りたくないという額が一応出ています。それは八千万円です」

さらりと発せられた言葉は、大黒交通側の人間にとっては、とてつもなく重いハンマーだったようだ。それを上から振り下ろされたように、幹部たちはがっくりと首をうなだれた。この場の最高責任者である専務は白髪頭を抱え込んだ。彼は先日退いた社長に代わって、今度就任することになっていたが、平介が見たかぎりでは明らかに嬉しそうではなかった。

話し合いはまだまだ長引きそうだなと、平介もまた憂鬱になった。

この日の交渉では、大黒交通側が宿題を持ち帰って検討すると答えるに留まった。遺族会にとって有利に動いているのかどうかは平介にはわからなかった。だが幹事たちや向井弁護士の様子を見ていると、とりあえず一歩進んだと考えてもよさそうだ。

　平介が部屋を出ると、廊下では大黒交通の人間たちが資料の後片づけなどをしていた。中でも運行管理部長の笠松は、一人少し離れたところでファイルに何か書き込んでいた。平介は笠松に近づいていった。「あの、ちょっとすみません」

　遺族から声をかけられることは予想していなかったのか、笠松はうろたえた目をした。平介の姿を爪先から頭のてっぺんまで眺めてから、「あ、はい」と返事した。

「さっきの話なんですけど、あの、梶川運転手が自分から超過勤務を希望していたということですけど」

「はあ」

「梶川さんは、何かお金の必要なことがあって、そういう無理をしていたんでしょうか。なんか、そのあたりの話はお聞きになってませんか」

「いやあ、そこまで詳しいことは、私も担当者から聞いてはいないんですが」笠松は戸惑いを隠さなかった。なぜ遺族がそんなことを気にするのか疑問なのだろう。

　その時平介の後方から声がした。「杉田さん」

　振り返ると林田が見ていた。平介は笠松に礼をいい、林田のところに戻った。

「杉田さん、まずいですよ。向こうの人間と個人的な話はしないでください」代表幹事は眉を寄せていった。

「あ、どうもすみません」平介は謝りながら、個人的な話ではなく、事故原因に関することなんだがなと思った。

平介は補償金などはどうでもいいと思っていた。いや、無論もらわないつもりはないし、金額は多いほうがいいに決まっている。だがそのことに神経や時間を使う気にはあまりなれなかった。それよりも彼は、依然として事故原因がはっきりしないことに苛立ちを感じていた。運転手が過労気味で運転ミスをしたらしい、という見解は出ている。しかしなぜそんな過労状態で仕事に臨んだのかという点が曖昧だった。金が欲しかったから。それはそうだろう。ではなぜ金が欲しかったのか。贅沢をしたかったからか、借金があったからか、外に女を囲っていたからか、博打に溺れていたからか。平介はそこまで知りたかった。そこまで知らないことには、現在の状況を受け入れる気には到底なれなかった。

藤崎が向井弁護士に話しかけているのが見えた。その声が断片的に聞こえてきた。最低一億といってもよかったのではないか。彼はそういいたいようだった。弁護士は少し困惑した表情で、八千万でもかなり思い切った額なのだという意味のことを説明していた。

17

新宿駅で帰りの電車の切符を買おうとした時、小銭がないことに気づいた。売店を見つけ、近づいていった。週刊誌でも買おうと思った。電車に乗っている間の暇つぶしにもなる。

だが彼がいつも読む週刊誌が見当たらなかった。代わりに彼の目に飛び込んできたのは男性週刊誌の表紙だった。より具体的にいうならば、彼の目を捉えたのは表紙で官能的なポーズをとっている女性のイラストだった。『快楽星団』という名のその雑誌がどういう存在価値を持っているかは一目瞭然だ。

そういういわゆる官能雑誌を平介は買ったことがなかった。会社のロッカー室に放置してあるのを目撃したことはあるが、手に取って読んだことはない。

買ってみようかと彼は思った。だが買いにくいのも事実だった。売店の店員は五十歳ぐらいの太った女性だ。変なふうに思われたりしないだろうかと少し気になる。

迷っていると、余計に買いにくくなってしまった。平介は結局さほど読みたくもないふつうの週刊誌を取った。そして財布を開ける。

その時若いサラリーマンらしき男が彼の横に立った。男は店頭をざっと眺めた後、殆ど迷った様子もなく『快楽星団』に手を伸ばした。そして千円札を出す。売店の女性は商売にはあまり興味がないといった顔つきで、無愛想に釣り銭を渡していた。

なるほど、堂々としていればいいのだな——。

平介は今初めてその雑誌があることに気づいたという顔をし、思い切って『快楽星団』を取った。そして先に手にしていた週刊誌と合わせて手に持ち、一万円札を出した。彼は一刻も早くこの場を去りたかったが、売店の女性は釣りを何度も数え直してから寄越した。だがもちろん、彼がどんな雑誌を買ったかについては全く関心がなさそうだった。

帰りの電車の中で、彼はふつうの週刊誌のほうを読んだ。『快楽星団』は補償交渉の資料と共に鞄の中に入っている。念願のおもちゃを買って帰る小学生のような心境だった。

駅で電車を降り、家の近くまで帰ってきた時だった。正面から橋本多恵子が歩いてくるのが見えた。やや栗色がかった長い髪が風になびいている。彼女のほうもすぐに平介に気づいたようだ。小さく口を開き、立ち止まった。自然な笑みがこぼれている。

「あっ、先生、どうもこれは。御無沙汰しております」平介は頭を下げ、挨拶した。

「杉田さん、じつは今お宅に伺ったところだったんです。でもお留守みたいなので、出直そうと思っていたんです」

「えっ、そうですか。じゃあ、よろしかったらどうぞこれからいらしてください」

「でもお帰りになったところで、お疲れじゃないんですか」

「いや、そんな疲れるようなことをしてきたわけじゃないんです。どうぞどうぞ」

「そうですか。じゃあ、少しだけ」

橋本多恵子は身体の向きを変えた。二人並んで杉田家に向かう格好になった。

「藻奈美さんもいないみたいですけど、どこかに遊びに行っちゃったんでしょうか」

「ええと、いやたぶんそうじゃなくて」平介は腕時計を見た。間もなく午後五時になるところだった。「晩飯の買い物に出かけたんだと思います。それぐらいの時間ですから」

「ああ」橋本多恵子は納得したように頷いた。「杉田さん、最近はすっかりおかあさんの代わりができるようになったんですね」

「まあ何とかやってくれています」

「えらいですよねえ。私なんか、まだ母の作ったご飯を食べさせてもらってるんですよ」

「あっ、先生はご両親と同居されてるんですか」

「そうなんです。早く出ていけっていわれてます」

「先生なんか、その気になればいくらでも相手がいるでしょう」

「そんなことないですよ。学校というのは、とても狭い世界ですから」橋本多恵子は顔の前で手をひらひらと振った。その表情は案外真剣そうだった。

それならば私が立候補しましょうか、という冗談を思いついたが、平介は口には出さなかった。到底気がきいているとは思えなかった。何より不謹慎だ。

家に着くと、平介は一応玄関のチャイムを鳴らしてみた。しかしインターホンのスピーカーから直子の声は聞こえてこなかった。

「やっぱりまだ帰ってないみたいだな。ええと、藻奈美がいたほうがいいんでしょうか」平介は訊いた。教師とはいえ若い女性が、男の家に上がるのはまずいかもしれないとも思ったからだ。

「いえ、どちらかというとお父さんだけのほうが」

「あ、そうですか。じゃあ、あの、狭いところですけど」

平介は玄関の鍵を開け、彼女を促した。橋本多恵子のほうは全く拘泥《こうでい》した様子もなく、お邪魔しますといって中に入った。彼女がそばを通る時シャンプーの匂いがかすかにした。

一階の和室に彼女を招き入れた。こういう時のためにジュースぐらいは買っておかなきゃいけないなあと冷蔵庫の中を見て平介は思った。中に並んでいるのはビールと麦茶だけだ。直子が、子供の歯に悪いといって、昔からめったにジュースを買わないのだ。その習慣は彼女自身が子供になった今も続いている。

結局冷えた麦茶をグラスに入れて出した。どうぞおかまいなく、と橋本多恵子は頭を下げた。彼女はテレビのすぐ前の位置に、座布団を敷いて座っていた。直子が嫁入り道具の一つとして持ってきた客用座布団だ。ずっと使っていなかったが、例のバス事故の直後は頻繁に弔問客が訪れたので、押入の奥から引っ張り出してきたのだ。もしそのプロセスがなかったら今日などは、橋本多恵子を玄関先に待たせ、座布団探しに悪戦苦闘していたところだった。

「それで、今日はどういったお話でしょうか。藻奈美が学校で何か問題を?」

「いえいえ」橋本多恵子は首と一緒に手も振った。「そんなに大層なことではないんです。ただちょっとお父さんの御意見を伺っておきたいということがありまして」

「はあ」平介はこめかみを掻いた。橋本多恵子の口調が少しぎくしゃくしたように感じられた。「ええと、どういうことですか」

「先日お嬢さんから相談を受けまして」

「はい」

「私立中学に行きたいということでした」

「えっ」平介はのけぞった。グラスを持っていたので、あやうく麦茶をこぼすところだった。「私立中学って、ええと、麻布とか開成とかのことですか」

「はい。男子校でいいますと、そういった中学になります。まあもちろん、もっとふつうのといいますか、入りにくい中学なのか、と平介は解釈した。彼はその方面の知識は皆無だった。開成中学や麻布中学の名は、かつて直子から聞かされたことがあるので知っていただけだ。

「女子校というのもあるんですか」

「もちろんあります。桜蔭とか白百合学園とか」

「ははあ」こめかみを掻いていた手を頭に移動させた。「何というか、聞くからにレベルの高そうな学校名ですねえ」

「ええ」橋本多恵子は頷いた。「そのあたりの学校は、とてもレベルが高いです。偏差値六十以上は確実に必要です」

「そうなんですか」相槌はうつがピンとこない。じつは平介は世間で騒がれている偏差値というものがあまりよくわかっていなかった。

数秒後、彼は改めて目を見開いた。「えっ、すると藻奈美がそういう学校に行きたいといってるんですか」

「具体的な学校名までは聞いていません。まだ決めていないようなことをいってました。進学のこと、お父さんは御存じじゃなかったんですか。私はてっきり、お父さんと相談して決めたのだろうと思っていたんですけど」

「全然知りませんでした」

「そうだったんですか。じゃあ、杉田さんが一人で決めたことなんですね」そういって橋本多恵子は麦茶を一口飲んだ。その口元を平介は凝視していた。口紅の跡がグラスの縁につくのではないかという想像が一瞬頭に浮かんだ。だが彼女がテーブルに置いたグラスに口紅はついていなかった。

グラスから目をそらし、平介は腕を組んだ。

「何だってあいつ、そんなことをいいだしたんだろう」

「将来のことを考えた結果だと、私にはいってました」

「へえ」

直子の顔を思い浮かべながら将来という言葉のことを考えると、奇妙な居心地の悪さがあった。考えずに済ませられる問題ではなかった。小学六年生の藻奈美という形が存在する以上、藻奈美としての将来は確実に存在する。それは杉田直子としてのものでは決してない。平介の将来とシンクロするものでもない。それがわかっていながら今日まで目をそらしてきたのは、考えたくないからにほかならなかった。なんとか先延ばしにしようとしてきたのだ。しかし直子はそうではなかった。彼女としては自分の問題なのだから当たり前なのかもしれない。

「ええと、将来のことを考えると私立中学に進んだほうがいいということですか」

「問題はそこなんです」橋本多恵子は真っ直ぐに平介を見つめてきた。担任教師の目になっていた。「いろいろ考えると、今がんばって私立中学に進んでおいたほうが将来の選択肢も多くなる、というのが杉田さんの言い分でした」

「選択肢……」

「ええ、選択肢って杉田さんがいったんです。なんだか最近の彼女は言葉遣いなんかもぐっと大人っぽくなって、話していても子供だということをふと忘れそうになります」

それはそうだろうなと思ったが、平介はとぼけねばならない。

「単にませてるだけですよ」

「いえ、彼女の場合はそういうのとは違うと思います。大人のふりをしているんじゃなくて、本当に内面から滲み出る落ち着きみたいなものがあるんです。この間なんかクラスの男の子たちが掃除の最中に騒いでいるのを注意してくれてたんですけど、その口調が私なんかよりずっと堂に入ってて……」そこまでしゃべったところで橋本多恵子は口元を押さえた。「すみません。話が横道にそれちゃって」

「いえ。えーと、それで先生はどのようにお考えなんですか」

「私は必ずしも私立中学に進むことが選択肢を広げることには繋がらないと思うんです。公立には公立の良さがありますから。ここの学区ですと第三中学になりますけど、あそこなら特に風紀が乱れていることもありませんし、学力レベルもわりと高いほうですし。でも杉田さんの意思が固いようなら尊重してあげたいとも思うんです。それでとりあえずお父さんの御意見を伺っておこうと思って、こうしてお邪魔したわけなんです」

「御意見も何も、初耳ですからねえ」

「そうだったんですね。私も驚きました」

「あのう、私立に進むとなると、何か特別なことをしなくちゃならないんですか」

「それはもういろいろと準備が必要です。資料を揃えて学校選びをしなくちゃいけませんし、藻奈美さんは当然受験用の勉強をする必要がありますし、公開模試なんかも受けたほうがいいですし」

「えっえっえっ」平介は身を乗り出した。「受験って……試験があるんですか。中学に入るのに」

「はい。あります」橋本多恵子は目を丸くして答えた。そんなことも知らないのか、という表情だ。

「でもそれは何というか、知能テストみたいなものじゃないんですか。クイズのような感じの」

いえいえ、と女性教師は首を振った。

「中には作文だけという学校もありますけど、ほんの少数派です。殆どのところで国語と算数の試験があります。それに作文がつくというのが一般的です。中には理科と社会も試験する学校があります」

「それじゃあ高校受験と変わらないじゃないですか」

「そうなんです。だから中学受験というのは、高校受験で体験する競争を先にやっておくということでもあるんです。藻奈美さんのいう選択肢の中には、高校受験はしないという道も含まれているわけです」

「ははあ、なるほど」

直子はいつの間にそんなことを考えたんだろうと平介は思った。その答えはすぐに見つかった。彼が仕事のことで頭をいっぱいにしている間に相違なかった。

「ただ、あまり小さいうちからそういう受験戦争なんてものに巻き込まれるというのは、私としてはあまり賛成ではないんです。それで藻奈美さんにも、もう少しよく考えるようにといったんですけど」

「わかりました。よく話し合ってみます」

「お願いします。勝手な意見をいいますと、藻奈美さんにはクラスから離れてほしくないんですよね。今はとてもいいリーダーになってくれていますから。受験となると、たぶんみんなと一緒に遊ぶこともあまりできなくなると思います。それが残念なんです」

橋本多恵子は笑みを浮かべていった。

ではこれでと彼女が腰を上げた時、玄関のドアの開く音がした。さらに、「ただいま」と直子の声が聞こえた。

あら、と橋本多恵子が平介を見た。その直後、さらに直子の声。「あれえ、今頃どうしてこんな靴が出てるの？」そして続けて大声でいう。「ねえ、スーパーで珍しいもの見つけたわよ。芋茎《ずいき》。ほら、十年ぐらい前に大阪のおばさんの家で食べたじゃない。あれがあったの。珍しいよねえ東京で――」

しゃべりながら廊下を歩いてきた直子は、部屋の入り口まで来てから足と口を止めた。電池がきれた人形のようだ。

「あれっ、先生、どうして？」担任教師と平介の顔を交互に見た。

「うん、ちょっとお父さんに話があってね」そういってから橋本多恵子は直子が提げているスーパーの袋に目を向けた。直径二センチほどの赤い茎がはみ出ている。「それ、ズイキっていうの？」

「はい。里芋の茎なんですけど」

「へえ……」橋本多恵子は腑に落ちないといった顔をしている。

「いや、あの、一年前……一年前にですね、大阪の親戚で御馳走になったんです」平介はあわてて取り繕った。「藻奈美、馬鹿だなおまえ。今、十年前っていったぞ」

「あ、そうだった？　ごめんなさい。一年前です、一年前」

「ああ、去年ね。ふうん、それどうやって食べるの？　サラダにするの？」

「いえ、煮るんです。灰汁《あく》が出るのが難点ですけど、そう難しくないですよ」

「杉田さん、できるの？　すごいわねえ」

「十年……一年前に親戚の人が煮るのを手伝いましたから。その時の料理メモがたぶん残してあると思うんです」

「大したものねえ。今度教わりたいぐらい」

「いつでもいいですよ。今の若い人たち……あたしも含めてですけど、最近の人はあまりこういうものを料理しませんものね」

話題が料理のことだからか、言葉遣いが子供のものではなくなっている。平介は気が気でなかった。

「藻奈美、先生はもうお帰りになるところだったんだから、あまりお引き留めしちゃ気の毒だぞ」

「あ、はいはい」直子は荷物を持ったまま、玄関のほうに戻った。

「ところでさっき、変なこといわなかった？　靴がどうとか」パンプスを履いてから橋本多恵子が直子に訊いた。

「あっ、あの、母のと同じ靴だったんです。それで、母の靴が出してあるんだと思ったんです」直子は答えた。

「この靴が？　本当に？　へえ、そうだったの」

「本当か」と平介は訊いていた。

直子は頷いた。「母のお気に入りだったんです。でも、先生のほうが断然よく似合うみたい。母にはちょっと派手すぎたし、先生のように足が細くないとだめなんですね」

「やだ、じろじろ見ないでよ」橋本多恵子は後ずさりしてから平介に向かって頭を下げた。「じゃあこれで失礼いたします」

「あ、どうも」

橋本多恵子が帰った後、平介はドアに鍵をかけた。その時にはもう直子の姿はなかった。平介が部屋に行くと、彼女は台所でスーパーの袋から野菜を取り出していた。

「私立中学に行くなんて話、全然聞いてないぞ」彼女の後ろ姿にいった。

「いずれ話そうと思っていたの」流し台を背にして直子は立った。

「どういうことなんだ。どうしてそういうことを黙って決めたんだ」

「まだ決めてないわよ。これから相談するつもりだったから」

「理由を聞かせてくれよ。どうしてそんな気になったんだ」

「まず第一は、ずっと前から漠然と考えてたことだってこと」

「ずっと前からって？」

「こんなことになる前よ」直子は両手を広げた。「藻奈美が生きていた頃からっていう意味。この子は私立中学に進ませたほうがいいのかなって。それも大学まで上がれる中学。高校や大学の受験で苦しませたくないと思ったの」

「つまり直子自身が将来苦しみたくないから、今のうちに楽な道を選んでおこうというわけだな」平介はいった。言葉に皮肉の響きを込めていた。

「最後まで聞いて。たしかに、来年は中学だなと思った時、すぐに私立中学への進学を思いついたきっかけは、昔からそんなふうに考えていたことがあるわ。でも、そこから先は全然違うの。だって、実際に中学に進むのはあたしなんだものね。あたしはね、別の理由から、やっぱり私立に進まなきゃいけないと思ったの」

「別の理由って何だ」

「簡単なこと」直子は流し台にもたれ、片足をクロスさせた。「勉強がしたいの」

「えっ？」平介は目を剝いた。彼にとっては予想もしていなかった台詞だ。驚きの後、おかしさがこみあげてきた。彼は笑った。笑いながら胡座をかいた。「本当かよ、おい。小学生の問題が解けたからって、東大には入れないんだぞ」

だが直子のほうは頰の肉をぴくりとも動かさなかった。無表情にいった。

「あたし、真面目に話してるんだけど」

冷めた声だった。外見が子供の口から発せられると、余計に冷たさが感じられるようだった。平介の笑いは一瞬にして消えた。

「ねえ、あたしがこんなふうになって三か月が経つわよね。それで今、あたしはどんなふうに感じてると思う？　やっぱりくよくよして、なんでこんなことになっちゃったんだろうと嘆きながら毎日を過ごしてると思う?」

いや、と彼は首を振った。

「そりゃあね、やっぱり悲しくなることもあるよ。ちっぽけな人間だったと思うけど、あたしはあたしなりに一生懸命生きてきたつもりだから。できればあの人生の続きをやりたいよ。何よりも、あなたと藻奈美と三人で暮らしていた頃に戻りたい。でもさ、戻れないものは仕方がないじゃない。で、戻れないとなったら、この二度目の人生をどう生きるかを考えるしかないよね。それであたしは考えたわけ。どうすればいいか、毎日いっぱい考えた。その結果出た答えは一つ。前と同じ後悔はしないでおこうってこと」

「後悔って?」

平介が訊くと、彼女はにっこりした。

「ほら、あなただって時々いうことがあるじゃない。若い頃にもっと勉強しておけばよかったって。同じことを、あたしだって考えないわけじゃないんだよ」

「そうなのか」

「子供に夢を託すってことあるよね。あなたはどうかわからないけど、あたしには藻奈美に託してた夢ってものがある。それはたとえばピアニストになってほしいとか、スチュワーデスになってほしいとか、そういう具体的なものじゃない。あたしは藻奈美に、とにかく自立できる女性になってほしかったの。気持ちだけでなく経済的にも。男の人に頼らなくても生きていける、しっかりした女性にしたかった。しかもできれば一流になってほしかった」きっぱりとした口調で彼女はいった。

「直子は」平介は唇を舐めてから続けた。「俺の扶養家族になっているのが不満だったのか。後悔してたのか」

「そんなことはない。あたしはあなたの奥さんだったことに満足してた。それでよかったと思っている。主婦業なんかほうりだして、仕事をばりばりしたかったとかいってるわけじゃないの」

「でも藻奈美には、そんな自分と同じような生き方はしてほしくないと思っていたわけだろう」

直子はゆっくりとかぶりを振った。

「そうじゃないの。あのね、自立した女が主婦をしたってかまわないと思うよ。あたしが嫌なのはね、自立できない女が、仕方なく主婦におさまってるっていう構図なの。夫のことが嫌になっても——誤解しないでね、たとえばの話だから——そういうことになっても、生活が不安だからという理由で出ていかない女の人がたくさんいるでしょ？　そんな生き方は藻奈美にはしてほしくなかったの。男にしがみついているしかない人生なんて、惨めだと思わない？　あたしはね、運がよかっただけなの。相手があなただったから。でもあなたじゃなくて、もっとひどい男だったらどうだったかなと思う。結局あたしの幸せにしたって、すべてあなた任せだったのよ」

「それを惨めだと思ったことがあるのか」平介は訊いてみた。

直子は深呼吸を一つした。真っ直ぐに夫を見つめた。

「ここで格好つけても仕方がないからはっきりいうわね。惨めだと思ったことがある。何度か」

「そうか」平介はため息をついた。

「ごめんね。あなたを不愉快にさせたいわけじゃないの。あなたは全然悪くないのよ。悪いのはあたし。漫然と楽に生きてきて、今さら惨めも何もないわよね」

「直子はふつうだよ。ふつうだと思うよ」

「もちろんあたしが特別に惨めだったとは思わないわよ。そう、ふつうだった。それを惨めと思うかどうかは本人次第よね」

平介は卓袱台の天板をとんとんとんと指先で叩いた。どのように言葉を返していいかわからなかった。

「というわけで」直子はいった。「あたしは藻奈美の代わりに自立できる女になろうと決心したの。こんなふうにもう一度人生をやり直すチャンスなんて、ほかの誰にも与えられないと思う。この奇跡を無駄にしたくないのよ」

熱っぽく力説する直子を見て、昔こういう感じの女の子がいたなあと平介は思い出していた。中学一年の時に同級生だった彼女は、三年の前期には生徒会長になっていた。

「うん。それはまあ、よくわかるよ」平介はいった。気の利いた台詞が一つも浮かばないことが情けなかった。

「ありがとう。でね、そんなふうに考えた結果、本気で勉強するためには、それなりの場所に身を置かなきゃいけないという結論に達したのよ」

「それが私立中学ということか」

「とりあえずはね。でも私立ならどこでもいいということではないのよ。やっぱりそこそこのレベルの学校でないとだめ。それから、仮にそこがどこかの高校や大学の付属だったとしても、そのまま上がる気はないの。その時点で自分が入れる最高レベルの学校を目指していくつもり」

「ふうん……なんか、すげえ気合いが入っちゃってるなあ。俺、置いてきぼりにされてくみたいな気がしちまうよ」平介は頭を掻きながら笑い顔を作った。冗談めかした言葉ではあったが、じつは本心だった。本心だということに、彼自身も気づいていた。

「気合い入れなきゃ。だって、受験は戦いなんだから」そういうと自分の台詞に納得したように直子は頷いた。

「でもそれ、中学からでないといけないのか。とりあえずは地元の中学に進んで、高校受験あたりからがんばるっていう手もあるんじゃないか。橋本先生は第三中学も悪くないっていってたぞ」

平介がいうと、「だめよ」と直子は首を横に鋭く一回振った。

「彼女はまだ若いから、よくわかってないのよ」

「若いったって、教師になってもう何年にもなるんだろ」

「だめなのよ。いい人なんだけど、いつまでもお嬢さん気分が抜けないの。だから世の中に対する考え方も甘いんだから」

見かけは小学生だが中身は三十六歳である。若い女性教師を非難する口調には容赦ないものがある。

「あまり悪口いうなよ。心配して、わざわざ来てくださったんだから」

「あれっ？」直子は顔を少し傾けて平介を見た。「ずいぶんと庇《かば》うのね」

「なんだよ」平介は口を尖らせた。

「別に」直子はいったん横を向いてから、再び彼のほうを見た。「そういうことだから、私立中学への進学を認めてほしいの。公立に比べて授業料も高くなるわけだから、お父さんの理解と協力が必要なのよ」

たった今まで「あなた」と呼び続けていたのに、突然「お父さん」に変わった。都合のいい時だけ「お父さん」にされるのかと平介は思った。しかしそれを口には出せない。

「好きにすればいいよ」と彼は答えた。それ以外の答えなど思いつかなかった。

「ありがとう」直子は素直に喜んだ。「あたしがんばるからね。さてと、じゃとりあえず芋茎を煮るとするか」

彼女は流し台のほうを向き、まな板に手を伸ばした。

夕食のおかずは芋茎を煮たもののほかに、鯵の塩焼きと三度豆のお浸しがついた。どれもおいしかった。特にだしのきいた汁をたっぷりと染み込ませた芋茎は格別だった。

十年前に食べただけの料理を見事に再現する腕前に、平介は感心した。こういうことができるなら、何もがむしゃらに勉強していい学校に行く必要なんかないのになと彼は思った。

夕食が終わると、直子はすぐに後片づけを始めた。ナイター中継を見ていた平介は、彼女が食器を洗う音が気になった。

「何もそんなにばたばたと片づける必要ないだろ。少しはじっとしてろよ」

「うん、でも時間が無駄だから」手を止めずに彼女は答えた。

時間が無駄の意味がわかったのは、食器洗いが終わった時だった。彼女は手を拭くと、一度も腰を下ろすことなく、そのまま階段を上がっていこうとした。

「どこへ行くんだ」と平介は訊いた。

「部屋よ」と彼女は答えた。「今日からは、毎日最低二時間は勉強することにしたの」

「今日から？　もう今日からなのか」

「思い立ったが吉日というでしょ」十一歳の姿には不似合いな古臭いことをいって、直子は階段を上がっていった。

仕方なく平介はテレビ画面に目を戻した。巨人が広島相手に苦戦していた。ワンアウトでランナーは二、三塁。バッターは山本浩二。ピッチャーは江川。ふつうなら自分が球場にいる如く、どっぷりと試合の世界に入り込んでいくところだった。だがさっぱり集中できなくなっていた。

彼の目が、部屋の隅に置いてある鞄を捉えた。彼はそれを取り、蓋を開けた。例の『快楽星団』をそっと取り出す。

表紙を開いてみると、いきなり女性の胸が目に飛び込んできた。お椀を二つ伏せて並べたように形のいい胸で、乳首は薄いピンク色をしていた。身体は細く、足は長い。モデルの年齢は二十歳になるかならぬかであろう。

そのモデルのグラビアは六頁あった。いずれの写真も、男の欲望を刺激するポーズを撮ったものだった。恍惚とした表情は性行為の最中を連想させる。

平介は忽ち勃起してきた。手が無意識のうちに股間に伸びていた。

もうずいぶんしていないな、と思った。最後に直子とセックスをしたのは、たしか事故の前日だった。あたしが留守中に浮気しないように、とかいいながら彼女のほうから平介の横にもぐりこんできたのだ。

彼は雑誌を手に立ち上がった。足音をたてぬよう気をつけながらトイレに入った。

スリムな体型のヌードモデルを眺めながら、彼はマスターベーションをした。橋本多恵子の顔を、その裸体に重ね合わせていた。

18

七月に入っていた。ずっと雨が続いていたが、珍しく朝から青空が出ていた。

「今日は暑くなりそう。きっとみんな喜んでるよ」朝食を食べる箸を止め、直子が外を見ながらいった。おかずは昨夜の天麩羅の残りものだ。いつもならこれに味噌汁がつくが、今朝はなし。直子が寝坊したからだが、遅くまで勉強していたせいだと知っている平介としては、そのことをからかう気にすらなれない。

「どうして暑いと喜ぶんだ」

「だって今日はこれだもん」箸を持ったまま、直子はクロールの格好をした。

「あっ、いいな。プールか」

「泳ぐのなんて何年ぶりかな。忘れてないかなあ」

「そういうのは自転車と一緒で、忘れないっていうぞ」平介はそういって御飯をかきこんだ。だがあることに気づいて顔を上げた。「藻奈美は泳げたよな」

「泳げたわよ。だってスイミングスクールに通ってたこともあるんだから。クロールでも平泳ぎでも何でもござれ……」しゃべっている途中で、直子も顔色を変えた。「あっ、平泳ぎ……」

「大丈夫か？」

「大丈夫じゃない」直子は首を振った。「わあ、どうしよう」

直子がクロールしか泳げないということを平介は知っていた。若い頃一緒に海に行った時も、最初は顔をあまり水に濡らしたくないといっていたくせに、いざ海に入ったらばしゃばしゃとクロールばかりしていた。直子の身体は若く、みずみずしかった。今とは違う意味で。

「たしか藻奈美は去年の夏、校内水泳大会に出てたぞ。しかも平泳ぎで」

「まずいなあ。今年になって、急に平泳ぎができなくなったともいえないしねえ。仕方がない、生理ってことにしよう。ちぇっ、せっかくのプール日和なのに」直子はしょげ返った。そんなふうにしていると、本物の小学生のようだった。

家を出るのは平介のほうが少し先だ。靴を履いていると、直子が突然手を叩いた。

「ごめん、いい忘れてたことがあった。昨日の夕方、お父さんに電話があったんだ」

「誰から」

「梶川さん。あの運転手の奥さんじゃないの？」

「梶川さんといえばそうだろう。何だって？」

「用件は聞かなかった。また電話しますって」

「ふうん」何だろうと平介は思った。前に田端製作所で会って以来、話もしていない。

「夜にでも電話すれば」直子はいった。

「電話番号、訊いたか？」

「あっ、訊かなかった。お父さんが知ってると思ったから」

「それが知らないんだ。まあいいや、そのうちにかかってくるだろう」そういいながら梶川征子が電話をかけてくる理由について考えた。しかし何も思いつかなかった。

ところがこの日出勤してみると、小坂課長から、また田端製作所に行ってきてくれないかといわれた。

「Ｄ型インジェクタの試作で、例の位置決めのトラブルが解消したそうだから、ちょっと見てきてほしいんだ。何か特殊なジグを使うそうだから、その図面も貰ってきたらいいと思うんだけどな。平さんが忙しいのなら、誰かほかの者を行かせてくれてもいいけど」

「いや、俺が行ってきますよ。詳しい話も聞きたいし」

「そうか。そうしてくれると助かる。先方には連絡しておくよ」小坂はほっとした顔をした。それから何かを思い出したように、にやりと笑った。上司の顔から親しいおじさんの顔になっていた。「ところで、わりといい話があるんだけどなあ」

「いい話？」

「三十五だっていうんだよ。だからほら、亡くなった奥さんよりは少し下だろ。しかも初婚だってさ。写真を見たけど、なかなか感じのいい人なんだ」

何の話をしているのか察し、平介は手を振った。首も振った。

「そんなこと、まだ全然考えてないですから」

「それはわかってるさ。本人はそうなんだ。だからこういうことは傍《はた》の人間が面倒見てやらなきゃいけないんだよ。とにかく一度会ってみたらどうだ」

「いや、いくら何でも、まだ早すぎますから」

「そうか？　まあ、平さんがそういうなら無理には勧めないけどさ。だけど」小坂は平介の耳元に口を寄せた。「あっちのほうなんかはどうなんだい。そろそろ溜ってきてるんじゃないのかい」

あっちのほう、の意味は平介にもわかった。

「えっ？　いえ、そんなことは全然ないです。本当に、そういう気持ちは起きないんです」

「へえ、そうなのかなあ。信じられないなあ」小坂は疑わしそうに首を捻っている。

「とにかく、じゃあ、田端に行ってきますから」平介は小坂の前から逃げだした。

会社のサービス用車両をうまく借りられたので、それを運転して田端製作所に向かった。他の工場や下請けに出向くのが彼は好きだった。正確にいうと、移動している時間が好きだった。同じ職場で同じ仲間たちと同じ仕事をし続けていると、時々世界から取り残されたような気になることがある。そんな時にたとえ短い時間でも会社の外に出ると、自分が今どこにいるのかを確認できるのだ。

田端製作所での打ち合わせは一時間あまりで済んだ。トラブルが起きたという話ではなく、解決したという話を聞くわけだから、気楽な仕事だ。先方の若い担当者も、どこか誇らしげだった。

打ち合わせの後、平介は巻き線班のほうに足を向けてみた。梶川征子から電話があったという直子の話を思い出したからだ。

ところがずらりと並んだ女性作業員の中に、彼女らしき姿は見当たらなかった。平介は責任者と思われる男性が座っている席に近づいていった。主任、と書かれた札が立っている。顔は四角くごついが、目つきは優しい。たぶん女性に対する気配りも細かいのだろうと平介は想像した。そうでないと、この職場の責任者は務まらない。

「ああ、あの人はここのところ、ずっと休んでるんですよ」梶川征子のことを訊くと、主任は即座にいった。「どこか身体が悪いとかでね、私たちも心配してるんですけど」

「入院でもしたんですかね」

「いや、そこまでは聞いてませんけど」主任は首を捻った。「ええと、梶川さんに何か」

「いえ、ちょっと顔見知りなだけです」平介は礼をいって、その場を離れた。

梶川征子の痩せた身体と青白い顔が思い出された。相当無理をして働き続けたのかもしれない。しかも世間の冷たい視線にも耐えねばならない。部屋にかかってきたいやがらせ電話の陰湿な声が鼓膜に蘇った。

しかしそんな状態で、どうして俺のところに電話なんかをかけてきたんだろう——平介はますます気になりだした。

工場を出ると、平介は車に乗り込んだ。エンジンをかけ、マニュアルレバーをローギアに入れようとしたところで、ドアのポケットに道路地図が入っているのが目に留まった。彼はそれを取り出し、西東京の拡大頁を開いた。

調布にある梶川征子の家は、ここからだと目と鼻の先だった。

彼は腕時計を見た。午前十一時を回ったところだった。今から急いで会社に戻っても、すぐに昼休みだ。

ギアを入れ、彼はゆっくりと車を発進させた。

以前タクシーで送ったことがあるので、すぐに道を思い出した。見覚えのあるアパートの前の路上に車を止めた。

階段を上がり、梶川と表札の出ているドアのチャイムを押した。インターホンはついていない。

返事がないので、もう一度押そうとした時、ドアの向こうから声がした。「はい」娘の声だった。名前はたしか逸美といった。

「突然すみません。杉田といいますが」

ドアが細く開いた。チェーンはついたままだ。その向こうに少年のように引き締まった表情をした逸美の顔が見えた。

「こんにちは。おかあさんはいるかな」

平介がいうと、ちょっと待ってくださいといって彼女はいったんドアを閉めた。だがすぐにチェーンを外してくれるわけではなく、少し待たされてから、がちゃがちゃと金属音が聞こえた。たぶん母親に平介の来訪を伝えていたのだろう。

「どうぞ」逸美が固い表情で迎えてくれた。

「お邪魔します」

彼が靴脱ぎに立つのと、奥の襖の開くのがほぼ同時だった。やつれた顔つきの梶川征子が、薄い笑顔に驚きの色を滲ませながら現れた。タオル地で出来た、丈の長いワンピースを着ていた。

「杉田さん、どうしてここに？」

「田端製作所に行ったものですから、ついでにと思いまして。昨夜、電話をいただいたそうですね。生憎こちらの電話番号を知らなかったので、突然お邪魔することになってしまいました」

「ああそうでしたか。あたしは以前被害者の会に出た時、名簿をいただいたものですから、杉田さんのところの番号もわかったんです」

「なるほど」平介は納得して頷いた。「ところで会社を休んでおられるとか」

「ええ、ちょっと具合がよくないものですから……。あの、どうぞお上がりになってください。今何か冷たいものを御用意しますから」

「いえ、どうぞおかまいなく。それより電話の用件は何だったのですか」平介はすぐに本題に入った。ここに来る前に、決して部屋には上がらないことを自分に誓っていた。

彼のほうにくつろいで世間話をする気などないことを察したか、梶川征子はそれ以上は何もいってこなかった。うつむくと、少しお待ちくださいといって、奥の和室に消えた。

するとそれまで流し台のほうを向いて何か洗い物をしていた逸美が、盆に麦茶の入ったグラスを載せて運んできた。「どうぞ」

「あ……ありがとう」平介はあわててグラスを取った。「おかあさんは、どこが悪いのかな」小声で訊いた。

逸美は少しためらいを見せてから口を開いた。「甲状腺……です」

「ははあ」どう答えていいかわからず、平介はただ頷き、麦茶を飲んだ。

甲状腺と具体的にいうからには、おそらく病院でそういう診断が下されているのだろう。しかし甲状腺が悪いとどうなるのか、どういった病名があるのか、平介は全く知らなかった。そもそも、甲状腺が身体のどこにあるどんな器官なのかを知らなかった。

「ごちそうさま。君は今日、学校は休みなの？」

「いえ。今日はいつもより具合がよくないみたいだったから……」

「休んだの？」

逸美は小さく頷いた。平介は思わずため息が出た。ついていない家というのはあるものだなと思った。梶川母子は今、不運ということでは世界でも指折りに違いない。大黒柱を失い、母親もまた病気に倒れたとなると、この子はこれからどうやって生きていくのか。それを思うと平介は胸が痛んだ。

梶川征子が和室から出てきた。手に何枚かの紙片を持っていた。

「これが主人の荷物の中から見つかったんです」

平介はその紙片の束を受け取った。それは現金書留の控えだった。受取人はすべて同じで、根岸典子となっている。よく見ると、大体月初めか月末に送られているようだ。

金額は十万円から二十万円の間といったところだ。たまに二十万円を越す金額を送っている場合もある。日付が一番古いのは、昨年の一月となっていた。メモが一枚まじっていて、札幌の住所が書かれていた。

「これは……」平介は梶川征子を見た。

彼女はゆっくりと顎を引いた。「根岸さんという名字は、主人から一度だけ聞いたことがあります。たしか前に結婚していた女性の旧姓だったと思います」

「じゃあこの人は前の奥さん？」

「そうだと思います」

「御主人は前の奥さんに仕送りをしていたということですか」

「そうなります」梶川征子はこっくりと頷いた。

彼女の唇にはりついた寂しそうな笑みの意味が、平介には何となくわかった。夫の気持ちが自分たち母子にだけ向いていたわけではないと知り、孤独感と虚しさに襲われているのだろう。

「御主人が前の奥さんと離婚したのは、いつ頃のことなんですかね」

「正確には知らないんですけど、たぶん十年ぐらい前だと思います」

「じゃあその間ずっと仕送りしていたんでしょうか」

だとしたら律儀な男だなと平介は感心した。離婚の際に生活費や養育費を月々支払うことを約束しても、一年以上それを守る男は殆どいないという話を聞いたことがあった。

「わかりません。あたしの感覚では、ここ一、二年のような気がするんですけど」

ここ一、二年で急に家計が苦しくなった、ということを彼女はいいたいのだろう。

「御主人はこのことをあなたには、一言もお話しになってなかったのですね」

「聞いてません。全然」梶川征子はうなだれた。

「あたしたちより、前の家のほうが大事だったんだ」後ろから不意に逸美がいった。語気は鋭く、声は暗かった。逸美、と母親がたしなめた。

逸美はダイニングの椅子に座っていたが、がたんと音をたてて立ち上がると、奥の部屋に入ってばたんと戸を閉めた。

すみませんと梶川征子があやまり、いいえと平介は答えた。

「とにかくこれで、主人が無理してまで働いていた理由がわかったと思うんです。それで一応杉田さんにお知らせしておこうと思いまして。杉田さんは、主人が何のため躍起になってお金を稼ごうとしていたのかについて、ずいぶんと気にされてたようでしたから」

「そうですか。博打とか浮気とか、変なことばかりいってすみませんでした」

平介が謝ると、いいえ、と彼女は首を振った。そして続けた。「どっちかというと、そういうことのほうがよかったぐらいです」

心の奥から絞り出されたような本音に、平介は絶句して梶川征子を見た。彼女は迂闊なことを口にしてしまったと後悔したのか、唇を噛んでいた。

「この……前の奥さんから何か連絡はないのですか」

「ありません。仕送りが止まって、先方でもお困りだろうと思うんですけど」

「事故のことを知っているのかな」

「そうかもしれませんね」

「でも、もしそうなのだったら、線香の一本ぐらいあげに来てもよさそうなものだけどなあ。さんざん世話になってきていたわけなんだから」

「でも、さすがに来にくいんじゃないですか。主人が再婚していることを、たぶん先方も御存じでしょうし」

「それにしたって」怒りに言葉を口にしようとし、平介はこらえた。自分が憤慨するのも妙な話だと思ったからだ。だが納得はできなかった。胃にしこりが残っている。

彼は持っていた現金書留の控えの束に目を落とした。

「あのう、これ一枚いただけませんか」

えっ、と梶川征子は目を見開いた。「それはいいですけど」

「娘にも見せたいんです。バスの運転手さんが事故を起こしちゃった原因について、ずっと知りたがってましたから」

「あ、はい。わかりました」

平介は控えの一枚を取り、メモにある住所を書き写すと、残りを彼女に返した。

「身体のほうは大丈夫ですか。お嬢さんは看病のために学校を休まれたみたいですけど」

「いえ、大したことないんです。あの子が心配しすぎるんです」梶川征子は顔の前で手を振った。だがその振り方にも勢いがなかった。

「何か困ったことがあったらいってください。買い物とかも大変でしょう？　あっ、今日の晩ご飯のおかずとかは大丈夫なんですか」

平介がいうと、梶川征子は両手を振り始めた。

「大丈夫です。はい。あの、もうそんなに心配してくださらなくて結構です」心底困惑している様子だった。その表情に、平介は自分たちの立場の違いを思い出した。彼女にとっては、ここでこうして被害者の遺族と対峙《たいじ》していること自体苦痛なのだ。

「そうですか。じゃあお大事に。お嬢さんによろしく」平介は頭を下げ、ドアを開けて外に出た。

「わざわざすみませんでした」梶川征子も何度も頭を下げていた。泣き笑いのような表情が平介の瞼に焼き付いた。

車に戻りエンジンをかけてから、またしても梶川家の電話番号を訊き忘れたことを平介は思い出した。しかし彼はそのまま車を発進させた。もう二度とあの母子と会うことはないだろうと思った。

この夜、夕飯を食べ終える頃になって、平介は直子にこの話をした。彼女は現金書留の控えを眺めながら、彼の話を聞いていた。

「そういうわけだ。梶川運転手が無理して働いていた理由は、博打でも女でもなかったんだ」平介は箸を置き、腕組みをしていた。胡座もかいていた。

「ふうん」直子は現金書留の控えをテーブルに置いた。「そういうことだったの」何となく反応が鈍い。意外な真相だったので、ぴんとこないのかなと平介は思った。

「この根岸という人から何の連絡もないというのはおかしいよな。事故のことを知っているなら、葬式には出ようと思うんじゃないか」

「さあ、ねえ」直子は首を傾げながらお茶漬けの残りを食べた。

「俺、この人に手紙を出そうと思うんだよ」平介はいった。「じつをいうと、そのために一枚貰ってきたんだ」

直子が箸を止めた。不思議そうな顔をして平介を見た。「どういう手紙？」

「だからまず、梶川さんが事故に遭ったということを知らせるわけだよ。もしかしたら知らないかもしれないだろ。それで、一度墓参りに来たらどうかと勧めてみるんだ。このままうやむやで済んじまうなんて、絶対におかしいもんなあ」

「どうしてお父さんがそんなことをしなくちゃいけないわけ？」

「どうしてって……何となく寝覚めが悪いじゃないか。乗りかかった船という言葉もあるしさ」

直子は箸を置いた。正座している膝を、平介のほうに向けた。

「お父さんがそんなことをする必要はないと思う。そりゃああたしだって、その梶川さんという人のことを気の毒だと思うわよ。御主人亡くして、御本人も病気なら、きっと大変でしょうよ。でも悪いけど、あたし、そんなには同情する気になれない。だってあたしたちだって、十分に不幸だと思うもの」

「それはそうだけど、俺たちはまだ何とかやっていけているじゃないか」

「簡単にいわないでよ、あたしがどんな思いで気持ちを吹っ切ったと思ってるの」

直子の言葉に、平介は見えない手で頬を殴られたような気がした。言葉をなくし、視線を落とした。

「ごめん」すぐに直子が謝った。「お父さんの性格だもんね、苦しんでる人を見たらほうっておけないのは」

「そんな格好のいいもんじゃないよ」

「ううん、わかってる。お父さんはバランス感覚があるのよ。むやみに人を恨んだりしない。あたしみたいに、筋違いなことで怒ったりしない」直子は、ほっと息を吐いた。

「正直いうと、さっきの話を聞かされて、ちょっとがっかりしちゃったわけ」

「がっかり？」

「うん。じつをいうとね、その梶川という人が博打や浮気が原因でお金に困ってて、それで無理して運転して事故に繋がったっていうストーリーのほうを期待してた。期待っていうのも変かもしれないけど、そっちのほうがよかったというのが本音」

「どうして？　そんなことが事故の原因だったら許せないって、前にいってたじゃないか」

「だからよ」直子はわずかに微笑んだ。「そういう事情だったら、理屈抜きに運転手を恨めばよかった。悲しくなるたびに、怒りをぶつければよかった。わからないかもしれないけど、自分の置かれている境遇に耐えられそうにない時には、誰か恨みや憎しみをぶつけられる相手がほしいものなのよ」

「それは……わかる」

「でも離婚した相手に仕送りを続けていたという話じゃ、恨みきれないもんね。怒りの持って行き場がなくなっちゃう。それでお父さんに八つ当たりとかもしちゃう」

「そんなのはいいけどさ」

「手紙、書いてあげれば」直子はいった。「お父さんがそうしたいと思うなら、すればいいよ。もしかしたら本当に、先方の人は梶川さんが亡くなったことを知らないのかもしれないし」

「いや、もういいよ。よく考えたらお節介なことだ」そういって平介は書留の控えを手の中で握りつぶした。

19

学校が近づくにつれて、子供たちの歓声が聞こえるようになった。時折スピーカーを通した女性の声も耳に届く。橋本多恵子の声ではない。さらに『天国と地獄』の曲が流れてきた。運動会は昔から何も変わっていないなと平介は思った。

学校に着いたのは十二時少し前だ。どこかの学年が綱引きをしていた。オーエス、オーエス——かけ声も昔と同じだ。

すでに保護者席は大勢の親たちによって埋められつつあった。殆どの父親がカメラを手にしていた。中にはビデオカメラを持ってきている者もいる。平介はカメラ派だ。

直子の姿を探し、ゆっくりと会場内を歩いた。空はほどよく曇っており、スポーツをするには最適の気候だ。もっとも直子は今朝家を出る時まで、休む口実を探していた。無駄に疲れることはしたくないのだという。

「運動会なんて、やりたい子だけがすればいいのよ。強制参加なんて、馬鹿げてる」ぶつぶつと文句をいいながら家を出たのだった。

彼女が休みたい理由を平介は知っていた。このところ連日受験勉強で疲れているのだ。日曜日に早起きして出かけるのは苦痛に違いなかった。

六年生の集まっている場所が見つかった。平介は直子を探そうとした。が、彼女を見つける前に、橋本多恵子の姿が先に目に入った。段ボール箱に入った、玉入れ競争の玉を調べているようだ。

視線を感じたのか、橋本多恵子が顔を上げた。すぐに平介に気づき、爽やかに笑いながら近づいてきた。他の女性教師は長いジャージで脚を隠しているのに、彼女は白いシヨートパンツを穿いていた。

「お仕事、大丈夫だったんですね。杉田さんは、お父さんは休日出勤が多いから来れないかもしれないなんていってたんですけど」

「ええ、今日は大丈夫です」平介は頭に手をやりながら答えた。

このところ彼はマスターベーションをする時、いつも橋本多恵子の顔を思い浮かべていた。空想の中で彼女に、娼婦の如き振る舞いをさせている。そのせいかこうして向き合うと、平介は彼女の顔を正視できなかった。

「もう間もなく、この綱引きが終わると思います。そうしたらお昼休みになりますけど」橋本多恵子はそういってから彼の手元を見た。彼は手ぶらだ。「ええと、お弁当は？」

「そのことなんですけど、用意できなかったので、外に連れていきたいんですが」

保護者が一緒の場合は、昼休み中に学校を出て外食していいことになっている。

「それは構いませんけど」橋本多恵子は自分の顎に手をやり、何か考え事をした。

ちょうどその時、グラウンドでは綱引きが終わった。午後一時まで昼休みとします、というアナウンスが流れた。

「杉田さん、藻奈美さんを見つけたら、二人でここにいてください。いいですね」

「あ、はあ」

平介が生返事をしている間に、橋本多恵子はどこかに行ってしまった。仕方なく彼がその場に佇んでいると、「お父さん」と声がした。赤い鉢巻きをした直子が、小さく手を上げて近づいてくるところだった。「何ぼんやり突っ立ってるの、こんなところで」

「いやあ、それが」平介は橋本多恵子とのやりとりを話した。直子は、ふうん、といっただけだった。

やがて橋本多恵子が戻ってきた。手にコンビニの白い袋を提げていた。

「これ、よかったら召し上がってください。あたしが作ったので、あまり出来はよくないんですけど」彼女は袋を差し出した。どうやら弁当が入っているらしい。

「えっ、いやあ、それは申し訳ないです。だって先生のお弁当でしょ」

「あたしのは別にあるんです。こういうこともあるかもしれないと思って、余分に作ってきたんです。ですから、どうぞ」

「えっ、そうですかあ。おい、どうする?」平介は直子に訊いた。

「あたしはどっちでもいいけど」と直子は髪を触りながら答えた。

「じゃあ、遠慮なくいただいておきます。本当にどうもすみません」

「中に缶入りのお茶も入れておきましたから」そういうと橋本多恵子は教師席のほうへ歩いていった。

「大変だなあ、担任ってのも。こんなことにまで気を回さなきゃいけないんだなあ」

平介がいうと、直子は呆れたような目で彼を見上げた。

「ばっかじゃないの。そんなの余分に作るわけないでしょ」

「えっ、だけど先生がそういってたぜ」

「そういわないと受け取らないからよ。あの人はたぶん、職員用のパンでも食べるんだと思うよ」

「そうなのか？　だとしたら、悪いことしちゃったな。返してこようか」

「もういいよ。今返したら、かえって変だよ」

直子に連れられ、平介は校舎の裏へ回った。出入口の小さな階段に並んで腰掛けた。グラウンドは全く見えない。

「こんなところだと、運動会っていう気が全然しないぞ。保護者席に行こうや」

「いいのよ、ここで。埃っぽくなくて。それよりお茶ちょうだい。喉、渇いちゃった」

平介は袋に入っていた缶入りの日本茶を直子に渡した。そして一緒に入っていたプラスチック容器を開けた。小さな握り飯とカラフルなおかずが入っていた。

「旨い」握り飯を一口食べて、平介はいった。中には明太子が入っていた。

「見た目はまあまあだね」

「どうして自分の弁当をくれたのかな」

「さあね」直子は日本茶をごくりと飲んでからいった。「お父さんのこと、好きなんじゃないの」

平介はむせそうになった。

「ふざけるなよ、いっていい冗談と悪い冗談があるぞ」

「別にふざけてないよ。彼女、お父さんのこと結構気にしてる。今日だって、来るかどうか、何度もあたしにたしかめたんだもの」

「俺は子持ちだぜ」

「でも独身。歳の差だって、問題ってほどじゃない。あとは見た目だけど」直子は平介の顔をしげしげと眺めた。「彼女が好きになっても、そんなには不思議じゃないと思うよ」

「そんなことあるわけないだろ。ほら、直子も食ってみろよ」プラスチック容器を彼女のほうに差し出した。

「藻奈美っていいなさいよ。今日ぐらいは」直子が周囲を見回してから小声でいった。

「あ、すまん。藻奈美……」平介は、いつまで経っても彼女のことを娘の名前では呼べないでいた。

直子は手を伸ばし、卵焼きを素手で掴んだ。それを丸ごと口に入れる。

「ちょっと味がしつこいな。下町育ちかな」首を捻った。

橋本多恵子のことで、平介は内心浮き立っていた。そうなのか。脈があるのか。しかし一方で、それがどうしたのだと問う自分がいる。自分には直子がいる。浮かれたところを彼女に決して見せてはならない。

「ところで、運動会が終わった後はどうする？　一緒に行くか？」平介は話題を別の方向にねじ曲げた。

「調印……だっけ」

「うん。新宿のいつものホテルだ」

事故の補償交渉が、ほぼ妥結していた。協定書の調印が、今日行われることになっている。最後ぐらいは遺族として出席してみるかと、昨夜平介のほうから提案したのだ。

「やめておく」飲みかけの缶入り茶を差し出しながら彼女はいった。

「そうか」

「自分の命の値段が決まる瞬間なんかに、あまり立ち会いたくない。どんなに高い値段でもね」

「わかった」缶を受け取り、平介は冷えた茶を飲んだ。

昼休み終了のアナウンスが流れると、直子は急いで席に戻っていった。平介は弁当の礼をいうために橋本多恵子を探した。入場門の脇に彼女の姿があった。

彼が近づいていくと、あら、という顔で駆け寄ってきた。「お弁当、いかがでした」

「あ、もう、大変おいしくいただきました。どうもごちそうさまでした」平介は頭を何度も下げた。

「そうですか。それならよかったんですけど。じゃあ入れ物を」彼女は両手を出した。

いえいえ、と彼は手を振った。「洗ってお返しします。そうするのが礼儀だと娘が」

「杉田さんが？　相変わらずしっかりしてますね」橋本多恵子は微笑んだ。

もっと何か話をしたほうがいいのだろうかと平介は考えた。彼女はそれを望んでいるかもしれないのだ。だが話題が思いつかなかった。そのうちにほかの女性教師が彼女の名を呼んだ。彼女は返事した。

「じゃあ、これで」

立ち去っていく彼女の脹《ふく》ら脛《はぎ》を平介は見送った。

昼休みが終わって三番目の競技が六年生の徒競走だった。平介は保護者席の一番前まで進み出た。

ピストルの音と共に、五人の選手が次々にスタートしていく。距離は五十メートルだ。選手たちが保護者席の前を走っていくように設定されている。親たちは熱くなり、大声で応援する。

ゴールのテープを持っている一人が橋本多恵子だということに平介は気づいた。彼女はもちろん彼のほうなどは見ていない。懸命に駆け込んでくる子供たちを優しい笑顔で迎えている。

直子はかなり後のほうになって出てきた。身長が高いほうだからだ。全く緊張しているふうではなかった。どちらかというと、走ること自体が面倒といったように見える。

ピストルの音が鳴った。五人の選手が一斉にスタートする。二人が飛び出し、直子は三番目になった。その位置をキープしてゴールイン。その間に平介は二回シャッターを押した。

そういえば藻奈美もいつもこれぐらいの順位だったなと思い出した。精神が大人でも、肉体は変わらないのだから、こういう結果が順当なのだろう。ゴールインした直子は、平介の姿を見つけ、苦笑して軽く手を上げた。彼も同じようにして応じた。

最後に彼はもう一度カメラを構えた。だがファインダー越しに覗いたのは、テープを持っている橋本多恵子の姿だった。秋風が吹き、栗色がかった髪が彼女の顔にかかった。彼女はそれを空いているほうの手でさりげなくかきあげた。

その瞬間平介はシャッターを押していた。


五千二百万円――。

協定書に記された金額を見ても、平介はぴんと来なかった。5と2の後に0が六つ並んでいる。ただそれだけのことだ。その数字の意味するところが、どうしても実感できなかった。しかし勝ち取った数字なのだという。大黒交通側が過去の事例や新ホフマン方式という計算式などから出してきた額は、これよりももっと下の額だった。

勝ち取ったという気持ちなど、全くなかった。結局これで愛する者の命が消されたことについては諦めろということなのだ。

「よろしいでしょうか」向かい側に座っていた男が訊いた。これまでに一度も会ったことのない男だった。隣にいる男もそうだ。平介がこの別室に入ってきた時、二人は立ち上がって丁寧に頭を下げてきた。謝罪の気持ちを表したのだろうが、それがどの程度心のこもったものかはわからなかった。事故から数か月が経過し、大黒交通では社長をはじめ大幅に人間が入れ替わっている。今目の前にいる男たちも、大黒交通の社員というだけで、事故に関しては全く責任のない人間たちなのだ。

たぶんこうして風化していくのだと平介は感じた。今目の前にある紙切れだけが、悲劇の記録となる。

平介は所定の位置にサインし、持参してきた実印を、隣に座っている弁護士の向井に指示されるまま押していった。補償金を振り込んでもらう銀行口座を書いて完了だ。

「お疲れさまでした。これで終わりですよ」向井弁護士がいった。唇に笑みが浮かんでいた。この人物にとっても大仕事だったはずである。表情が少し緩むのも無理のないところだろう。

「どうもいろいろとありがとうございました」平介は向井に礼をいった。

彼が腰を上げると、向かい側の二人が揃って立ち上がった。「本当に申し訳ございませんでした」声まで揃っている。

あんたたちが謝ることないよ、関係ないんだから——そういいたかったが、黙って頷いて部屋を出た。

遺族会全員の調印が終わると、いったん会議室に集められた。向井弁護士から、細かい説明があった。さらに向井は、マスコミに対してどの程度発表していいかということを尋ねてきた。

「具体的には補償額についてです」弁護士はいった。「マスコミが一番知りたいのは、そこだと思いますから」

「発表するメリットはあるんですか」遺族会幹事の林田が質問した。

「今後同様の事故が起きた場合の先例にはなると思います。今回の額は、たぶん裁判では取れない額でしょうから」

「我々には特にメリットはないんですね」

「まあそうです」向井は目を伏せた。

結局多数決が採用された。金額については公表しないことを全員が望んだ。

「ほかに何か質問はありますか」向井が皆の顔を見渡した。

平介は訊きたいことがあった。それをここで訊くべきかどうか迷っていた。だがほかにこの質問をできる場所はなかった。

「ないようでしたら、これで――」向井がそこまでいった時、平介は手をあげた。向井は意外そうな顔をして彼を見た。「何でしょう？」

「梶川さんのところには、いくらか支払われたんですか」平介は訊いた。

「梶川さん？」それが誰か、弁護士は咄嗟に思い出せなかったようだ。

「運転手さんです。バスの」

ああ、と向井は頷いた。同様の声を漏らした者が、平介の周りにもいた。

「それは私は全く聞いていません。遺族会とは別の話ですから」

「あ、そうなんですか」

「たぶん何らかの見舞金は出ていると思いますが、私は知りません。それが何か？」

「いえ、別に……」平介は腰を下ろすしかなかった。

他の遺族たちが、怪訝そうな目で、じろじろと平介のことを見ていた。

「だって事故を起こした張本人だものな」と誰かがいった。

七か月におよぶ補償交渉は、こうして終結した。遺族たちは向井や幹事たちに礼をいい、また顔見知りになった者たちと挨拶を交わし、三々五々去っていった。誰の顔にも充実感らしきものはなかった。これで怒りの矛《ほこ》をおさめねばならない無念さが漂っているように平介には思えた。いつか直子が、自分の置かれている境遇に耐えられそうにない時には恨みや憎しみをぶつけられる相手がほしい、といっていたのを思い出した。

ホテルから出ると、外は真っ暗だった。飲みに行きたいなと彼は思った。しかし直子が一人で待っていることを考えると、そういうわけにはいかない。

シュークリームでも買って帰るかと、彼は駅に向かって歩きだした。

20

吐き出す息が白かった。コートのポケットに両手を突っ込み、その場で細かく足踏みする。寒いからだけではなかった。気持ちが落ち着かないのだ。

こんなに早くこういうことを経験するとは思わなかったと、平介はぼやきたい心境だった。早くても藻奈美が高校に上がる時だろうと高をくっていた。

周りを見る。殆どが親子連れだ。親は裕福で知的階級が高そうに見える。その子供もかしこそうだ。自分たちだけが浮いてるんじゃないかと不安になる。

目の前にポケットティッシュを差し出された。直子が赤い手袋をはめた手で持っていた。「洟《はな》、出てるよ」

あっ、といって平介はそこから一枚抜き、洟をかんだ。ごみ箱が周りにないので、コートのポケットに押し込んだ。

「落ち着いてるなあ」平介は直子の顔を見ていった。

「だって、今さらじたばたしたって仕方ないじゃない。もう結果は出てるんだし」

「そりゃそうだけどさ」

「それに」直子は一つ頷いて続けた。「大丈夫だよ、たぶん」

「自信満々だな」

「あたしが落ちたら、受かる子なんかいないよ。絶対に」

「じゃあ、もし落ちたとしたら俺のせいだな。面接の時、とちっちゃったからなあ」

志望動機はと訊かれ、予《あらかじ》め考えておいた理由をすらすらと述べたところまではよかったが、最後の締めのところで、「というわけで娘と相談して、こちらの学校に決めました」というべきところを、「妻と相談して」といってしまったのだ。面接官も変な顔をしていた。杉田親子が父子家庭ということは、当然彼等も知っている。

「あんなこと、どうってことないよ」

「そうかあ？」

「案外プラスに働くかもよ。この学校、結構ミーハーなの知ってる？」

「ミーハー？」

「有名人に弱いんだよ。作家とか文化人」

「それがどうしたんだ」

「お父さんのあの言い間違いは、あたしたちが例の有名な事故の被害者だってことを思い出させる効果があったと思うんだよね。となると、何となく落とし辛くなるんじゃないかな。マスコミの目だって気にするかもしれないし」

「そんなにうまくいくかねえ」

「とにかくマイナスにはならないよ。大丈夫だって」直子は平介の腕をぽんと叩いた。

彼女が志望する中学の合格発表の日だった。試験は昨日終わっている。受験する前も後も、直子の表情に変化は全くなかった。彼女が平介にいったことは、入学の納入金を用意しておいて、ということだけだった。

やがて掲示板に白い紙が張り出された。黒いフェルトペンで数字がびっしりと書き連ねてある。周辺にいた親子連れが、一斉にその前に群がった。

平介は目をこらし、直子から聞いていた受験番号を探した。２３６が彼女の番号だった。九九《くく》の二×三が六と覚えている。

「あったよ」先に直子がいった。他人事《ひとごと》のような口調だ。

「えっ、どこだどこだ」

「どこ見てんの。もっと左」

彼女が指差したほうに目を向けた。たしかにそこに236の数字があった。

「あっ、ほんとだ。あったあった。おい、やったじゃないか」平介はガッツポーズをとった。

「だから大丈夫だっていったじゃない。早く入学手続きして帰ろうよ」直子はくるりと背中を見せ、すたすたと歩きだした。

平介は彼女の後を追いながら、拍子抜けした気分を味わっていた。もしも合格したのが本物の藻奈美で、直子が直子としてこの場にいたなら、喜びのあまり泣きだしていたかもしれないのだ。

あいつ変わっちまったなあと思った。

入学手続きを終えた後は、二人で吉祥寺に出た。今度彼女が入った中学が、吉祥寺から近いのだ。買い物をし、さらにその後は食事をすることになった。

「二人できちんとしたフレンチレストランに入るなんて久しぶりね。何年ぶりかなあ」

テーブルの向こうで直子が嬉しそうにいった。

「そういえば藻奈美が生まれて以来、ファミレスばっかりだったな」

「あの子、ハンバーグが好きだったから」

平介が赤ワインのハーフボトルを飲んでいると、自分も飲みたいと直子がいいだした。

「酒は飲めなかったじゃないか」

「うん。でも今は何となく飲みたいの。それに前とは身体が違うわけでしょ？　うちの家系はアルコールがだめだけど、お父さんの遺伝子が加わっているわけだから、飲めるかもしれない」

「小学生のくせに」

「中学生よ。もう」ワイングラスを手にし、平介のほうに差し出した。「注《つ》いで」

「知らねえぞ」周りを少し気にしながら、おおぶりのグラスに少しだけ注いだ。

どこで覚えたのか、直子は鼻の下でグラスを軽く回し、匂いを嗅ぐしぐさをしてから赤い液体を喉に流し込んだ。すぐに梅干しを口に入れたような顔になった。

「どうだ？」と平介は訊いた。

「甘くない」

「そりゃそうだ。ジュースじゃないんだぞ」

「でも」彼女はもう一口飲んで、味わうように口を動かした。「わりといける」

「そうかい」

結局ハーフボトルの三分の一以上を直子が飲んだ。

レストランの前からタクシーに乗ったところ、途中で直子は居眠りを始めてしまった。

やはりワインがまわってきたようだ。だがアルコールに耐性があるのは事実のようである。平介は彼女の寝顔を眺め、不思議な感じがした。心は直子であっても、この身体には間違いなく自分の血が流れているのだ。

家に着いたのは九時過ぎだった。平介は直子の身体を抱いて二階に上がり、苦労しながらパジャマに着替えさせ、そのままベッドで寝かせた。彼女は寝ぼけているのか、酔っぱらっているのか、「平ちゃんごめんね。平ちゃんごめんね」と、しきりに謝っていたが、横になるとすぐに寝息をたて始めた。

平介は風呂に入り、冷えた身体をたっぷり時間をかけて暖めた。風呂から上がるとスポーツニュースを見ながら缶ビールを一本空けた。ジャイアンツのキャンプ報告がなされていた。

眠る前に直子の部屋を覗いた。彼女は布団に抱きつくような格好で眠っていた。肩まで布団をかけ直し、明かりを消してから部屋を出た。

寝室に入ると、平介は布団にもぐって目を閉じた。だが眠気は全く起きなかった。彼はすぐに枕元のスタンドのスイッチを入れた。傍らに文庫本が置いてある。それに手を伸ばしかけて、すぐにその手を引っ込めた。その推理小説は、先日読み終えてしまっていた。すぐ横に本棚があるが、今すぐに読みたいような本はなかった。

うつぶせになり、枕に顎を載せた。ぼんやりと畳の目を眺めた。平介たちが越してきた時には青々としていた畳も、今は日に焼けてすっかり茶色くなっている。あれから時間は確実に流れた。そしてこれからも流れていく。畳の茶色はもっと濃くなり、自分は老いていくだろう。

不意に、いいようのない孤独感が襲ってきた。暗く先の見えないトンネルに、たった一人で取り残されたような気がした。これまで一緒に歩いてきた直子の姿はない。ただ彼女の声が聞こえるだけだ。そして彼女はすでに別の世界を歩きだしている。ここにいるのは自分だけなのだ。

同時に腹立たしさもわき起こってきた。自分が理不尽な出来事の犠牲になっているように思えた。俺の人生はどこにある？　俺はこのままなのか——。

平介は右腕を布団から出し、本棚の一番下に入れてある『品質管理』という本を抜き取った。専門書だが、もちろん今これを読みたいわけではない。その裏表紙を開くと、写真が一枚挟まっている。それを取り出した。

橋本多恵子が笑っていた。あの運動会の日、こっそり撮影した一枚だ。

平介は股間に手を伸ばした。陰茎を握ってみると、徐々に膨張を始めた。

俺が恋をしたっていいじゃないか、と思った。俺にだって恋をする権利はある。なぜなら俺には何もないからだ。俺には妻などいない。性の喜びを分かち合う相手もいない。俺にあるのは、ただ奇妙に歪んだ宿命だけだ。

橋本多恵子の顔を眺めながら、彼は懸命に卑猥な妄想を思い浮かべようとした。マスターベーションしようとした。事実、この写真を見ながら何度かそうしたのだ。

だが今夜はうまくいかなかった。彼の手の中で彼自身は、急速に勢いをなくしていた。諦めて写真を本に挟み直した。そのまま彼は枕に顔を埋めた。

肌に一瞬冷たい空気の触れる感覚があって目が覚めた。瞼を開くと藻奈美の顔があった。スタンドの光に照らされた顔は平介を見て笑っていた。

「ごめん、起こしちゃった」と直子はいった。彼女は布団の中に入り込んでいた。

「今、何時だ」

「まだ夜中の三時だよ」

「どうしたんだ」

「何だかわからないけど、急に目が覚めちゃった。あたし、どれぐらい寝てたのかな」

「帰りのタクシーの中からだからな。六時間以上は寝てるだろ」平介はあくびをした。

「久しぶりによく寝た感じがする。いつも六時間ぐらいは寝てるんだけどな」

「受験が終わって安心したんだよ」

「そうかもしれない」直子はぴったりと身体を寄せてきた。平介の胸に頬をつけた。

「ねえ」上目遣いをした。企みを打ち明ける顔だった。「手で抜いたげようか」

平介はぎくりとした。一瞬、先程自慰しようとしたのを見られたのかと思った。

「そういう冗談はいうなっていっただろ」

「冗談のつもりじゃないんだけど。あたしの顔を見てるのが嫌だったらさ、顔を隠してしたらどうかな」

「だめだって。ほんとに、そういうのはだめだ」

「そう？」

「うん」

「ふうん。そうかもね」直子はずり上がってきた。見慣れた藻奈美の顔が平介の顔に近づいてくる。娘の顔だ。長年、娘として愛してきた顔だ。

彼女はじっと平介の顔を見つめた。思い詰めたような表情だった。何か重大な告白をされるのではないかと思い、彼は身体を固くした。

ところが彼女の目が、ふっと上に向いた。何かに手を伸ばす。「何これ。寝る前に、こんなのを読んでるの？」

『品質管理』の本だった。本棚に戻すのを忘れていたのだ。しまった、と思った。

彼女は平介の頭の上で、本の頁をぱらぱらとめくっている。どの頁を見ているのか、平介にはわからない。

「数字ばっかり書いてある」

「だろ。つまんない本だよ」平介がこういった時だ。

突然直子の表情が停止した。唇は中途半端に開いたままで、目は一点を凝視していた。ただしその目がみるみる充血していくのを平介は認めた。

橋本多恵子の写真を見つけたに違いなかった。平介は瞬時にして様々な言い訳を考えた。いつ撮ったのかもよく覚えていない写真だ、本人に渡すつもりがうっかりしていた、本を読んでいて栞《しおり》が手元になかったので身近にあったものを代用したにすぎない――。

だがそれらの言い訳は不必要だった。直子は何もいわず、本を閉じた。それから彼の胸に顔を埋めた。

一分間ほどそうした後、彼女はごそごそと布団から這い出た。その顔には笑顔が蘇っていた。「寝ているところ、邪魔してごめんね」

「行くのか」

「うん。おやすみなさい」

「おやすみ」

直子が出ていった後、平介は枕元の本を見た。『品質管理』は閉じられていたが、写真の角が五ミリほどはみ出ていた。

本を本棚に戻し、電気スタンドを消した。

21

運転手の運転は慎重を極めていた。最後まで決して気を緩めまいという思いが、サイドブレーキを引く動作にさえ込められているようだった。この慎重さがあの時の梶川にあったらと思うが、それはいっても仕方のないことだった。

事故からちょうど一年が経っている。一周忌を皆でと提案したのは、例の遺族会の幹事たちらしかった。彼等は大黒交通と交渉し、遺族全員がバスで事故現場まで連れていってもらえるよう話をまとめた。大黒交通側に文句のあるはずがない。宿泊費のほうも当社で、ということになった。

ドアが開くと、まずガイド役の大黒交通の社員がバスを降りていった。彼はすぐに戻ってきて、マイクを手にした。

「はい。では、前の方から順番に降りてください。決して急がないようにお願いします。下は雪なので、滑るおそれがあります。必ず手すりに摑まって、ステップを一段ずつ下りるようにしてください」

指示に従い、前列の乗客から順に降車していく。平介たちの番も近づいてきた。

「行こう」窓際の席に座っている直子に声をかけた。彼女は黒のフード付きのコートを羽織った。

外は緩やかに風が吹いていた。バスの暖房で少し頭がぼうっとしかけていたので、その冷風が最初は心地よかった。だがすぐに頰がぴりぴりと痛くなってきた。

「寒いな、やっぱり」平介は呟いた。「耳がちぎれそうだ」

「この程度で？」直子がいった。彼女にとってはここが地元同様だということを平介は思い出した。

事故現場は、すっかり修復が成されていた。テレビや新聞写真でよく見た、破れたガードレールは、新しいものに変わっていた。平介はその新しいガードレールの手前から、バスが転落していったという谷を見下ろした。

斜面の角度は三十度から四十度というところだろうか。しかし目の錯覚で、おそろしく急傾斜に見える。死への滑り台は何十メートルも続いている。その先に小さな川が流れているが、殆ど真下にある感じだった。

今は昼間なので、雪面が太陽光を反射して目が痛いほど眩しい。川の水面もきらきらと光っている。だが事故が起きたのは、まだ薄暗い早朝だった。周囲の林にも光を遮られ、この谷はおそらく真っ暗に近かったに違いない。

闇の中を、ごろごろとバスが転がり落ちていく光景を平介は思い浮かべた。それだけで恐怖のあまり、胃が縮んだ。その巨大な棺桶に乗っていた者たちの思いは、到底想像できるものではなかった。

周りですすり泣きが始まった。谷底に向かって合掌している者もいる。直子はただじっと斜面を見下ろしていた。

東京から同行してきた若い僧侶による読経が始まった。遺族たちは目を伏せて、それぞれの思いに沈んだ。すすり泣きは消えない。平介の隣で老婦人が嗚咽を漏らした。

読経が終わると皆が持参してきた花束を谷に向かって投げた。花ではなく、故人の好きだったものを投げる者もいた。ラグビーボールが投げられた時には、一層深い嘆きの声が皆から上がった。故人はたぶん大学のラグビー部員だったのだろう。

谷を見下ろしていた直子が顔を上げた。「ねえ、信じてくれる？」

「何だ」

「あの時あたし、このまま自分は死ぬんだと思ったの。不思議だけど、どんなふうに死ぬのかも咄嗟に頭に浮かんだ。全身にいろいろなものが突き刺さり、頭がスイカみたいに割れて死ぬんだと思った」

「やめろよ」

「でもね、それはいいと思ったの。いやだったのは藻奈美を死なせること。そんなことになったら、あなたに合わせる顔がないと思った。あなたに申し訳ないって。変だよね。自分も死ぬわけだから、そんなこと心配する必要ないのに。とにかく、この子だけは助けなきゃと思ったの。自分を犠牲にしてでも」そういってから彼女は改めて訊いた。「信じてくれる？」

「信じるよ」平介は答えた。「そのとおり、藻奈美を救った」

「中途半端だったけどね」彼女は肩をすくめた。

後は俺の仕事だ、と平介は思った。藻奈美の身体と直子の心を守ることが、俺に与えられた使命だ――。

「馬鹿野郎っ」誰かが叫んだ。平介は声のしたほうを見た。双子の娘を亡くした藤崎という男だった。両手をメガホン代わりにして、もう一度叫ぶ。「馬鹿野郎」

彼に触発されたか、何人かが続いた。叫ぶ内容はまちまちだ。さようなら、と叫んだ女性がいた。

平介も叫びたくなった。「おやすみ」という台詞を思いついた。悪くないと思った。谷に向かって立ち、すうっと息を吸った時だ。直子に服の袖を引っ張られた。

「ダサいよ」

「えっ、そうか」

「うん。行こ」

直子がバスのほうへ歩きだしたので、平介も彼女の後を追った。


慰霊旅行から帰った日の翌日が、小学校の卒業式だった。古い造りの講堂で、それは行われた。後方に設けられた保護者席の中程に座り、平介は卒業生たちが順番に卒業証書を受け取っていくのを見守った。

「杉田藻奈美」平介の娘の名が呼ばれた。

はい、という歯切れのいい返事があり、直子が立ち上がった。他の卒業生たちと同じように歩き、壇上に上がり、卒業証書を受け取って校長に礼をした。その一部始終を平介は見つめていた。

卒業式が終わると、グラウンドが別れの挨拶の場となった。特に直子は大勢のクラスメイトに囲まれた。私立中学に進んでしまう彼女は、もう学校で皆と会うことはないからだ。彼女が握手を求められたり、サイン帳を渡されたりしているのを、平介は少し離れたところから眺めた。中には泣いている女の子もいる。そんな子の肩を撫で、直子は何か慰めの言葉をかけているらしかった。その姿には同級生というより母親に近いものがあった。

直子以上に囲まれているのが橋本多恵子だった。彼女は子供たちだけでなく、それぞれの親たちからも挨拶されていた。色白の彼女の頬が、今日は少し赤らんで見える。だがさすがに涙はないようだ。

別れの言葉がひとしきり飛び交った後、卒業生とその親たちは、正門からぞろぞろと帰り始めた。一仕事を終えた教師たちには、感慨のほか、やれやれといった色も見える。直子がようやく平介のところへやってきた。手に卒業証書の入った焦げ茶色の筒を持っている。

「お待たせ」少し疲れた顔で彼女は苦笑した。

「握手ぜめだったな」

「手が痛くなっちゃった。それより」直子はまだ少しクラスメイトたちが集まっているほうを見た。「挨拶した？」

「誰に？」

平介が訊くと、直子はかすかに眉を寄せた。

「彼女によ。決まってるじゃない」顎を小さく動かす。その先には橋本多恵子の姿があった。

「ああ」平介は首の後ろをこすった。「挨拶しておくべきかな、やっぱり」

直子は吐息をついた。目をそらし、斜め上を見た。「行っといでよ。あたし、ここにいるから」

「えっ、俺一人でか」

「うん」今度は下を向いた。グラウンドの乾いた土を蹴る。「いろいろ話があるんじゃないの？　遠慮なく話しかけられる、最後のチャンスだよ」

この瞬間、平介は悟った。あの夜、直子はやはり本に挟んだ写真を見たのだ。あれ以来何もいわなかったが、心の中ではずっと悩んでいたに違いない。平介の恋を認めるかどうか――。

「わかった」平介はいった。「じゃあ、一緒に行こう」

えっ、と直子は顔を上げた。

「一緒に挨拶に行こうや」と彼は繰り返した。

「それでいいの？」

「いいよ。でなきゃ、変だろう？」

さあ、といって平介は右手を出した。直子はためらいながらもその手を握ってきた。

二人で橋本多恵子のところへ挨拶に行った。どうもいろいろとありがとうございました、先生もお元気で――月並みな言葉を彼は並べた。

「こちらこそいたりませんで。杉田さんもどうかお身体を大切に」橋本多恵子は笑顔でいった。父兄に対する教師の表情を越えるものではなかった。

学校から家まで、平介は直子と手を繋いで帰った。考えてみれば、彼女とこうして歩くのは久しぶりだった。妙なものだと思った。あの事故の前は、藻奈美と歩く時はいつも手を繋いでいたのだ。

直子は橋本多恵子のことは、一切口にしなかった。

家に帰ると、郵便配達人が止まったところだった。ポストに何か入れようとしている。平介は声をかけ、郵便物を受け取った。速達ハガキだった。

差出人を見て、少し驚いた。

「誰から？」直子が訊いた。

「梶川逸美さんだ」

「梶川って……」

「梶川運転手の娘さんだよ」平介はハガキの裏を見た。

全身から血の気のひいていくのがわかった。鳥肌が立った。

「どうしたの？」直子が不安そうに訊く。

平介はハガキを彼女に見せた。

「梶川征子さんが亡くなった」

22

梶川征子の葬儀は、彼女が住んでいた町内にある集会所で行われていた。古い平屋で、間口も狭かった。通りに沿って、ほんの申し訳程度に花輪が並んでいた。

平介が梶川逸美からの速達を受け取ったのは昨日だ。そこには、『今朝、母が死にました。お葬式はたぶん日曜日だそうです。いろいろとありがとうございました。』とだけ書かれていた。何時にどこで葬式が行われるのかということは記されていなかった。

それで昨日すぐに車に乗り、梶川征子のアパートまで行ってみたのだ。ところがドアをノックしても応答はなかった。

アパート中のドアを叩いてみたところ、梶川母子のちょうど真下にすむ主婦が、この集会所で行われる葬儀のことを教えてくれたのだった。死因について知りませんかと尋ねてみると、彼女は眉をひそめていった。

「心臓麻痺だそうですよ。朝、仕事に行こうとして玄関のドアを開けた途端、その場に倒れたとかで」

「仕事は何を?」

「ビルの清掃って聞いてましたけど」

田端製作所は辞めたのかと思い、すぐにそれを否定した。辞めたのではない。たぶん辞めさせられたのだろう。

平介は帰宅してから直子に、明日の葬儀に行ってもいいかと尋ねた。どうしてそんなこと訊くの、いいに決まってるじゃないと彼女は答えた。

集会所の入り口は、通りから少し奥まったところにあった。平介が進んでいくと、入り口のすぐ手前の左側に、七十歳近いのではないかと思われる小柄な老人と梶川逸美が並んで立っていた。老人が何者なのか、平介には全く想像がつかなかった。父親だと考えると年齢的には合致するが、梶川征子と顔はあまり似ていなかった。

焼香の順番はすぐに回ってきた。そもそも弔問客が少ないのだ。

梶川逸美は中学の制服姿で、目を伏せて静かに立っていた。その手には白いハンカチが握られていた。時々あれで涙を拭くのかなと平介は思った。

彼が前を通ろうとした時、逸美が不意に顔を上げた。何かの気配を感じたかのようだった。目が合うと、彼女はかすかに驚いたような色を見せた。大きな目が一瞬さらに見開かれた。平介は立ち止まりそうになった。

逸美は黙って頭を下げてきた。そのまま顔を上げなかった。それで彼は足を止めることなく、前に進んだ。集会所の中は香の匂いがたちこめていた。

平介のもとに梶川逸美から連絡があったのは、葬儀の翌週の土曜日だ。この日彼は休日出勤をしたので、帰りは午後七時過ぎになった。するとそれを知っていたかのように、八時頃電話がかかってきたのだ。もしかしたら逸美は母親から、土曜日は休日出勤の可能性があるということを聞かされていたのかもしれない。

「お葬式に来てくださって、ありがとうございました」逸美は固い口調でいった。あの少年のような表情が、平介の頭に浮かんだ。

「いやあ、いろいろと大変だったね」電話をしてきてくれてよかったと彼は思っていた。葬儀には出たが、結局何もわからないままだった。逸美とも口をきいていない。

「あの、お香典の、何というのか……お返しを」

「香典返し？」

「あ、はい。それを、渡したいんですけど」ぶっきらぼうな口調だ。伝えたいことをうまくいえない自分に対して苛立っているようだった。

「いや、そんな気を遣ってもらわなくていいよ」平介はいった。「おじさんが出したのは、そんなに大きな金額じゃないからね。そういうことはしなくていいんだよ」

「みんなもそういいますけど……」逸美は口ごもった。みんな、というのは葬式を取り仕切っている大人たちのことだろう。平介は気づかなかったが、親戚が来ていたのかもしれない。

「気持ちだけいただいておくよ。ありがとう」

「でも、渡したいんです。渡したいものがあるんです」

「渡したいもの？　俺に？」

はい、と彼女は答えた。ある種の決意が込められているような声だった。どういったものだいと訊こうとし、その質問を飲み込んだ。それを聞いてからだと、受け取るとも受け取らないともいいにくくなる。

「そう。そこまでいってくれるなら、遠慮なく受け取ろうかな。ええと、それでどうすればいいんだい？　君の家まで取りに行けばいいのかな」

すると一拍間を置いてから彼女はいった。「家は、もうないんです」

「えっ？」

「昨日、あのアパートは出たんです。今は親戚の家にいます」

「そうだったのか。親戚のおうちというのは、どこなんだい？」

「志木というところです」

「志木？　埼玉の？」

「はい」

志木と聞いても、平介は何のイメージも湧かなかった。地名は知っているが、これまで自分とは何の関わりもない土地だった。彼は電話を持ったまま、道路地図帳を手にした。

「志木のどのあたり？　近くに何か目印はあるのかな」

「わかりません……あたしも、ここへ来たばかりだから」逸美は沈んだ声を出した。

これまで親交のあった親戚ではないのだということが窺い知れた。彼女のこれからの苦労を思うと、平介は切なくなった。

結局、駅で会うことにして電話を切った。

翌日曜日の午後、平介は直子を連れて電車を乗り継ぎ、東武東上線の志木駅まで行った。最初は一人で行くつもりだったが、一緒に行くと直子がいったのだ。その理由について彼は訊かなかった。直子自身にもうまく答えられないのではないかという気がしたからだった。

梶川逸美は改札口の近くの壁にもたれて立っていた。全体が赤色で袖の部分が白いスタジアムジャンパーを着ていた。平介を見つけ、ぺこりと頭を下げた。それから直子に目を向けた。一瞬、眩《まぶ》しそうな目をした。

「どこか入ろうか。おなかはすいてない？」

逸美は返事に困ったような顔をし、わずかに首を傾げた。すると横から直子がいった。

「すいてるに決まってるじゃない。何か食べられるところに入りましょうよ」

「あ、そうかい？　じゃあ、適当な店を探してみようか」

志木駅周辺は平介が思っていたよりもずっと開けていた。太い道が走り、それに面して巨大スーパーをはじめとする大きな建物が並んでいる。駅のすぐそばにはファミリーレストランもあった。平介たちはそこに入った。

「遠慮しないで、いっぱい食べてね」直子は逸美にそういってから平介のほうを見た。

「お父さんは競馬で大穴を当てたばっかりなんだから。ねっ」

えっ、と声を漏らして平介は直子の顔を見た。競馬など、やったこともなかった。だが彼女が逸美からは死角になっているほうの目で素早くウインクするのを見て、その意図を理解した。

「そうなんだ。冗談で買った馬券が大当たりでね。ぱーっと使っちゃおうといってたところだったんだ」

固かった逸美の表情が少しほぐれた。彼女はようやくメニューに目を向けた。

それでも彼女が注文したのはカレーライスだけだった。たぶん自分が好きなもので、なるべく値段の安いものを探したのだろう。すると彼女の次に直子が、ハンバーグやフライドチキンなど子供が好きそうなものをいくつか頼み、最後に逸美に向かって、「ねえ、パフェとかアイスクリームとか食べる？」と訊いた。逸美が遠慮がちに、「あたし、どちらでもいい」と答えると、直子は迷わずチョコレートパフェ二つを追加した。

平介は直子が一緒に行くといった理由の一つがわかった。彼だけならば、たとえこんなふうに店に入ったとしても、遠慮を見せる彼女の扱いに困っただけだろう。

「お母さんのこと、大変だったね。少しは落ち着いたのかな」平介は訊いてみた。

逸美は頷き、「ちょっとびっくりしたけど」といった。

「心臓麻痺って聞いたけど」

「はい。なんか、もうちょっと難しいことをいわれたんですけど、心臓麻痺ってことみたいです」いいながら首を傾げた。

「そう」平介は水を飲んだ。心臓麻痺という病名がないことは、彼も知っていた。

「あたしが朝ご飯の片づけをしていたら玄関で物音がして、それで見たらおかあさんが倒れてたんです。靴の片っぽだけ履いて、もう片っぽは裸足で」

「救急車はすぐに？」

「呼びました。でも、間に合いませんでした。電話している時から、たぶん、もうだめだと思った」逸美はうつむいた。「眠ってるみたいな顔してたんだけど」

彼女は首から斜めにかけていた小さなポシェットを開け、ティッシュペーパーにくるまれた何かを取り出した。それをテーブルの上に置いた。

「これです」と彼女はいった。

「香典返し？」平介は訊いた。彼女は頷いた。

彼はそれを手に取り、ティッシュペーパーを開いた。中から出てきたのは古い懐中時計だった。

「へえ、珍しいものだね」

大きさは直径が五センチほどだ。銀色をしている。斜め上に竜頭《りゅうず》がついていた。

蓋を開けようとした。ところが金具が引っかかっているのか、指先にどんなに力を込めても開けられなかった。

「蓋が壊れちゃったみたいなんです」

「そのようだね」

「お父さん……父は、いつもそれを持ってたんです。事故の時も持ってて、それで蓋が壊れたらしいんです」

「そういうことか」手の中で弄《もてあそ》びながら平介は呟いた。

「値打ちのあるものだって、父はいってました。自分の持っているものの中で、一番価値の高いのはこれだって」

「そんなに貴重なものなら、君が持っていればいいじゃないか」

すると彼女はかぶりを振った。

「親戚の人に見つかって、父のものだとわかったら捨てられちゃうから……」

「えっ、まさか」

だが逸美は大げさにいったわけではなさそうだ。「本当にそうなんです」と悲しそうにいった。

平介は暗い気分になった。おそらくその親戚にとっては、梶川運転手は疫病神《やくびょうがみ》なのだ。

「それに」逸美は顔を上げた。少し照れくさそうに頰を緩めた。「杉田さんに何か渡したかったんです。お葬式に来てくれて、うれしかったから」

「いや、でもそんなことは……」平介がそこまでいった時、隣の直子がテーブルの下で彼の腿をつついた。黙って受け取っておけ。そういっているようなつつき方だった。

平介は懐中時計を手に持った。「ほんとにいいのかい。おじさんがもらっても」

逸美はこっくりと頷いた。

「じゃあ、いただいておくよ。遠慮なく」彼はそれをもう一度ティッシュペーパーで丁寧に包み、ズボンのポケットに入れた。

この後すぐ、料理が続々と運ばれてきた。

食事を終えた後、梶川逸美は平介たちを駅の改札口まで送ってくれた。平介は別れ際に何か気の利いた台詞をいおうとしたが、言葉が何も思いつかなかった。気取ったことを言うと、直子からまた「ダサいよ」といわれそうだ。

「じゃあ、君も元気で。がんばってね」無難に、こういった。

梶川逸美は黙って小さく頷いた。唇を真一文字に結んでいた。

改札口から中に入ってすぐ、平介は直子に訊いた。「なあ、どうしてあの子が腹をへらしているとわかったんだ？」

直子は彼の顔を見上げ、ふっと息を吐いた。

「あの子は今居候なんでしょ？　居候、三杯目はそっと出し、という川柳を知らないの。あの子はたぶん今の家では一杯のおかわりすらできないでいると思う」

「ああ……そうか」

平介は後ろを振り返った。すると梶川逸美はまだ改札口の向こうにいた。彼等のほうに真摯な眼差しを向けていた。

平介は手を振った。直子も同じようにした。

梶川逸美の顔が瞬く間に泣き顔に変わった。

23

直子の中学生活は、平介の目から見るかぎり、まず順風満帆といっていいようだった。肉体と心のずれという問題も、どうやらコントロールできているように見えた。不自然だった言葉遣いも、有名私立中学に通う、やや大人っぽい女子生徒としては、おかしいものではなくなっている。

順風満帆という言葉が不適切だと思うのは、彼女の学校での成績に関してだった。悪いのではない。その逆だ。最初の中間テストでいきなり学年七位に入ったかと思うと、その後もベストテンから落ちないのだった。三学期の期末テストでは、とうとう三位に食い込んだ。

「どちらの塾に通わせておられるのですか」保護者懇談会の時、平介は担任の男性教師から尋ねられた。教師は、杉田藻奈美という一見平凡な少女の学力に、心底驚嘆している様子だった。

塾には通わせてないと答えると、教師の驚きはさらに増したようだ。勉強法や教育法について、しつこく質問された。果ては家系に学者の血が流れているのかとまでいわれた。

「勉強はよくやっているようですけど、私はあまり関知していないです。勉強しろといったこともありません。成績について家で話すことも殆どないです」

平介のこの言葉は、誰からも全く信用されなかった。たぶん何か秘訣――特別な教育方法や超一流の家庭教師といったものが、杉田藻奈美の学力の陰に存在していると思われているようだった。平介は懇談会のたびに、教育熱心な母親から質問ぜめにされた。

だが本当に直子は、特別なことは何もしていないのだった。ただし日頃の勉強量は半端なものではなかった。彼女は怠けるということを全くしなかった。家事の合間に勉強し、勉強が一段落すれば、残った時間を家事にあてた。もちろんテレビを見たり、遊んだりすることはある。しかしそれはまさに息抜きだった。たとえば彼女は、一日にテレビを見る時間は一時間半と決めていた。どんなに見たい番組があっても、この規律を破ろうとはしなかった。

どうしてそんなにがんばるのかと平介が訊いてみたことがある。彼女はリンゴの皮を器用に剝きながら、淡々と次のようにいった。

「一つ破ると、二つ破るのも三つ破るのも同じだと思っちゃうでしょ。そうしてどんどんだめになっていっちゃうのよね。あたしの前の人生は、それの典型だった。その結果、小学校から短大まで十四年間も学校と名のつくところに通っていながら、生きていくための術が何ひとつ身につかなかったの。あたしはね、同じことを二度繰り返したくないわけ。あんなに深い後悔を、もう一度するのは死んでも嫌なの」

そして奇麗に剝いたリンゴを四つに切ってフォークで刺し、「はい」といって平介のほうに差し出した。彼はそのリンゴを食べながら、そんなに前の人生は後悔ばっかりだったのかよと心の中で呟いた。

もっとも彼女は勉強だけがすべてと考えているわけでもなさそうだった。勉強以外のことに目を向けることも大切だと認識はしているようだ。彼女は以前に比べて、はるかにたくさんの本を読むようになった。ずっと埃をかぶったままだったミニコンポを掃除し、音楽を聞くようにもなった。

「世の中には、素晴らしいものが本当にたくさんあるのよね。そんなにお金をかけなくても幸せになれるものだとか、世界観が変わっちゃうものだとかが簡単に手に入る。どうして今まで気がつかなかったのかなと思っちゃう」感動する本や音楽に出会った時など、彼女は目を輝かせて平介にこういうのだった。

直子は友人も大事にした。当然のことながら、はるかに精神年齢の低い友人たちを、彼女は積極的に作った。彼女は成績がよく、面倒見もいいので、仲間たちからも人気があるようだった。

日曜日に数人の友達を家に呼ぶということもあった。そんな時には直子は手作りの料理を出してもてなした。その料理の出来映えには、例外なく皆が驚いた。

「すごいのねえ、藻奈美。どうしてこんなことができちゃうわけ？」

「大したことないよ、この程度。あなたたちだって、やろうと思えばできるよ。今は便利な調理器具がいっぱいあるもんね。昔は電子レンジだって、どの家にもあるってわけじゃなかったんだよ。蒸し器とか使わなきゃなんなくて大変だったんだから。今の若いお母さんなんかは恵まれてるよねえ」

「やだなあ、藻奈美。おばあさんみたいなこといっちゃってえ」

「だからその、あたしも感謝しなくちゃいけないと思うわけよ」ボロが出そうになった時に咄嗟に取り繕うのも、直子は巧みになっていた。

あの子たちはあたしの先生なのよ――若い友人たちが帰った後で、直子が平介にいったことがある。

「単に中学生らしく振る舞うためのお手本という意味じゃないの。彼女たちと一緒にいると、あたしの中にある古い価値観が更新されるような気がするわけ。それだけじゃなくて、あたし自身もその存在を知らなかったような神経の蕾《つぼみ》みたいなものが、ぽんぽんと花開いていくような気がするの。彼女たちと接した後は、間違いなく世界の色が違って見えてくるのよ」

平介としては言葉の意味はわかっても、感覚では理解できない種類の話だった。「そうか、それはよかったな」としかいえなかった。彼女との間に、見えない溝が生じつつあるのを認めないわけにはいかなかった。

人格は直子のものであっても、学習能力と同様、おそらく感性も藻奈美の若い頭脳に支配されているのだろうと平介は解釈した。ティーンエイジャーだからこそ見えるもの、年をとってしまえば見えなくなるものが、間違いなく今の直子には見えているのだ。

厄介なことはその感性の変化を、直子自身が十分に把握していないことだった。そしていうまでもなく平介は、その変化についていけないでいた。彼にとって直子は――外見はたとえ藻奈美のものであってもその人格は――依然として自分の妻だと思っていた。


その日平介はいつもより帰りが遅くなった。職場にやってきた新しい仲間二人を歓迎する飲み会があったからだ。二次会の途中で席を立ったのだが、家に着いた時には午後十一時近くになっていた。適度に酔っていて、気持ちがよかった。

玄関で靴を脱ぎながら、「ただいま」と奥に向かって声をかけてみたが、返事はなかった。そのまま洗面所に行くと、浴室に明かりがついていて、ドアの向こうからシャワーを使う音が聞こえてきた。

平介はドアを開けた。直子の小さな背中が見えた。

彼女はシャワーを使って髪を洗っているところだったが、驚いたように振り返った。その拍子に持っていたシャワーノズルを落とした。湯が無関係な方向に飛び散り、浴室の壁を濡らした。彼女はあわてて湯を止めた。

「びっくりするじゃない。急に開けないでよ」直子はいった。声が少し尖っていた。

「ああ、すまん」平介は謝った。謝りながら、じゃあノックでもすればよかったのか、と思った。「今帰ってきたところなんだ。風呂、俺も入っていいか」

「あ……あたし、もう出るけど」

「早く入りたいんだよ。身体に煙草の臭いがしみついちゃったみたいでさ」そういいながら彼はもう服を脱ぎ始めていた。

直子と一緒に風呂に入るのは久しぶりだった。彼が入ろうと思う時には、彼女は大抵勉強中だからだ。

全裸になり、浴室に入っていった。直子は顔を洗っているところだった。平介は洗面器を使って掛かり湯をし、湯船に浸かった。腹の底から絞り出すような、中年男特有の呻き声をつい漏らした。

「今日は参ったよ」胸まで湯に浸かった状態で彼はいった。「課長がすねちゃってさぁ。宴会場に行くのに、誰も誘わなかったみたいなんだよな。そんなに邪魔者扱いすることはないだろう、とかいっちゃってさ。機嫌とるのに、えらく苦労しちまったよ」

「ふうん。それは大変だったね」直子の口調はどこか上の空だ。濡れたタオルを絞り、髪と顔を拭いている。身体を捻り、平介のほうには背中を見せていた。

そのまま身体も拭き始めた。それで平介は不審に思った。

「どうした。湯船に入らないのか。いつも髪を洗ってから、もう一度入るじゃないか」

「うん。今日はもういいから」背中を向けたまま彼女は答えた。

出ようとして彼女が立ち上がった時だった。一瞬それがちらりと見えた。

「あっ、おい」と平介は湯船の中から声をかけた。

なによ、というように直子は首だけを回した。

「そこんとこ、生えてきたんじゃないのか」平介は彼女の下腹部を指差した。「ちょっと見せてみろよ」湯船の中で中腰になった。

「いいじゃない、そんなことどうだって」直子は反対側に腰を捻った。

「なんでだよ。見せたっていいだろ」彼は彼女の腰に手を伸ばした。腰骨のあたりを摑み、自分のほうに引き寄せようとした。

「触らないでよっ」直子は彼の手を振り払い、さらに肩をどんと押した。

平介はバランスを失い、湯船の中で尻餅をついた。一瞬鼻の中にまで湯が入った。

直子は浴室を出ていき、ばたんとドアを閉めた。そのまま服も着ずに洗面所を出ていく物音がした。

平介はしばらく呆然として湯船でしゃがみこんでいた。何が起きたのか、すぐにはよくわからなかった。

どういうことだ。

俺は亭主だぞ。亭主が女房の裸を見て、何が悪い。

身体は藻奈美のものだというのか。藻奈美は俺の娘だぞ。おむつだって替えたんだ。

理不尽な仕打ちを受けたという憤りが、少しの間彼の体内を駆けめぐっていた。しかしやがてそれも消えていった。彼は何となく、状況が飲み込めてきた。どういう状況なのか言葉ではうまく表現できなかったが、自分がどうやら直子の心に走っている細い糸に足を引っかけたらしいということはわかった。

ろくすっぽ身体を洗いもせず、彼は風呂から出た。その時になって、下着の替えも風呂上がりに着るはずのパジャマも用意しておかなかったことを思い出した。出しておいてくれるよう、直子に頼むつもりだったのだ。

やむをえずさっき脱いだ下着をつけ、通勤用のズボンを穿いて洗面所から出た。

一階の和室に直子の姿はなかった。平介は二階に上がり、下着を替え、パジャマを着てから、直子の部屋のドアをそっと開けた。

直子は赤いパジャマを着て、部屋の中央で膝を抱えてうずくまっていた。その手の中にはテディベアのぬいぐるみがあった。彼のほうに背中を向けている。ドアが開いたことに気づいていないはずがなかったが、彼女の肩はぴくりとも動かなかった。

「あのう、何というか、その、悪かったよ」平介は頭を掻きながらいった。「ちょっと酔っぱらってた。何だか最近、酒が弱くなったみたいでさあ」

ははは、と彼は笑ってみた。だが直子の反応は何もなかった。

諦めて彼は部屋を出ようとした。その時彼女の声がした。「変だと思うでしょう?」

えっ、と彼は訊いた。

「変だと思うでしょう?」彼女はもう一度いった。「たかがあんなことで怒ったりして」

「いやあ」といったきり平介は言葉が続かない。

直子が顔を上げた。だが向こうをむいたままなので、どんな顔をしているのかは平介には見えない。

「ごめんなさい」彼女はいった。「何となく嫌だったの」

「触られるのがかい」

「触られるのもだけど……」

「見られるのも、か？」

「うん」彼女は頷いた。

「そうかあ」ため息と共に平介はいった。こめかみを掻き、その指先を何気なく見た。中年男の脂で爪が光っていた。風呂には入ったが、満足に顔も洗わずに出てきたからだ。中年男の汚さだなと自虐的に思った。

「ごめんなさい」直子はもう一度いった。「どうしてだか自分でもわからないの。決してお父さんのことを嫌いになったわけじゃないのに」

平介は何ともいえない気分だった。目の前にいるのが妻なのか娘なのか、よくわからなくなった。

いずれにせよ、自分が選ぶべき態度は一つしかないと彼は思った。

「わかった。気にしなくていい。これからは風呂は別々に入ろう。風呂のドアを開けたりもしないから」

直子がすすり泣きを始めた。小さい肩が小刻みに揺れた。

「泣くことないじゃないか」努めて声を明るくした。「たぶん、これが正常なんだ」

直子がゆっくりと振り向いた。目は真っ赤だった。
「あたしたち、こうして壊れていくのかな」
「何も壊れちゃいない。変なこというなよ」平介は少し怒った声を出した。

24

梶川逸美から貰った懐中時計は、一年六か月の間、和室のリビングボードの引き出しに入れられたままだった。それを久しぶりに引っ張り出すことになったきっかけは、突然札幌への出張を命じられたことだった。

現場の生産ラインの班長をしている平介は、めったに出張などない。ごく稀にあるのは、新しく導入される技術を見学に行く時などである。今回の出張も、そういったものだった。

平介たちの現場では、コンピュータの指示に従ってガソリンをエンジン内に噴射するノズルを作っている。そのノズルが正確な量を噴射できるかどうかを瞬時にして判定できる装置というのが今度採用されることになり、平介と生産技術担当の木島、川辺コンビが見に行くことになったのだ。その計測器を作っているメーカーが札幌にあるわけだ。

「その気になれば日帰りできるだろうけど、当日は金曜だし、あわてて帰ってくることもないんじゃないか。平さんも、しばらく旅行なんかしてないだろ。秋の北海道はいいっていうよ。紅葉がきれいだろうし」課長の小坂はそういった後、声をひそめて続けた。

「それに札幌といやあ、あそこがあるしなあ」

「あそこ?」

平介が首を捻ると、鈍いなあと小坂は顔をしかめた。

「札幌といやあススキノじゃないか。決まってるだろう」

「はあ、そうなんですか」

「何ぼんやりした顔してるんだ。平さんのことだから、奥さんが亡くなった後も、全然遊んでないんだろう。たまにはそういうところでリフレッシュしたほうがいい」小坂は声を落とし、「ススキノのソープは美人が多いっていうぞ」といい、やや黄ばんだ歯を剝いて笑った。

ソープのことなど考えもしなかったが、札幌に行けるのはいいなと平介は思った。北海道には行ったことがなかった。

問題は直子のことだが、これは簡単に片づいた。平介の札幌行きに合わせて、長野から直子の姉である容子が上京してくることになったのだ。容子の一人娘が今春東京の大学に入学しており、容子は以前から一度娘の様子を見に行きたいといっていたのだ。

「お姉ちゃんのことを、伯母さんって呼ぶわけだね。それは楽しみ」話が決まると直子は一人にやにやしていた。

札幌と聞いて、平介は一つ思い出すことがあった。彼はリビングボードの、自分専用の引き出しを探った。まず見つけ出したのが、小さく折り畳まれた一枚の紙だ。それは梶川幸広運転手が前妻に送っていた現金書留の控えだった。捨てるつもりだったが、結局そのまま引き出しに入れておいたのだ。

札幌市豊平区——となっていた。地図で見ると、札幌駅からさほど遠くはなさそうだ。梶川母子のことを、平介は今も忘れられないでいた。肉親を亡くしたという点では、彼女等も他の遺族も変わらないはずだった。だがあの母子だけは、誰からも救いの手をさしのべてはもらえなかった。それどころか、最後まで肩身の狭い思いをしなければならなかった。

梶川運転手は前妻に金を送っていた。そのために体力の限界まで働き、最後は大事故を起こしてしまった。ところがその前妻は、彼の死後も梶川家には全く連絡を寄越さなかった。線香を上げにくるどころか、彼の死を知っているのかどうかも不明だった。

平介は後悔していることがある。前妻への仕送りの話を聞いた後、やはりその根岸典子という女性に連絡すべきだったと思うのだ。せめて梶川幸広が死んでいることを知っているかどうかだけでもたしかめればよかったと悔いている。

平介は今回の札幌行きのついでに根岸典子という女性に会ってみることを考えた。会って、不可解だったことをはっきりさせたいと思った。

しかし事故から二年半が過ぎていた。今さらそんなことをしてどうなるというのだという気もした。たぶんどうにもならない。梶川征子は生き返らないし、逸美が幸せになるわけでもない。ただ平介が自己満足を得られるだけだ。

忘れるか、と思った時、例の懐中時計を思い出した。そこで引き出しを探り、引っ張り出してきたのだった。

出張を明日に控えた木曜日、平介は定時で会社を抜けさせてもらい、その足で荻窪に行った。そこにある一軒の時計屋に用があった。

「これはまた珍しい時計を持ってきたねえ」店主の松野浩三は苦笑しながら時計を見た。緩めた頰にはゴマ塩をふりかけたように無精髭が生えていた。

「値打ちもののはずなんですけどね」

「ああ、そう。平介さん、これどうしたの？」

「ある人から貰ったんです」

「買ったわけじゃないんだね」

「買ってないですよ。どうして？」

「いやあ、その……おや、蓋が開かないな」浩三はルーペを使って時計を調べた。「金具が壊れてるみたいだな」

「できればそれも直してほしいんですけどね」と平介はいった。

松野浩三は直子の遠縁にあたる人物だった。直子が就職のために長野から上京してきた時、いろいろと世話になったという話を聞いていた。直子の葬儀が東京で行われた時には、もちろん駆け付けてきた。皺だらけの顔を一層くしゃくしゃにして、あたりはばからず声をあげて泣いていたのを平介は覚えている。

浩三には子供がいなかった。荻窪駅から数分のところにあるこの小さな店舗兼住居で、年老いた妻と二人で暮らしていた。時計屋の看板を上げているが、今は眼鏡の仕事のほうが多いらしい。それ以外に貴金属も扱う。しかも殆どがオーダーメイドである。ティファニーの指輪の写真を見せ、「これと同じものを作ってくれ」と注文すれば、きちんと応じてくれる。じつは平介と直子の結婚指輪も、この店で注文したのだった。

平介がここに懐中時計を持ってきたのは、その価値を知りたかったからだ、もしある程度高価なものであったなら、根岸典子に渡そうと思っていた。「調べてもらったところ、価値の高いものだとわかったので、自分が持っているわけにもいかないと思い、お持ちした」と説明できる。要するに彼は根岸典子に会いに行く理由が欲しかったのだ。彼が一番納得させたい相手は、ほかならぬ彼自身だった。

「おっ、ようやく外れたよ」作業台で壊れた蓋に取り組んでいた浩三がいった。彼の手の中で、懐中時計の蓋は見事に開いていた。

「値打ちものでしょう」陳列ケースの上に身を乗り出させるようにして平介は訊いた。

「うーん」浩三は首を傾げた。それから苦笑した。「それは何ともいえんなあ」

「どういう意味ですか。値段がつけられないということですか」

「値段かあ。値段をつけるとしたら、まあ三千円がいいところだね」

「えっ」

「昔よく出回った懐中時計だよ。しかも何度か修理してる。悪いけど、骨董的な価値はないねえ」

「そうなんですか……」

「だけど、別の価値はあるよ。これでなきゃだめだっていう人もいるかもしれない」

「どういうことですか？」

「おまけが付いてるんだよ、ほら」浩三は立ち上がり、蓋を開けたまま懐中時計を平介の前に置いた。

平介は時計を手に取った。開けられた蓋の裏に小さな写真が貼ってあった。五歳ぐらいの子供の写真だ。梶川逸美には似ていない。しかも男の子のようだった。

25

飛行機に乗るのなんて何年ぶりかなと思いながら平介は窓の下を眺めた。海が見えることを期待していたのだが、延々と白い雲が続いているだけだった。おまけに座席が翼のそばなので、視界が半分以上遮られている。

「杉田さんは、明日以降はどうされるんですか」隣の若い川辺が訊いてきた。彼を挟んで通路側の席に木島が座っている。

「ちょっと寄りたいところがあるから、そこに寄ってみて、明後日の朝帰る予定なんだけどね。おたくたちは？」

「僕たちも明日は一日札幌見物をするつもりです。帰りの飛行機は明後日の夕方の便ということになっています」

「この程度の役得はなきゃね」木島が横からいった。

千歳空港には迎えの車が来ていた。黒塗りのハイヤーだった。後部座席に三人で座っても、ゆったりしている。政治家になったみたいだと平介がいうと、あとの二人が笑った。助手席に座った、先方の担当者も苦笑していた。

北海道大学のそばにあるサービスルームで、平介たちは導入予定の計測器のテストを行った。順調にいけば簡単に終わるテストが、予期せぬトラブルでうまくいかないというのはこの種の仕事でよくあることで、案の定データ取りは手間取った。平介たちは次第に無口になったが、先方は少しでも顧客に機嫌を直してもらおうと思ったか、昼食には豪勢なフルコース料理を用意した。無論そんなことで平介たちの気分が晴れるはずもない。川辺などは、「アルコールなしでフランス料理はきついよね」とぼやいていた。

午後六時を過ぎる頃には、何とか目的のデータは全部取り終えた。平介たちは札幌市内の寿司屋で夕食を馳走になり、大通公園の近くのクラブで接待を受けた。一仕事を終えてからだったので、この時の酒は格別だった。若いホステスがすぐ隣に座り、平介にあれこれと質問してきた。大きく開いた胸元とミニスカートから出た太股が気にかかり、彼はしばしば上の空になった。久しく味わったことのないときめきを感じた。

ホテルに帰ったのは十二時を過ぎてからだった。遅すぎるかなと思ったが、一応東京に電話をしてみた。すぐに直子が出た。まだ眠ってはいなかったようだ。

「こっちは大丈夫だよ。おばさんとおしゃべりしていたところ」直子の声は、はしゃいでいた。「ちょっと待ってね。代わるから」

電話に出た容子に、平介は礼をいった。当たり前のことだが、容子は今一緒にいる少女が自分の実の妹だということには気づいていなかった。ただ、こんなことをいった。

「藻奈美ちゃん、本当に直子によく似てきたわあ。しゃべり方やちょっとしたしぐさがそっくり。さっき肩を揉んでもらったんだけど、その揉み方まで同じなんだもの、びっくりしちゃった」

昔よく姉の肩を揉まされたという話を直子がしていたのを平介は思い出した。たぶん隣で直子は笑いをこらえているに違いない。

よろしくお願いしますといって平介は電話を切った。

翌日、遅い朝食を食べた後でホテルをチェックアウトし、彼はタクシーに乗った。例の現金書留の控えに書いてあった住所を運転手に告げると、大体わかるという返事だった。「このあたりに紅葉の奇麗なところはありますか」平介は訊いた。

初老の運転手は少し首を傾げた。

「近いのは藻岩山《もいわやま》だけど、まだ早いんじゃないかなあ。体育の日あたりが、いつも一番いいんですよね」

「じゃあせめて来週あたりに来ればよかったのかな」

「ああ、そうですね。来週なら、そろそろってところだったでしょうね」

平介が自分からタクシーの運転手に話しかけるのは珍しいことだった。特に紅葉を見たかったわけでもなかった。緊張をほぐしたかっただけだ。

このあたりですよと運転手がいった場所で平介はタクシーを降りた。小さな商店の並ぶ町の中だった。彼は住居の表示を見ながら少し歩いた。やがて一軒の店の前に立った。

小さなラーメン屋だった。『熊吉』と書かれた看板が出ている。しかし店は閉まっていた。定休日の札がさがっている。ぴたりと閉じられたシャッターの上部に目をやると、『根岸』の表札が出ていた。

平介はシャッターを二、三度叩いてみた。しかし反応はなかった。店の二階がどうやら居住用の部屋らしいが、その窓も閉じられたままだ。

彼はもう一度看板を見た。電話番号が小さく記してあった。昨日データ記録用に使ったノートを鞄から取り出し、その表紙の隅に電話番号を写した。

タクシーが通りかかったので、彼はそれに乗り、今夜泊まることになっているホテルの名をいった。その後でチェックインの時刻までは少し時間があることに気づいた。

「運転手さん、札幌の時計台っていうのは遠いのかな?」

「時計台?」ルームミラーに映った運転手の目がパチパチと二度瞬きした。「いえ、すぐ近くですけど」

「じゃあそこに行ってください。少し時間を潰したいから」

「はあ……」若い運転手は顎を掻いた。「いいですけどね、時計台で時間をつぶすのは無理ですよ」

「えっ、そうなの？」

「聞いたことないですか。実物を見てがっかりする名所の一番手ですよ」

「大したことないとは聞いたけど……」

「まあ、見ればわかりますけどね」

タクシーは間もなく太い道路脇に止まった。なぜこんなところに止まったのだろうと思っていると、「あれです」と運転手が道の反対側を指差した。

「あれか……」平介は苦笑した。たしかに写真などから描いていたイメージとは大違いだった。屋根に時計のついた、ただの白い洋風家屋といえた。

「もし時間が余ったら、旧道庁に行けばいいです。そこの道を左に真っ直ぐ歩いて行けば着きます。それでも時間が余ったら、そのまままさらに真っ直ぐ進んでください。北大植物園がありますから」料金を受け取りながら運転手は教えてくれた。

このアドバイスは役に立った。時計台で十分つぶし、旧道庁で二十分つぶし、植物園で三十分つぶしてからタクシーに乗ってホテルへ行くと、ちょうどチェックインタイムだった。

部屋に入ると、すぐに受話器を取り、先程メモした番号にかけてみた。呼び出し音が三度鳴ってから、向こうの受話器が取り上げられた。

「はい、根岸ですけど」男の声がした。若い男のようだ。

「もしもし、あのう私、東京から来ました杉田という者ですが、根岸典子さんは御在宅でしょうか」

「母は今、外出しておりますが」相手の男はいった。根岸典子の息子らしい。

「あ、そうですか。ええと、何時頃お帰りになられるかわかりませんか」

「さあ、夕方ぐらいには帰ると思うんですけど……あの、どういった御用件でしょうか」男の声には警戒の色があった。杉田という名字に聞き覚えがなく、東京から来たという前置きも胡散臭く感じられたのだろう。

「じつは梶川幸広さんのことでちょっと」平介は正直にいった。

途端に相手が沈黙した。表情の変わる気配が電話線を伝わってきた。

「どんな用ですか」男は訊いた。声が数段低くなっていた。「あの人とは、今はもう何の関係もないんですけど」

「それは知っています。ただ、どうしても直接お会いして、お話ししたいことがあるんです。ええと、梶川さんがお亡くなりになったことは御存じですか」

相手はすぐには答えなかった。どう答えるべきか思案しているようだった。

「知っています」やがて相手はいった。「でも、あの人が死んだことも、うちとは無関係です」

「そう思いますか」

「……何がいいたいんです」

「とにかくお母さんに会いたいんです。お渡ししたいものもあります。夕方頃、お帰りになるということでしたね。ではその頃もう一度お電話します」

「待ってください」相手の男はいった。「あなたは今、どこにいらっしゃるんですか」

「札幌駅のそばのホテルです」ホテル名を平介はいった。

「わかりました。じゃあ、こちらから電話するようにします。ずっとホテルにいらっしゃいますか」

「ええ。電話をかけていただけるんでしたら、ずっと待ってます」平介は答えた。どうせ札幌見物は終わっていた。

「では母が帰りましたら、電話をするようにいいます。ええと、杉田さん、でしたっけ」

「そうです。杉田です」

「わかりました」そういうと根岸典子の息子は一方的に電話を切った。

平介はベッドで少し微睡《まどろ》んだ。意味不明の、ストーリーがでたらめな夢をいくつか見た。その彼を電話の音が目覚めさせた。

「杉田様ですね」ホテルマンと思われる男性の声が聞こえた。

「はい、そうですが」

「フロントにお客様が来ておられます。根岸様とおっしゃる方です。そのままお待ちください」

受話器が手渡される気配がある。根岸典子が直接やってきたと思い、平介はあわてた。

「もしもし、根岸です」ところが聞こえてきたのは、根岸典子の息子の声だった。

「ああ、さっきはどうも」と平介はいった。「お母さんは、お帰りになられましたか」

「そのことですけど、大事な話があるんです。ちょっと下にきていただけませんか」息子の口調は先程よりもさらに固くなっていた。

平介は受話器を握りしめた。相手の言葉の意味を考えた。

「根岸典子さんは、一緒には来ておられないのですね」彼は訊いた。

「はい。母は来ていません。僕一人です」

「そうですか……じゃあ、これからすぐに下りていきます。どこにいらっしゃいますか」

「フロントの前で待っています」

「わかりました」平介は受話器を戻し、バスルームに駆け込んだ。顔を洗って頭をすっきりさせようと思った。

一階に下りていき、フロントの周辺を見回した。チェックインしようとする客がカウンターの前に並んでいる。彼等から少し離れたところに一人の若者が立っていた。白のポロシャツにジーンズという出で立ちだった。背が高く、顔が細い。よく日焼けしているので、全体に一層締まって見える。二十歳前後という感じがした。彼に違いないと平介は確信した。

若者はゆっくりと首を動かしていたが、平介のほうに目を向けると、そのまま静止した。あなたですか、という表情をした。

平介は彼に近づいていった。「根岸さん……ですか」

「そうです」と彼はいった。「はじめまして」

「あ、こちらこそはじめまして」平介は頭を下げた。そして名刺を出した。名刺には予め自宅の住所と電話番号をボールペンで書き込んである。「杉田といいます」

若者は名刺に目を落とした。「あ……ビグッドに勤めておられるんですね」

「ええ、まあ」

「すみません。ちょっと待っていてください」

彼は大股でフロントカウンターへ行った。備え付けのメモに何か書き、戻ってきた。

「学生なので名刺がないんです」そういって紙を差し出した。

ラーメン店『熊吉』の住所と電話番号、そして根岸文也という名前が書かれていた。

そばにあったティーラウンジに入ることにした。席につき、平介はコーヒーを注文した。根岸文也も同じものを頼んだ。

「仕事で札幌に来ましてね、そのついでにお宅に連絡したというわけです」平介は正直にいった。

「ビグッドではどういった仕事を？　研究ですか」

いやあ、と平介は大きく手を振った。

「現場です。ガソリンの噴射器を作っています。ＥＣＦＩという部品なんですけどね」

「ＥＣＦＩ……電子制御式燃料噴射装置ですか」

淀みなく答えた若者の顔を平介は凝視した。「よく知っていますね」

「大学の自動車部に入っているものですから」

「ははあ、ええと大学はどちらですか」

「北星工大です」

「何年生？」

「三年です」

「なるほど」平介は頷いた。工学系大学の中では指折りだ。

コーヒーが運ばれてきた。二人はほぼ同時に一口目を飲んだ。

「ええとそれで、お母さんは？」平介は切り出した。

文也は唇を舐めてから口を開いた。

「じつはまだあなたのことを母には話していません。話すかどうかは、まず僕が用件を伺ってからと思いました」

「へえ……それはどうしてですか」

「あなたの用件というのが、あの人物に関する話らしいからです」

あの人物といった時の表情に、はっきりとした嫌悪の色が現れた。

「でも梶川幸広さんはあなたのお父さんでしょう？　つまりお母さんの御主人だった人だ」

「昔の話です。今はそんなふうに思っていません。全くの赤の他人です」文也の頬は少し強張っていた。そのせいか目も少しつり上がって見えた。

平介はコーヒーカップに手を伸ばした。どう話を進めていくべきか考えた。多少予期していたことだが、彼は父親に対していい印象を持ってはいないようだ。

「杉田さんは、あの人とはどういう関係なんですか」文也のほうから訊いてきた。

「それを説明するのがじつは難しいんですけどね」平介はコーヒーカップをテーブルに置いた。「梶川さんが亡くなったことは御存じだということでしたね。すると当然死因についても承知しておられるわけだ」

「スキーバス転落事故のことは、こっちの新聞などでも大きく扱われましたから」

「運転していたのがお父さんだということは、すぐにわかったのですか」

「同姓同名でしたし、あの人はこっちに住んでいた頃もバスの運転手でしたから、間違いないと思いました」

「そうですか。こちらでも運転手を」平介は頷いた。それから真っ直ぐに若者の目を見つめ、いった。「私はあの事故で妻を亡くした者です」

梶川文也の顔に驚きと狼狽が走った。一度うつむき、改めて顔を上げた。

「そうだったんですか。それはお気の毒なことでした。でも、さっきもいいましたように、あの人と僕たちとはもう何の関係もなくて――」

「いやいや」平介は笑いながら手を振った。「あなた方に恨み言をいう気は全くありません。そうじゃなくて、電話でもいいましたように、お渡ししたいものがあるんです」

彼は上着の内ポケットから例の懐中時計を出し、テーブルの上に置いた。そしてこの時計を手に入れるに至った長い経緯を、できるかぎりかいつまんで説明した。文也は黙って聞いていたが、梶川幸広が根岸典子に仕送りをしていたという話を平介がした時だけ、驚きの声をあげた。全く知らなかったようだ。

平介は懐中時計の蓋を開け、中の写真を文也のほうに向けた。

「さっきあなたを見た時、すぐにわかりました。この写真の男の子はあなたですよね。梶川さんはずっとあなたのことを気にしていて、こうして写真を肌身離さず持っていたんですよ」

文也はしばらく時計に貼られた写真を見つめていた。

「事情はわかりました。遠いところを、わざわざありがとうございました」

「いいえ、ではこれを」平介は時計を文也のほうに押した。

「でも」文也はいった。「これは受け取れません。受け取りたくありません」

「どうしてですか」

「僕たちにとってあの人は、もう忘れてしまいたい対象なんです。こんなものを貰っても、捨てるだけのことです。だったら受け取らないほうがいいと思います」

「かなり嫌っておられるみたいですね」

「正直なところ、憎んでいます」文也はきっぱりといった。「あの男は母とまだ幼かった僕を捨てて、突然若い女と逃げたんです。その後母がどれだけ苦労したかを知っているだけに、とても許す気にはなれません。今でこそ小さなラーメン屋を開けるまでになりましたけど、母は工事現場で働いたことだってあるんです。僕は高校を出たら就職するつもりでしたが、大学の費用ぐらいは何とかするといって、浪人までさせてくれたんです」

平介の口の中に苦いものが広がった。離婚にはそういう事情があったのかと合点した。しかし梶川幸広は、一緒に逃げた若い女とはどうなったのだろう。梶川征子のことではなさそうだ。

「でもお父さんとお母さんは正式に離婚しておられるわけですよね。ということは、お母さんのほうもある程度は納得して判子を押されたんじゃないんですか」

「納得なんかできるはずないでしょう。母の話では、全く知らない間に離婚届が出されていたそうです。そんなのは正式に訴えれば簡単に無効にできたと思うんですけど、母はもう面倒になって諦めたらしいです。僕がもう少し大きければ、絶対にそんな泣き寝入りみたいなことはさせなかったんですけど」

聞いているのが辛い話だった。本当ならば、文也が梶川幸広を憎んでも無理がないと平介は思った。

「じゃああの仕送りは、せめてものお詫びの気持ちだったのかもしれませんね」

「仕送りの件は今日初めて聞きました。でも、だからといって許す気にはなれません。もっと大きな義務を、あの男は投げ出してしまったんですから」

「お母さんもそうですか」平介は訊いた。「やはり梶川さんを恨んでおられるのですか。それで梶川さんが亡くなったとわかった時も、葬儀にすら出席されなかったのですか」

この質問に文也は目を伏せた。何かを考えるように黙り込んだ後、顔を上げた。

「事故を知った時、母は葬儀に出ようとしました。別れたとはいえ一時期は夫婦として過ごしたこともあるのだから焼香ぐらいはしておきたい、とかいいましてね。もしかしたら仕送りのこともあったので、そういう気になったのかもしれません。でもそんな母を僕が止めたんです。馬鹿なことをするなといって」

「馬鹿なこと……かな」

文也の気持ちは平介にもよくわかった。だが、梶川幸広が彼等へ仕送りをするために自分自身だけでなく当時の妻子をどれだけ犠牲にしたかということも、この場で話しておきたい気がした。しかし結局黙っていた。根岸母子には関係のないことだった。それに梶川幸広が死んだ時点では、文也は仕送りのことを知らなかったのだ。おそらく母親の典子が話さなかったのだろう。

「そういうことですから、これは受け取れません」文也はテーブルの上の懐中時計を平介のほうに押し戻した。

平介は時計を見て、それからまた文也を見た。

「お母さんと話をさせてもらえませんか」彼はいった。「少しだけでいいですから」

「お断りします。母をもう、あの男に関することには近づけたくないんです。今は昔のことをすっかり忘れて生活しているんですから、そっとしておいてほしいんです」

この口調から、文也は最初から母親に会わせる気はなかったのだなと平介は理解した。

「そうですか」平介は吐息をついた。「そこまでおっしゃるのなら仕方がないですね」

「一つ訊いていいですか」

「はい」

「あなたはどうして、こんなことに一所懸命になられるんですか。梶川幸広は事故の張本人で、あなたはその被害者なのに」

平介は頭を掻き、苦笑した。

「それが自分でもよくわからんのです。乗りかかった船という言葉があるでしょう? 要するに、あれです」

文也は理解しがたいという顔をしていた。彼に理解させるには、平介としては梶川母子との奇妙な関わりを細かく説明する必要があった。しかしそれをこの場でする意味はなかった。うまく説明する自信もなかった。

「もうその船からは降りたほうがいいですよ」文也はぽつりといった。

「どうやらそのようですね」

平介は懐中時計を手に取った。蓋を閉めようとしたが、思い直して文也を見た。

「この写真だけでも受け取っていただけませんか。私が持っていても仕方のないものですし、人様の写真を捨てるというのは気分のいいものではありませんから」

文也は少し困った顔をした。平介の言い分も理解できたのかもしれない。

「わかりました。じゃあ写真は僕が処分します」と彼はいった。

平介は自分の名刺の角を使って、蓋の裏から写真を取り外した。写真は糊付けられていたわけではなく、蓋の大きさに切ってはめ込んであったのだ。

丸く切られた写真を文也に渡した。

「梶川さんは一時だってあなたのことを忘れたことはなかったと思いますよ」

「そんなことは免罪符にはなりません」平介の言葉を断ち切るように、若者は一回鋭く首を振った。

26

根岸文也と別れた後、平介は部屋に戻り、ベッドで横になった。結局渡せなかった懐中時計の蓋を、ぱちんぱちんと開けたり閉じたりした。浩三の修理によって、金具はすっかり直っていた。

頭の中で、文也とのやりとりを何度も反芻した。彼にいうべきことはたくさんあるような気がした。もうあの若者に会うことはないだろうが、平介は自分の心の中にあるもやもやを何とか言葉にしたいと思った。

梶川幸広がどういうつもりで根岸典子に金を送っていたのか、結局わからなかった。文也の話を聞いたかぎりでは、まともな協議離婚といったものではなかったらしい。養育費や生活費のことで、梶川幸広と根岸典子の間で話し合いがもたれたというふうにも思えなかった。

贖罪《しょくざい》ということなのか、というふうに平介の考えは落ち着かざるをえない。かつて自分が捨てた女と子供のために金を送る。それは考えられないことではない。

だがそれならば梶川幸広にとって征子と逸美は何だったのか。残りの半生を送るにあたり、同居人として選んだ二人に過ぎなかったのか。平介は、特に梶川の逸美への思いが気になった。彼は彼女のことを何だと思っていたのだろう。単に一緒になった女の連れ子というだけのことだったのか。過去に捨てた実の息子と、現在面倒を見なければならない義理の娘に対し、どう自分の気持ちのバランスをとっていたのだろうか。

胸の中で煙のように漂っているものを、うまく言葉にすることはできなかった。平介は身体を起こし、頭をくしゃくしゃと掻いた。

その時電話が鳴った。木島からの電話だった。今夜このホテルに泊まるということは教えてあった。

これから食事をして薄野《すすきの》あたりで一杯飲むつもりだが一緒にどうか、という誘いの電話だった。木島と川辺も、すぐ近くのホテルにいるようだ。

平介は手に持っていた懐中時計の蓋をぱちんと閉じ、「付き合うよ」といった。

石狩鍋がうまいという店で腹ごしらえをした後、川辺が知り合いから教わってきたというクラブを目指すことになった。

「迂闊にわけのわからない店に入ったら、ぼったくられるおそれがありますからね」歩きながら川辺はいった。

二人も今日は札幌を回ったということだった。平介が時計台のことをいうと、どちらも笑いだした。

「あれはひどいよねえ、写真で見ているだけのほうがずっといい」木島がいった。

「テレビドラマのセットと同じですね。画面で見ている分には、さほど変でもないんですが、実物を見たらそのちゃちさに愕然とするといいますからね」

二人は、今日見物した中では大倉山が一番よかったといった。リフトでジャンプ台に上がったらしい。

そんな話をしながら薄野の町中を歩き回ったが、なかなか目的の店に辿り着けなかった。そのうちにどこをどう間違えたか、飲み屋などはない薄暗い通りに入ってしまった。

「あっ、やばいな」川辺が小声でいった。

その通りにはただならぬ気配が漂っていた。道端に胡散臭い男が何人も立っているのだ。彼等同士はグループではないらしく、お互いに一定の距離を置いている。

平介たちが通りの中央を歩いていくと、即座に一人の男が近づいてきた。白い薄手のブルゾンを着た男だった。

「出張？」と男は訊いてきた。誰も答えないでいると、「時間あるなら寄ってってよ」といった。「いい娘《こ》揃ってるよ。うちが一番いい。今なら好きなの選んでいいから」

木島が黙って手を振った。それで男は離れていった。

だがその通りを通過するまでに、さらに二人の男につきまとわれた。どの男も口調が同じなのが平介には興味深かった。

「ああいう誘い方をするところをみると、出張のついでに寄っていく人が多いんだろうね」木島がいった。

「俺だって会社で冷やかされましたよ。おまえ、絶対にソープに行く気だろうって」そういって川辺も笑った。

なるほどあれはソープランドの客引きだったのかと平介は納得し、この出張が決まった時に小坂がいっていたことを思い出した。

ようやく目的の店が見つかり、三人は入った。こぢんまりとした店だが、若いホステスが五人いた。平介は昨夜よりは幾分リラックスしながらも、向かい側に座った娘の超ミニスカートにどぎまぎしたりした。

場の盛り上げ役は川辺だった。六本木の話などをして女の子たちの興味をひいている。いつもは真面目な技術者なのだが、平介は違う一面を見たような気がした。

「ねえ、杉田さんはお子さんいらっしゃるの？」隣のホステスが尋ねてきた。身体のラインがくっきりと出るワンピースを着ていた。

「いるよ」水割りを片手に彼は答えた。

「男の子？　女の子？」

「むすめ」

「おいくつ？」

「中学二年」

「じゃあ一番扱いが難しいね」彼女はにやにやした。

「やっぱりそうなのかな」

「そりゃもう。だって中学二年といったら十四歳ぐらいでしょ？　一番父親とかが嫌いになる時期だもんね」

「えっ、そうなのか」

「うん。何ていうかね、そばにいるだけで頭に来るって感じ」

するとと別のホステスも、「あたしもそうだった」と口を挟んできた。「父親のパンツとかが干してあるのを見るだけで、鳥肌が立っちゃうのよね。父親が出たばっかりのトイレには絶対に入りたくないし、お風呂だって嫌だもんね」

ほかのホステスも会話に加わってきた。父親の臭いが嫌い、下着姿でいる時の腹のたるみがおぞましい、父親の歯ブラシを見ただけで吐き気がする――悪口の種は尽きない。なぜそんなに嫌うんだという平介の質問に、「どうしてだか自分でもわからない」とホステスたちは答えた。とにかく生理的に受け入れられなくなるのだという。

「まあ二十歳まではそういう感じね。それ以後になると父親も歳とってきちゃうから、なんとなくかわいそうになって、優しくしてやろうかって気にもなるのよね」隣のホステスがいった。

「切ないなあ」川辺が少し呂律《ろれつ》の怪しくなった口調でいった。「父親なんかになっても、何もいいことがないみたいだなあ。俺やっぱ、結婚はやめとこうかな」

「何かいいことがあると思って父親になるわけじゃないよ」木島がいった。彼には二人の子供がいるという話だった。「ある日ふと気がついたら、自分のことを父親と呼ぶ子供がいるわけだ。で、そうなったらもう後には引けない。がんばって父親をするしかないんだよ。ねえ、杉田さん」

同意を求められ、「そうだな」と平介は曖昧に答えた。

「父親になるのは簡単なんだよ。だけど父親であり続けるのは本当に大変。おとうちゃんは疲れているんだよ」どうやら木島も少しアルコールが回ってきたようだ。

木島と川辺は、もう一軒どこかに行くといった。二人ともかなり出来上がっているように平介には見えたが、だからこそこのまま帰りたくないのだろう。店の前で彼等と別れ、平介は一人歩きだした。

ところが間もなく道に迷ってしまった。札幌の道路は碁盤の目のようになっているからわかりやすいはずなのに、どちらに向いて歩いているのかわからなくなった。でたらめに歩いているうちに見たことのある通りに出た。そこは例の客引きが屯《たむろ》する通りだった。

平介が一歩足を踏み入れると、早速一人の男が寄ってきた。小さく手を振って拒絶の態度を示しながら歩く。三人だった時に比べると少し不安だ。

小柄な男がそばに来た。平介の耳元で囁いた。「いい娘《こ》いるよ。絶対後悔しないから」

いや、といって平介は手を振った。

「ちょっと寄っていきなよ。たまには息抜かなきゃあ、お父さん」男はいった。

この「お父さん」という言葉が平介の心に引っかかった。彼は一瞬足を止め、客引きの顔を見てしまった。

脈があると思ったようだ。客引きは平介の横にぴったりと身体を寄せた。

「二・五でいいよ。すっごくいい娘いるから」

「いや、でも俺は」

「せっかくこんなところに来たんだから楽しまなきゃあ。お父さん」男は平介の背中をぽんと叩いた。

何となくという感じで平介は男と共に歩きだしていた。早く断らねばと思いながら、言葉が出てこない。そのうちに男は二万五千円を要求してきた。

そういう店には行かないんだ——この台詞が頭に浮かんだ。だが声に出せなかった。別の思いが、彼の口を閉じさせたのだ。

たまにはいいじゃないか。

「お父さん」から解放されたっていいじゃないか。

彼は財布を取り出していた。


けばけばしい看板が建物の前に立っていた。地下への階段を男は下りていった。平介も男に続いた。

階段を下りるとドアがあった。男がそれを開けた。すぐ正面に窓口のようなものがある。男はそこに声をかけた。窓口の横のドアが開き、中から太った中年女が出てきた。二人は何かこそこそとやりとりをしていた。その間平介は周囲に目をやった。薄暗い廊下が右に延びている。物音はしない。

やがて客引きの男が出ていった。中年女が平介に訊いた。「お客さん、おトイレは？」

「えっ？」

「おトイレは？　行きたかったら、今のうちに行っておいてください」

「いや、いいよ」

「本当ね。本当に大丈夫ね」やけに強く念を押す。平介の中に、これから特殊なことをするのだという思いが湧き上がってきた。

まず連れて行かれたのは狭い待合室だった。ほかに人がいたら嫌だと思ったが、誰もいなかった。壁に大きなヌード写真が貼ってある。

すぐに中年女が戻ってきた。こちらにどうぞという。ドアの並んだ廊下を歩く。そのうちの一つの前で止まり、ドアを開けた。赤いバスローブを着た若い女が、膝をついて待っていた。長い髪を後ろでまとめ、ぴっちりと固めてある。猫のような顔をしていた。

平介が中に入ると、後ろでドアが閉じられた。若い女はぴょんと立ち上がり、彼の後ろに回った。上着を脱がせてくれる。

「お客さん、こっちの人じゃないでしょ」上着をハンガーにかけながら女はいった。

「うん。東京から来たんだ。よくわかったね」

「だってこの上着、妙に分厚いもん。北海道だから寒いと思ったんでしょ」

まさにその通りだった。じつはホテルにある鞄の中にはセーターも入っている。

「鋭いなあ」

「北の果てにあるからって、北極とは違うんだよ。服、脱がせてほしい？」

「あ、いや、自分で脱ぐよ」

部屋に入ってすぐのところにベッドが置いてあり、その奥が広い浴室になっていた。その間に壁も何もない。平介がのろのろと服を脱いでいる間に、女は風呂の湯加減を見ていた。いつの間にか全裸になっている。細い身体だった。

促されるまま湯船に浸かった。女はスポンジを使って石鹼を泡立て始めた。膨らみの小さな胸が見え隠れする。やや浅黒いが、若々しい肌は滑らかそうだ。

を直に見るのは何年ぶりだろうと思った。もちろん今の直子の裸は別だ。かつての直子の裸事故の前だから二年半前。

この間俺は男じゃなかったんだと思った。俺は一体何をしてきたのだろう。

「こういうところ、はじめてなんだ」平介はいった。

「あ、そう。道にいるおじさんに連れてきてもらったの」

「うん」

「じゃあ、二・五くらい払ったんだ」

「そう。二万五千円」

女はにやりと笑った。「そのうちの九千円はおじさんの取り分だよ」

「えっ、そうなのか」

「今度からは直接来て、エリカって指名して。だったら一万六千円で済むから」

「ふうん」平介は頷きながら、なぜ客引きの手数料が九千円という半端な額なのだろうと思った。

女に身体を洗われ、ビーチマットに横たわった。全身にローションを塗った女が、身体をこすりあわせてくる。股間が平介の目の前に来た時があった。女性器を見るのも久しぶりだった。一瞬軽い目眩を覚えた。そのくせ一方では、ああこういう形をしていたっけと冷めた頭で観察している。

「あんまり元気がないね」

「あ、ごめん」

「お酒飲んでるみたいだね」

「うん、少し」

「じゃ、ベッドに行こう」

ベッドの横は鏡張りになっていた。横たわると自分の裸が見え、気恥ずかしくなった。枕元に小さな目覚まし時計が置いてある。あれで時間を計っているのだなと察した。あとどれだけ時間が残っているのだろう。そんなことを考えると平介は急に焦ってきた。たぶんその焦りがよくなかったのだろう。エリカという女がどんなにサービスをしても、彼の男根は膨らんでこなかった。「お酒飲んでる人にはこれが一番」といって、彼女は冷たく濡らしたタオルを彼の睾丸に当てたが、あまり効果はなかった。

「お客さん、どうしちゃったのお」呆れたように女はいった。

「どうも、だめみたいだな」

「溜まってるから来たんじゃないの」

「溜まってるよ」二年半分も、という台詞は飲み込んだ。

「どうするの。もうあんまり時間ないよ」

「いや、もういいよ。すまん。もういいから」平介は起き上がった。ベッドの縁に腰かけた。「服、取ってくれないか」

「ほんとにいいの？」

「うん」

エリカという女は、ふてくされた顔で服を彼の横に置いた。彼はそれを一枚ずつ、ゆっくりと身に着けていった。

「奥さんいるの？」女が尋ねてきた。

いないと答えようとし、思い直した。いい歳をして独り身でこんなところへ来て、しかも役に立たないというのでは格好が悪すぎると思った。

「いるよ」と平介は答えた。

「だったら」女の唇が嘲笑するように歪んだ。「奥さんとだけしてればいいよ」

屈辱で顔が赤くなりそうだった。女の頬を引っぱたきたくなった。だがもちろんそんなことはできない。「そうだな」と低く呟いた。

帰る時になって、また例の中年女が現れた。来た時には乗らなかったエレベータの前まで案内された。「一階で降りれば、入った時とは反対側の通りに出ますから」と中年女はいった。店に入る時よりも、出る時に顔を見られるほうが恥ずかしいという客の心理を考えた工夫らしい。

平介は、いわれたように一階で降りた。出たところは、風俗店の気配など全くない寂しい通りだった。道路脇に置かれたゴミ箱を野良猫が漁っている。

街灯が少なく、今夜は月も出ていなかった。この暗さがせめてもの救いだった。彼はゆっくりと歩きだした。

俺はこれからどうやって生きていけばいいんだろうと思った。父親であって父親でない。夫であって夫でない。しかも勃起すらしない。つまり男であって男でない。

情けなさに心が震えた。

27

直子の口からその宣言がなされたのは、元日の朝のことだった。卓袱台の上には彼女の手作りの料理が並んでいた。あけましておめでとうございます、と言葉を交わし、屠蘇《とそ》代わりに日本酒を酌み交わした。あの中学合格の日以来、彼女はそこそこ飲めるようになっていた。

テレビには正月番組が流れていた。売れっ子のタレントたちが正月らしい衣装を着て、ゲームをしたり、歌ったりしていた。お笑い芸人は罰ゲームをやらされ、スポーツ選手はクイズに挑んでいた。今日だけは難しいことは考えずに過ごそうという空気が、日本中を覆っているようだった。平介も直子からその話を聞かされるまでは、その空気にどっぷりと浸っていた。

「高校受験？」平介は聞き直した。テレビを見ている最中だったので、この時彼の顔には、まだ笑いが残っていた。

「そう」直子は背中を伸ばし、顎を引いた。「高校を受験させてほしいの。来年の春」

「ちょっと待てよ。今の学校に行ってれば、余程ひどい成績をとらないかぎり、そのまま高校にだって上がれるんだろう。どうして受験なんかする必要があるんだ」

「ほかの高校に行きたいから」

「ほかの高校? 今の学校じゃ不満なのか」

「不満とかそういうんじゃなくて、目的に合わないの」

「目的って?」

「将来の進路といったほうがいいかな」

「何か進みたい道があるのか」

「うん」

「どういう道だ?」平介は訊きながらテレビを消した。

直子は、はっきりと答えた。「医学部よ」

テレビの音が消えた直後だったから、直子の声はやけに大きく響いた。

平介は彼女の顔をしげしげと眺めた。彼女も真っ直ぐに見つめ返してきた。

「医学部って、医者になりたいのか」

「それはまだわからない。でもとにかく医学を勉強したいのよ。で、残念ながらうちの上の大学には医学部がないのよ」

「医学部かあ」平介は自分の頬をこすった。ぴんとこなかった。医学部という言葉自体、彼にとっては現実感が乏しかった。「なんでまたそんなふうに思ったんだ」

「自分が本当にしたいことは何か、ずっと考えてたのよ。よくわからなかったから、じゃあどういうことに興味があるか考えてみたの。すると意外に簡単に答えが出た。あたしはあたし自身のことに興味があったのよ。一体どうしてこんな不思議なことが起きたのか。生きているとはどういうことか。意識と肉体って何だろう。あたしが知りたいことは、そういうことなの。となると、この欲求を充たすには医学を勉強するしかないってことになったわけ」

「ふうん、意識と肉体……か」

やはり彼女は彼女なりに、自分の置かれている不思議な状況のことを常に考えているのだなと再認識した。それが興味を持てる最大の事柄だというのも理解はできた。

平介は腕組みをした。考え込むポーズをとったが、具体的に何かを思案しているわけではなかった。ただ彼は途方に暮れていた。

「でもそれは大学の話だろ。高校は今のまま上がってもいいんじゃないのか」

「それがそうもいかないのよ」

直子の言い分はこうだった。現在通っている学校はたしかにレベルは高いが、さほど努力しなくても大学まで上がれることが約束されているので、生徒たちにあまり緊張感がない。その傾向は高校に行けば、さらに拍車がかかるだろう。それでは自分一人が医学部受験を目指してがんばろうと思っても、周りの環境に押し流されてしまうおそれがある。

「でもそれは本人次第じゃないのかなあ。やる気さえあれば、がんばれると思うけどなあ」平介はあまり自信なくいった。彼には大学受験の経験がなかった。中学から高等専門学校に進んだからだ。

「じつはもう一つあるの」

「もう一つ？」

「共学の高校に行きたいのよ」

平介は絶句した。少なからずショックを受けていた。だがじつは予想していなくもない話だった。高校受験したいと彼女がいった時から、何となくこのことが頭にあったのだ。だからこそ否定的な意見を述べていたともいえる。

直子が語る共学の学校に行きたい理由というのも、説得力のあるものだった。要するに医学部を目指す受験生の大半は男子なのだから、彼等の存在を身近に意識していたほうが勉強にもやる気が出るし、自分の位置を正確に把握できるというのだった。

それはそうかもしれないなと平介も納得せざるをえなかった。どんなことでも人と競争する以上、ライバルがそばにいたほうがいいに決まっている。

だが彼の心に澱《よど》んでいるこだわりは消えない。直子を年頃の男子たちと同じ空間に置くということに、いいようのない抵抗を感じてしまう。

本当に勉強のためだけに共学を望むのか――そう問いたい気持ちがある。若い男と遊びたいから、適当に理由をこじつけただけじゃないのか。藻奈美の身体を借りて、もう一度青春を楽しもうと思っているんじゃないのか。

しかしそんな思いを口には出せなかった。邪推だといわれれば何もいい返せない。彼女が純粋に向学心から希望を述べているのだとしたら、共学イコール異性関係と短絡的に結びつけてしまう平介の発想の貧困さを軽蔑するかもしれなかった。

直子から軽蔑されること、それは彼が最も恐れることだった。

「わかったよ。じゃあ、また一年間勉強漬けだな」そういって平介は悠然と盃に日本酒を注いだ。理解ある父親、理解ある夫を演じた。

「わがままいってごめんなさいね。でも、あたしが医学部を目指すぐらいの余裕は、今のうちにはあると思うから」直子は遠慮がちにいった。

彼女の言葉の意味はすぐにわかった。例の補償金のことをいっているのだ。あの金は全く手をつけず、いくつかに分けて銀行に預けてある。どのように使うのが最も有効で、死んだ藻奈美の意識と直子の肉体の供養になるかじっくり考えようと、かつて二人で話し合った。その答えは結局出ないままだったが、直子はこれ以上はないというぐらい適切な使い道を思いついたといえた。

「藻奈美もきっと賛成してくれるよ」彼は盃の酒を一息で飲んだ。

これまでの直子の行動から予想されたことだが、高校の受験勉強についても彼女は全く手を抜かなかった。今までは土曜や日曜は休養日にあてていたのだが、それも殆どなくなった。友達が家に遊びに来るということもなくなった。彼女によれば、「受験するといったら、誰も遊びには誘ってくれなくなった」らしい。でもそのほうがいちいち断らなくていいから気が楽だとも付け加えた。

「贅沢はしばらくお預け」といって、小説は買わなくなった。その代わりに大量の参考書や問題集が彼女の本棚を占拠した。

唯一の娯楽は音楽だった。レッド・ツェッペリンを聞いていると、なぜか数学の問題がよく解けるというようなことをいっていた。それが英語だとモーツァルトがよくて、社会だとカシオペア、国語はクイーンで理科は松任谷由実が最適だという。おかげで彼女の部屋から流れてくる音楽によって、今何の勉強をしているか、平介にもわかるのだった。

楽な道があるのにわざわざ苦しい道を選び、楽しい時期を犠牲にして勉強する——こういう姿勢と努力が報われないはずがない。翌年の春、彼女は見事志望校に合格した。この時も平介は、彼女と一緒に発表を見に行った。

合格者一覧と書かれた紙に自分の受験番号を発見した直子は、中学に合格した時よりも嬉しそうな顔をした。

28

久しぶりにインジェクタ工場に足を踏み入れた。空調が利いているのは人間のためではなく、機械のためだ。ここには精密機器がたくさん並んでいる。

平介の姿を見つけた拓朗が、コンベア上の手を休めずに会釈してきた。相変わらず帽子をあみだにかぶっている。安全眼鏡も支給品ではなく、自分でどこかの店から調達してきた伊達眼鏡だ。

「何しに来たの？　視察？」拓朗が声をかけてきた。

平介は笑って答える。「まあそんなところだ。新婚ぼけの拓朗がさぼってるんじゃないかと思ってな」

「ちぇっ、新婚新婚ってうるせえんだからな、まったく」最近は冷やかされっぱなしなのか、拓朗は顔をしかめて舌を鳴らした。

前から中尾達夫が歩いてきた。平介を見て、眼鏡の奥の目を丸くした。

「あれ、係長。何かあったの？」

「いや、別に何もないんだ。最近あまりこっちに来てなかったから、ちょっと寄ってみようと思ってさ」

「ふうん……じゃあコーヒーでも飲む？」中尾は紙コップを持つしぐさをした。

「そうだな」

自動販売機のコーヒーを買い、休憩所で腰を下ろした。窓の外はすっかり暗い。すでに残業時間に入っている。平介はタイムカードを押してあった。

「平さん、現場に戻りたいんじゃないの」中尾がいった。彼の帽子の鍔《つば》の色は以前は赤色だったが、今は紺色になっていた。その色の帽子は、かつて平介がかぶっていた。つまり班長であることの印なのだ。

「そんなことはないけどさ」平介はコーヒーを飲んだ。相変わらずうまくないインスタントだ。しかし休憩時間にここでこうして仲間と飲むのが彼は好きだった。

「係長の仕事はどう？　もう馴れたかい」

「ああ、別にどうってことないよ」

四月に部内で大きな異動があった。課がいくつかの係に分かれ、その上で再編成が行われたのだ。その際、平介が係長に昇格した。突然の話だった。

仕事の内容は大きく変わった。これまで課長の小坂がしていたことを、平介がするわけだ。小坂はいくつかの係を全体的に見る立場になった。

今までのように、上から指示された分のモノをいかに間違いなく作るかということだけを考えていればいい、というわけにはいかなくなった。複数の班の状況を把握し、より効率的に機能するよう管理するのが彼の仕事になった。トラブルが発生しても、直接その解決に乗り出すようなことはしない。その内容を理解した上で、復旧の見通しを立て、日程を調節し、上に報告するだけだ。

新しいラインを立ち上げるための現場サイドでの様々な打ち合わせも、平介の主な仕事の一つだった。連日彼の机には、議事録のコピーが届けられる。彼自身が議事録を書くこともある。

下から報告を受け、上に伝える。他部署と打ち合わせをし、その内容をまたどこかに連絡する。毎日毎日、彼の目の前を書類がどんどん通り過ぎていった。それはかつて生産ラインにいた頃、コンベアの上を製品や部品が通り過ぎていったのとは意味が全く違っていた。書類とは情報である。情報には実体がない。それだけに扱いは製品や部品よりもはるかに難しい。そのくせ仕事をしているという満足感が得にくかった。

「長く現場をやってると、下手に出世なんかしたくないって気になるよねえ」中尾がいった。「出世しても、せいぜい班長だ。それより上になると、残業手当はなくなっちゃうし、仕事はがらりと変わるし、いいことなんか何もなさそうだもんな」

「それはいえるよ」平介は正直にいった。

「でもそれは仕方ないことなんだろうな」中尾は紙コップの中を見つめた。「会社ってのは人生ゲームだよな。会社にいて出世するってのは、人間が歳をとるってのと同じことだと思うよ。出世したくないってのは、歳をとりたくないっていうことなんだ」

「そうなのかな」

「誰だっていつまでも子供でいたいわけだよ。馬鹿だってしていたい。だけどそれを周りが認めなくなるんだな。あんたそろそろお父さんなんだからしっかりしなさいとか、もうおじいちゃんなんだから落ち着きなさいってことになっちゃう。違うよ俺はただの一人の男だよなんていっても、許してくれない。子供ができたら父親だし、孫が生まれりゃじいさんなんだ。その事実からは逃げられないんだよな。だったら、自分はどんな父親になれるか、どんなじいさんになれるかを考えるしかないんじゃないか」

俺がこんなことをいうのは生意気だけどさ、と中尾は付け加えた。

「達さん、いつもそんなことを考えてんのか」

「まさか。思いつきだよ。長男として一言」

「長男？」

「そう。班長は長男。係長は父親。課長はじいさん。それより上はなんかよくわからんから仏様だな」そういって中尾は空になった紙コップをゴミ箱に投げ込んだ。

家の前に着いた時には七時近くになっていた。だが明かりは消えている。平介は眉間が寄りそうになるのを自覚しながら玄関の鍵をあけた。屋内の空気は湿っぽく澱んでいる。靴を脱いで上がると、すぐに和室のエアコンを動かした。

スウェットとTシャツに着替え、テレビのナイター中継を見始めた。巨人とヤクルトの試合だ。いきなりヤクルトの選手がホームランを打った。平介は卓袱台の縁を叩いた。

だが試合内容が頭に入っていたのはここまでだった。その後彼はテレビ画面よりも、壁にかけられた時計を見ていることのほうが多くなった。

七時半を回った。まだ直子は帰らない。何をしているんだ——。

目標だった高校に見事合格し、春から直子は高校生としての生活を始めている。だが一つだけ、平介が予想していなかったことがある。それは直子がテニス部に入ったことだ。これからは医学部を目指すのだから、当然クラブ活動などはしないものと思っていた。

ところがテニス部の練習で、このところ毎日帰りが遅い。八時を回ることもある。じつは今日平介が定時後にインジェクタ工場に行ったのには、あまり早く帰宅して、直子が帰ってくるのをいらいらしながら待ちたくないという理由もあった。

また時計を見る。七時五十五分。貧乏揺すりを始めた。

直子はテニス部の話をあまりしない。だからどういう部員がいるのか、どんな練習をしているのか、平介は殆ど知らない。わかっているのは、かなり多くの部員がいるらしいということだけだ。一度名簿をワープロで清書しなければならないからといって、何十人もの名前を書いたレポート用紙を持って帰ってきたことがあるのだ。その時平介は、半数以上が男子だということも確認していた。

テニスウェアを着て、ラケットを振る直子の姿を思い浮かべた。あの細く長い脚を、若い男たちの目にさらしていると思うと気が気でなかった。彼女の身体は、つまり藻奈美の身体は、最近になって急激に女っぽくなってきたようだった。

八時ちょうどに玄関のドアの開く音がした。ただいま、と直子の声。

平介は立ち上がり、部屋の入り口で彼女を待ちかまえた。

肩から大きなバッグを提げ、手にテニスラケットを抱えた直子が、玄関から歩いてきた。ラケットを持っていないほうの手にはスーパーの袋を提げていた。「あれ、お父さん何してるの、こんなところで」

「ずいぶん遅いな」平介はいった。不機嫌さを隠さなかった。

「えっ、そうかな」直子は廊下にバッグとラケットを置き、スーパーの袋だけを持って和室に入った。畳の上に脚を投げ出して座り、太股や脹ら脛を揉み始めた。「ああ疲れた。今日はきつかったなあ。ごめん、十分だけ待ってね。そうしたら晩ご飯の支度を始めるから」

日焼けした素足が平介の目には眩しかった。目をそらしながら彼は彼女の横に座った。

「もう八時だぞ、どう思ってるんだ」

「えっ？　でも前は晩ご飯といえば九時過ぎだったよ。お父さん、帰ってくるのが遅かったから」

「飯のことはどうでもいい。高校生がこんな時間に帰ってくるのは変じゃないかといってるんだ」

「だって練習があるんだもん。一年生だから後片づけだってしなきゃいけないし、その後でスーパーに寄って買い物してくるから、どうしてもこれぐらいになっちゃうのよ」

「だけど毎日こんな時間になるってのはおかしすぎるぞ。一体どういうクラブなんだ、そこは」

「別に。ふつうのクラブよ」直子は立ち上がり、スーパーの袋を持って台所へ行った。流し台で手を洗った後、鍋に水を入れ、ガスレンジにかけた。

「医学部はどうなったんだ」平介は彼女の背中に向かっていった。

「どうなったって？」

「受けるんじゃないのか。そのために今の高校に入ったんじゃないのか」

「受けるよ、もちろん」直子は、まな板の上で魚を調理し始めた。

「そんなことしてて、医学部なんか受かるもんか」吐き捨てるように平介はいった。

直子の手が止まった。くるりと身体の向きを変え、調理台を背にして立った。右手に包丁が握られていた。

「あのね、受験には知力だけでなく体力も大切なのよ。あたしみたいに男子と競わなきゃならない場合は、特にそうなの。それにお父さんは知らないだろうけど、うちの高校では、クラブに入っていた人のほうが入ってなかった人より、現役で志望大学に合格する率が高いの。なぜだかわかる？」

わからないので平介は黙っていた。

直子は包丁を振りながら続けた。「集中力が違うのよ。クラブに入っていない人のほうが受験準備を始めるのは早いんだけど、時間があるという安心感から、途中でだらけちゃうことが多いの。その点クラブをしていた人は、遅れをとったという自覚があるから、受験当日まで息を抜くということをしないわけ。スタートからゴールまで突っ走っちゃう。もちろんそれだけの体力もある。結果的に、効率よく勉強していたのはクラブ組ということになるのよ」

「そんなにうまくいくかな」

「少なくとも、クラブをすることは受験の妨げになるなんていう話には何の根拠もないってことはいえるでしょ」直子はまな板のほうに向き直り、調理を再開した。

その後ろ姿は、若い頃の直子本人のものにそっくりだった。包丁を使う時、少し猫背気味になる。そして右肩がわずかに上がる。

「言い分だけ聞いていると、まるで受験のためにテニスをしているみたいだな」

「受験のためだけとはいわないけど、そういうことも考えた上で入部したのよ」

「本当は、もっとほかの目的のほうが大きかったんじゃないのか」

「ほかの目的って？」

「男子部員が多いんだろう。そういう連中にちやほやされたくて入ったんじゃないのか」

再び彼女の手が止まった。ガスレンジの火を緩めてから平介のほうを振り向いた。

「あきれた。そんなことを考えてたの？　馬鹿みたい」

「何が馬鹿だ。男と玉遊びをしてるのは事実だろうが」

「いっておくけどね、うちの先輩はすごく厳しいの。女の子だからって容赦してくれないわけ。たしかにお父さんのいうような理由で入ってきた子もいたわよ。でもそんな子は、練習が厳しいからって、とっくの昔にやめてるの。大学のテニス同好会と一緒にしないで。うちはれっきとした運動部なんだから」

「運動部だろうが何だろうが、男が若い女に対して下心を持たないはずないだろ。チャンスがあれば何とかしてやろうと思ってるに決まってるんだ」

「信じられない。よくそんなこと思いつくわね」直子は首をひと振りすると、削り節の入った袋に手を突っ込んで鷲摑みし、湯の沸いた鍋に放り込んでいった。その手つきに怒りが込められていた。

「若い男というのは、女を見たらあのことしか考えてないんだ。わかってるのか」

だがこの平介の言葉に彼女は返事をしなかった。答える気もしない、と背中が告げているようだった。

彼はそばにあった新聞を広げた。地価依然上昇、という見出しが出ている。だがその記事を読んではいなかった。

自己嫌悪が胸中に広がっていた。彼は口でいうほど直子に腹を立てているわけではなかった。いや、怒りの感情は殆どないといってよかった。むしろ彼女の言い分のほうが圧倒的に正しいことも理解している。

帰りが遅くなっている主たる原因が、クラブではなく、じつはその後の買い物にあることもわかっていた。また今の状態でクラブを続けるには、強靭な精神力が必要だということも承知していた。彼女はふつうの高校生のように、帰宅後疲れた身体をベッドに投げ出すわけにはいかない。誰かが夕食を作ってくれるわけでもない。泥のように疲れていても、彼女は主婦業から逃れられないのだ。それでもクラブを辞めないのは、それが今自分のすべきことだと思っているからだろう。信念を持っているからだろう。

そこまでわかっていながら、彼女を責めるようなことをいってしまう。それはなぜなのか。

俺はたぶん嫉妬しているのだと平介は思った。若さを手に入れた直子に嫉妬している。そんな彼女と青春を楽しめる若い男たちに嫉妬している。同時に、彼女に対して恋愛感情や肉欲を抱けない自分の立場を呪っている。

この夜の食事は、直子と結婚して以来最悪の晩餐となった。どちらも一言も口をきかず、ただ黙々と箸を動かした。かつて何度か夫婦喧嘩をした時と決定的に違っていたのは、気まずさの底にあるのが怒りではなく悲しみだという点だった。平介は腹を立ててはいなかった。直子と自分との間にある、未来永劫埋まることのない溝の存在を認識し、たまらなく悲しくなっていた。そして同様の思いを彼女も抱いていることは、身体から発せられる雰囲気でわかった。皮肉なことに、こんな時だけ夫婦特有の以心伝心というものが働くのだった。

29

夏休みに入ってからも、直子はテニスの練習のために学校へ行った。しかし練習時間は夕方までなので、平介が帰宅した時に彼女がまだ帰っていないということは殆どなかった。たまにあってもそれは、夕食のおかずで買い忘れたものがあったので近所のスーパーまで出かけていた、というぐらいのものだった。また土曜日と日曜日は練習が休みなので、彼を家に一人にしておかないで済んでいた。

平介としては、自分が家にいる時には常に直子がそばにいるのだから、不満が生じるはずがない。洗濯機の横の籠に、毎日のようにテニスウェアが放り込まれていることや、彼女の顔と手足が日に日にチョコレートのように黒くなっていくことは多少気になったが、敢えて自分からテニスのことを話題にするのは避けていた。彼女からクラブのことを聞けば、当然男子部員たちの存在を思い出すことになる。そうすると自分がどうしようもなく不機嫌になってしまうことを彼は知っていた。不機嫌になり、直子にきっと何かいうだろう。その結果、またしても二人の間には、いいようのない重たい空気が流れるに違いなかった。いったんそうなってしまうと、今度ふつうに話ができるようになるまで数日を要することを、彼は前回の経験でわかっていた。

気を遣っているのは、直子のほうも同様のようだった。決してクラブのことを話題にしないし、テレビで中継されるテニスの試合なども、以前はよく見ていたのだが、平介と口論して以来全く見なくなった。テニス部の練習日程表が卓袱台に置きっぱなしになっているということも、ラケットが茶の間に放り出してあるということもなくなった。

さらに二人にとって幸いなことがあった。八月半ばには平介の会社の盆休みがあるが、直子によると、ちょうどその間はテニス部の練習も休みということだったのだ。

久しぶりに長野に行ってみないかと平介は提案してみた。長野とは直子の実家を指している。あの事故以来、二人は行っていなかった。事故の一年後に、慰霊のため現場まで大黒交通のバスで行ったことはあるが、あの時も直子の実家には寄らなかったのだ。

中学受験や高校受験があったので勉強が忙しくて行けなかった、というのも一つの理由だ。しかし一番大きな理由は、直子が自分の父親と会うのを怖がったことだ。彼は藻奈美の中身が直子だということを知らない。当然彼女のことを藻奈美として扱うだろう。孫の姿を見て娘のことを思いだし、涙ぐむかもしれなかった。無論それでも直子は、自分がすぐ目の前にいることを彼に話すわけにはいかない。そんなことをすれば、年老いた父親を収拾のつかないパニックに陥れてしまうことになるからだ。だが彼に対していつまでも黙り続けていることに耐えられるかどうか自信がない、と彼女はいった。

以前平介が出張で札幌に行かねばならなかった時、実家から姉の容子に来てもらったが、あの時には何の問題もなかった。直子は姉を騙すことに快感さえ覚えていたようなのだ。しかし父親に対してそういう気持ちになれるかどうかは全くわからない、というのが彼女の言い分だった。

いつまでもそんなことをいっているわけにはいかないんじゃないか、と平介はいった。このまま永久に実家との交流を絶つわけにはいかないのだ。

直子はずいぶん長い間考え込んでいたが、ある夜夕食を食べながらいった。わかった、お盆休みには長野に行きましょう、と。

夏に直子の実家に行くのは約十年ぶりのことだった。聞きしに勝る渋滞に巻き込まれ、くたくたになりながら到着した。早朝に出発したのに、着いたのは深夜と表現してもいいような時間帯だった。それでも実家の人々は、夕食を食べずに待っていてくれた。

直子の父の三郎は、平介が前に会った時より顔も身体も小さくなっていた。皺だらけの痩せた喉は、毛をむしられた鶏を連想させた。それでも三郎は笑いで顔をくしゃくしゃにしていた。藻奈美と再会できたことがうれしくて仕方がないようだった。

「いやあ、もうすっかり娘さんという感じだなあ。背なんか、そんなに大きくなっちゃったかあ。おじいちゃんより大きいんじゃないか。高校生かね。そうかそうか」

孫をしげしげと眺めながら、三郎は喜びと驚きと懐かしさを表す言葉をとめどなく発した。彼が藻奈美の姿を通して何を懐かしんでいるかは、周りにいる者すべてがわかっているようだった。それでも誰もそのことを口にはしなかった。

直子がどういう反応を示すか、平介は内心不安だった。突然泣き出すことまで想定し、その時にはどう取り繕うかまで考えてあった。だが幸いそのようなことはなく、彼女は見事に祖父と再会した孫の役を演じきった。途中平介のほうをちらりと見て、誰にも気づかれない程度のかすかな目の動きで、大丈夫よ、と合図を送ってくるほどの余裕もあった。

ただ、最初がうまくいったから、後がすべて順調にいくとはかぎらない。彼女の心がぎりぎりのところでバランスを保っているという事実に変わりはなかった。

それが崩れたのは、座敷で皆と一緒に遅い夕食を食べている時だった。

この日の料理は、三郎の長女である容子と婿養子の富雄の手によるものだった。蕎麦屋の暖簾を継いでいるだけあって、二人とも料理の腕はたしかだ。各自一つずつの膳に載せられた和食は、生半可な仕出しではこうはいくまいと思えるほど豪華でかつ繊細なものだった。

食事の途中で三郎が中座をした。手洗いかと思われたが、なかなか戻ってこない。一体何をしているのだろうと皆で話していると、ようやく三郎が現れた。しかも盛り蕎麦を二人分、盆に載せていた。

「何よ、それ」と容子が訊いた。

「なあに、ずっと前に藻奈美と約束したんだよ」三郎は直子を見て、にやにやした。

直子は、約束とは何だったんだろうという感じで、不安そうな目をしている。

「忘れちまったかい？　おじいちゃんの蕎麦を一度食べたいっていってたじゃないか」

ああ、と直子は口を開けた。顔に安堵の色が広がる。

「あれ、藻奈美ちゃんはおじいちゃんの蕎麦を食べたことがなかったのかい？」富雄が不思議そうな顔をして訊いた。

「それがなかったそうなんだ。なあ」

三郎に同意を求められ、直子は小さく頷いた。

「案外そういうものなのよね、家で売っているものを、わざわざ食べようってことにはならないから」容子がくすくす笑った。

「わしはいつでも食べさせてやりたかったんだ。だけど直子のやつが、蕎麦なんかもう飽きたからいらんといって、ほかのものを食べるものだから、藻奈美ちゃんも食べそこねてたんだ」平介たちがやってきて以来、三郎が直子の名前を出すのは、この時が初めてだった。そのことについて誰も何もいわなかった。だが平介は、直子が一瞬はっとした表情を見せたことに気づいた。

「さあ、とにかく食べてごらん。藻奈美ちゃんのために、おじいちゃんが打ったんだからな。平介さんも、どうぞどうぞ」三郎は直子と平介の前に、盛り蕎麦とつゆを置いた。

「お父さん、なんか今日はお店でごそごそしているなあと思っていたら、これだったのね」容子がいった。

平介は遠慮なくいただくことにした。考えてみれば彼も、そう何度も三郎の蕎麦を食べたことはなかったのだ。

蕎麦はこしがあって、猶且《なおか》つ歯触りがよかった。飲み込む時、蕎麦独特の香りがほのかにする。「うまいですねえ」と彼は思わず漏らしていた。

三郎は嬉しそうな顔をした。その顔を、そのまま直子のほうに向けた。「藻奈美ちゃんはどうだい？」

だがその三郎の顔に狼狽が浮かんだ。平介は直子を見た。彼女は蕎麦つゆを入れた容器と箸を持ったまま、うつむいて泣いていた。涙がぽろりぽろりと落ちて、畳を濡らしている。

なんだいワサビを入れすぎたのかい、という冗談を発せられる雰囲気でもなかった。誰もが言葉を失って、彼女を見つめていた。

「どうしたんだ」と平介は声をかけた。

直子は泣きながら口元だけで笑ってみせた。傍らに置いたバッグからハンカチを取り出し、涙を拭いた。

「ごめんなさい」といって彼女はぺこりと頭を下げた。

「何かその、おじいちゃんが変なことをいったかな」三郎が薄くなった頭に手をやった。

「そうじゃないの。ごめんね」直子は手を振った。「おかあさんのことを思い出したから……。おかあさん、おじいちゃんの蕎麦好きだっていってたなあ、これ食べさせてあげたいなあとか思ってたら、急に泣けてきちゃった」

途端に容子がすすり泣きを始めた。三郎も涙こそ見せないが、苦しそうに顔を歪めた。

食事をした座敷と廊下を挟んで向かい側の八畳間が、平介たちに与えられた。以前は納戸代わりになっていたこともあるようだが、今ではすっかり片づいていた。容子と富雄がどこからか二組の布団を持ってきて、並べて敷いてくれた。

容子たちがいなくなってから、「失敗しちゃった」と直子がぽつりといった。

「さっき泣いたことか」と平介は訊いた。

うん、と彼女は頷いた。

「あの時までは全然平気だったんだよ。こみあげてくるものなんか何もなかった。お父さんがあたしに向かって、自分のことをおじいちゃんなんていうのを聞いて、笑いだしそうになっていたぐらいなの。だけどあのお蕎麦、お父さんのお蕎麦……」そういって直子は膝の上に置いた手を握りしめた。「あのお蕎麦だった。子供の頃からずっと食べてきた味だった。そう思ったらいろいろなことが頭に浮かんできて、気がついたら涙が溢れてた。いけない止めなきゃと思ったんだけど、どうしようもなかった」

直子の頰に、涙の線が一本できた。それは顎まで達して水滴になった。

平介は彼女のそばにいき、小さな肩を抱いた。忽ちシャツの胸のあたりが彼女の涙で濡れた。

「お父さん」彼の胸の中で直子がいった。「早く東京に帰ろう。やっぱりここは、あたしには辛すぎるよ」

「そうだな」平介はいった。いいながら、直子には「お父さん」と呼ぶ相手が二人いるんだななどと考えていた。

翌日は親戚が大勢やってきた。法事が行われるからでもあった。平介と直子は、挨拶するだけでくたくたになってしまった。殆どの者が直子を見て、「わあ、直子さんに似てきたわねえ」と驚きの声をあげた。直子のことを特にかわいがっていたという叔母は、「まるで生き返ったみたい」といって涙ぐんだ。

皆で墓参りをした後、昨夜と同じ座敷での宴会となった。ただし続き部屋との間の襖を取り外してあるので、ほぼ倍の広さがある。

「藻奈美ちゃんはボーイフレンドいないの？」直子の従妹が訊いた。ころころと太っていて、よく笑う女性だった。

「いないです、そんなの」直子が高校生らしい口調で答えた。

「あらそうなの。おかしいわねえ、藻奈美ちゃんぐらいかわいければ、男の子がほっとかないと思うんだけど」

「まだ子供だから」平介が横からいった。

それを訊いて直子の叔父が笑った。

「子供だと思ってるのは父親だけだよ。娘ってのは、ちゃあんとやることはやってるものなんだ。三郎兄貴だって、直ちゃんのことを男とは縁のない娘だと思いこんでた。ところがどうだ。さっさと東京の男を見つけて結婚しちまったもんなあ。披露宴の時なんか、兄貴のやつ控え室で泣いてたんだぞ」

「あっ、こら、何をいい加減なこといってやがる。泣いてないぞ」三郎がむきになっていった。

「泣いてたじゃないかよ。相手の男を殴りたいとかいってさ」

えっ、といって平介は思わず自分の頬に手を当てた。

「いってない、いってない。こら、でたらめいうな」

「まあまあまあまあ」

年老いた兄弟の他愛ない口喧嘩を、周りの親戚が笑いながらとめた。三郎はいつまでもぶつぶついっていた。

宴会は八時過ぎまで続いた。親戚連中は、酒を飲んでいない妻が車を運転したりして、それぞれの家に帰っていった。中には歩いて帰れるほど家が近所の親戚もある。

直子は風呂に入った後、布団の上で寝転がって小説の文庫本を読んでいたが、やがてそのまま寝息をたて始めた。さすがに疲れたようだ。

平介も九時半頃までテレビを見た後、風呂に入らせてもらった。この家ではまだ木の湯船を使っている。縁に頭を載せれば、両足を思いきり伸ばせるほどの広さがある。初めてこの家に来た時のことを平介は思い出した。こうして湯に浸《つか》っていたら、窓ガラスを叩く音がしたのだ。返事をしたら窓が細く開いて、直子の顔が覗いた。

湯加減はいかが、と彼女は訊いた。

ちょうどいいよ、と彼は答えた。

そう、それならよかった。ぬるかったらいってね、薪をくべるから。

へえ、ここではまだ薪を使ってるんだね。

そうよ。文化遺産みたいなお風呂なのよ。そういって彼女は窓を閉めた。

髪や身体を洗ってから再び湯船に入ると、少し湯がぬるくなってきた。そこで平介は外にいるはずの直子に声をかけた。少し薪をくべてくれないか。

だが返事はない。おーい、おーいと何度か声をかけたが同じことだった。仕方がないと諦めた時、それが目に入った。壁に追い焚きスイッチがついていたのだ。薪なんてとんでもない。ふつうのガス式風呂釜だった。直子に一杯食わされたわけだ。

もっとも彼女に平介を騙す気があったかどうかはわからない。少し考えれば冗談だということはすぐにわかるからだ。何しろ彼はシャワーを使って髪を洗ったのである。あの時彼は風呂から出た後も、直子には何もいわなかった。彼女のほうからも何もいってこなかった。だから彼が窓の外に向かって呼びかけるのを、彼女が笑いをこらえながら聞いていたかどうかは、今も不明のままなのだった。

風呂から上がり部屋に戻ろうと廊下を歩いていると、「平介さん？」と座敷のほうから声をかけられた。それで彼は障子を開けてみた。三郎が一人でウイスキーの水割りを飲んでいた。

「飲み直しですか」と平介はいった。

「いやなに、単なる寝酒ですよ。どうです、付き合いませんか」

「いいですね」平介は三郎の向かいに腰を下ろした。

「水割りでいいですか」

「はい」

三郎は彼のために水割りを作り始めた。たっぷりの氷や奇麗なグラスが用意してあったところを見ると、三郎は元々平介と飲むつもりでここにいたらしい。宴会の料理はすっかり片づけられていたが、代わりに潤目鰯《うるめいわし》の干物を焼いたものが皿に盛ってあった。

「まずは乾杯」

「いただきます」

グラスを軽く合わせてから、平介は義父の作ってくれた水割りを飲んだ。濃過ぎず薄過ぎず、風呂上がりに飲むにはちょうどよい割り具合だった。料理人はこういうところも勘がいいのだなと平介は感心した。

「今回はよく来てくださいました。みんな、喜んどります」三郎は頭を下げた。

いえいえ、と平介は手を振った。

平介と直子は明日帰ることにした。そのことはすでに三郎たちにも話してある。

「それにしても、少し見ないうちに、藻奈美はしっかりしましたなあ。あれならもう大丈夫だ。母親がいなくなって、どんなふうになるものか心配しておったのですが、男手一つでよくあそこまでしっかりと育ててくださった。私がこんなことをいうのは変かもしれんが、死んだ直子に代わって礼をいわせてもらいます」

「私は特別なことは何もしていませんよ。ふつうにしていただけです。

「いやその、ふつう、というのがなかなかできんことでしてね。仕事でお忙しいでしょうに、本当に大したもんだ」

老人は潤目鰯をかじりながら、「大したもんだ」という台詞を何度か繰り返した。平介としては少し居心地が悪くなる。

「しかしあれでしょう。やっぱりその、男一人ではいろいろ不便なことも多いでしょう」

「いや、そうでもないですよ。直……藻奈美がよくやってくれてますし」

「だけど藻奈美だって、これからは大変だ。さっきちらっと聞いたんだが、医学部を目指すとかいっとるじゃないですか。すると家のことも、そうそうはやっとれんのじゃないのかなあ」

「ええ、まあ、そうですね」平介はグラスの中の薄い琥珀色の液体を眺めた。老人が何をいおうとしているのか、わかりかけてきた。

「平介さん」三郎がやや改まった口調でいった。「直子に義理立てすることはないです」

平介は義父の顔を見返した。やっぱりそのことだったか。

「平介さんはまだ若い。私の歳になるまで何十年もある。それを無理して一人で生きていくことはないです。もしそういう気になったら、誰に遠慮することもなく、再婚すればいいです。その時には私も賛成しますよ」

「ありがとうございます。でもまだそんなことまでは考えられなくて」

平介がいうと、三郎は首を二度三度と振った。

「そうはいっても、時間の経つのは早いもんだ。今私は平介さんのことを若いといったが、本当のところはそれほど余裕があるわけじゃない。そろそろ真剣に考えなさったほうがいいと思うがねえ」

「そうですか」平介は曖昧に笑っておいた。

「まあもちろん、無理にとはいわんがね」

平介のグラスが空になるのを見て、三郎はすぐにお代わりを作り始めた。

ではもう一杯だけ、と平介は恐縮しながらいった。

部屋に戻る頃には、すっかり汗がひいていた。エアコンが利いているわけでもないのに、やっぱりここは信州だなと思う。パジャマに着替え、布団にもぐりこんだ。

直子が彼のほうに寝返りをうった。しかも目を開けていた。「お父さんと話してたみたいね」

「うん、ああ」

「再婚のこと、いわれてたでしょ」

「聞こえてたのか」

「だってお父さん、声が大きいんだもの」この場合のお父さんとは三郎のことだろう。

「ちょっと参っちゃったよ」平介は苦笑してみせた。

「再婚のこと、考えたことある？」直子の口調は真剣なものだった。

「そりゃあ、空想ぐらいはしたことがある」橋本多恵子の顔が一瞬浮かんで、すぐに消えた。「でも具体的に考えたことはないな」

「考えないようにしてるの？」

「考える気にならないだけだよ。俺には直子がいるからな」

するると直子は目を伏せ、くるりと反対側に寝返りをうった。「ありがとう」と小声でいった。「でも、それでいいの？」

「ああ、いいんだ」平介は彼女の背中にいった。

それっきり直子のほうからは何もいってこなかった。平介も瞼を閉じた。

これでいいんだよな、と彼は自らに確認をとっていた。自分には直子がいる。ほかの人間には見えなくても、自分にだけ見える妻がいる。それで十分だ。十分に幸せだ。

意識がぼんやりとしてきた。これでいいんだ、という思いを抱えたまま彼は眠りに落ちていった。

翌朝早く、平介と直子は帰京の準備を始めた。帰省した時の常で、土産物をあれやこれやと渡されたので、それだけでスプリンターのトランクは一杯になった。後部座席にも紙袋やら段ボール箱やらが並んでいる。

「お父さんのいうことをよくきくんだよ。またお正月にでもおいで」助手席側の窓の外から三郎が声をかけてきた。

「うん、また来る。おじいちゃんも元気でね」

「うんうん、ありがとうありがとう」三郎は目を皺と同じぐらいに細めて頷いていた。

平介は車を発進させた。アスファルトに反射する日差しが、今日もまた暑くなることを告げていた。Uターンラッシュが始まりつつあることは、昨夜のテレビで知っていた。覚悟を決めなきゃなと彼は思っていた。

実家を離れて少ししてから、「ちょっと止めて」と直子がいった。それで平介は車を道路脇に寄せて止めた。

「どうかしたのか」平介は訊いた。

直子は後ろを振り返り、ふっと息を吐いた。

「もう二度とここには来ないと思ったら、ちょっと悲しくなってきちゃった」

「どうして？　来たくなったら、来ればいいじゃないか」

直子はかぶりを振った。

「もう来ない。あの人たちと会うのが辛いから。あの人たちにとって、あたしはもう死んだ人間なのよ。あたしはもういないということで、あの人たちの世界は完結してる。そんなところへ行ったって、幽霊みたいに漂っているしかない」目が潤み始めた。彼女はハンカチを取り出した。「ごめんなさい。少しだけ泣きたかった。もうめそめそしない。大丈夫だから、車を出して」

平介は黙ってギアを入れ、車を動かした。

自分だけがこの女の本当の家族なんだ、この世で俺たちは二人ぼっちだ——心の底からそう思った。

30

その電話がかかってきたのは、日曜日の夕方のことだった。直子は夕食のおかずを買いに出かけていた。平介は狭い庭の手入れを終え、掃き出し窓の縁に腰かけてぼんやりと西の空を眺めていた。見事なほどの夕焼けで、鰯雲が真っ赤に染まっていた。久しぶりにのんびりした秋の一日だった。明日からまた新鮮な気持ちで仕事に取り組めると平介は満足していた。

それだけにその電話の音は、不吉な予感を彼に与えた。杉田家の電話は、ふだんあまり鳴らない。直子が直子として生きていた頃は、長野の実家や彼女の友人などからよく電話がかかったものだが、今ではそういう電話は皆無になっていた。

また不動産屋かな、と思いながら彼は立ち上がった。ワンルームマンションを買わないかという誘いの電話が時々かかってくるのだ。

電話はリビングボードの上に置いてある。彼は受話器を取った。「はい、杉田ですが」

相手はすぐには声を発しなかった。このごく短い沈黙の間に、平介は不吉な予感が当たったことを確信した。何か物理的な事情があって相手の反応が遅れているのではなく、自分の声を聞いたことで相手が戸惑っているのだと彼は直感した。

「もしもし」男の声がした。「あ……あのう、杉田藻奈美さんはいらっしゃいますか」

直子の学校の男子だな、と平介は察した。晴れ晴れとしていた心に、あっという間に黒い雲がかかっていくのを感じた。

「今、いませんが」彼は答えた。不機嫌さを露《あらわ》にした声が出た。半ば無意識、半ばは意識的に出した声だ。

「あっ、そうですか」

相手の男は萎縮したようだ。このまま電話を切りそうになったら、人の家に電話をかけておいて名乗りもせずに切るとはどういうことかと、どやしつけてやるつもりだった。だが相手はそれほど非常識ではなかった。

「あのう、僕はソウマという者ですけど、藻奈美さんがお帰りになったら、電話があったことだけお伝え願えますか」

「ソウマさん？　どちらのソウマさんですか」

「テニス部で一緒の者です」

またテニス部か。平介の口の中に苦いものが広がった。

「何か急用ですか」

「いえ、急用というほどのことはないんですけど」

「しかし日曜日に電話をかけてくるということは、それなりの用事があるということでしょう。今いっていただければ、藻奈美に伝えておきますが」

「いえ、あの、ちょっと面倒なことで、直接話さないとわかりにくいので、とにかく電話があったことだけ伝えてください」

「ふうん」

「じゃあ失礼します」ソウマと名乗った男は、そそくさと電話を切った。

受話器を置いた平介の胃袋には、しこりのようなものが生じていた。彼は時計を見た。

直子はつい先程出かけたばかりだ。いつもの調子なら、一時間は帰ってこない。

平介はテレビのスイッチを入れた。NHKのニュースが流れてきた。だが内容は少しも頭に入らない。画面をただ眺めているだけだ。

彼はテレビをそのままにして、二階に上がった。直子の部屋のドアをそっと開け、中に足を踏み入れた。

部屋は奇麗に片づいている。少し乱れているのは机の上だけだ。物理の参考書が開いたままになっている。力学の勉強をしているところらしい。斜面の上に置いた物体に加わる力の問題。摩擦係数。作用反作用。いくつかの用語は平介の記憶に留まっていた。

机の奥に、ファイルやノート、辞書などがブックエンドを使って立ててある。ファイルは全部で五冊。赤、青、黄色、緑、オレンジの五色だ。背表紙には何も書かれていないが、色によって用途が分けられているのだろう。

平介は、以前直子が傍らにファイルを置いて、テニス部の友人と電話で話しているのを見たことがある。おそらくあの時のファイルは、テニス部関連の書類を綴じたものだったのだろう。

赤かオレンジのファイルだったと彼は記憶していた。後ろめたさを感じながら、彼は二冊のファイルを抜き取った。開いてみると、赤は料理のレシピを整理したものだった。雑誌の切り抜きなども奇麗に綴じられている。

思った通り、オレンジのファイルがテニス部関連のものだった。秋の定期戦日程と書かれたコピー用紙が一番前にファイルされている。

ぱらぱらとめくっていき、最後の頁で手を止めた。部員の名前と連絡先を書いた紙が綴じてあった。

たしかソウマといったな――。

名前の部分を指で辿っていった。やがて相馬春樹という名前が見つかった。二年生の部員だった。

平介は机の引き出しを開けた。文房具が奇麗に仕切られて入っている。猫のイラストの入ったメモ帳から一枚はがし、そこにボールペンで相馬春樹の住所と電話番号を控えた。目的はない。ただ知っておきたいだけだ。

メモをスウェットのポケットに入れ、ファイルをブックエンドに戻した。直子に電話してきた男に関して少しでもデータを得られたことで、ある程度満足していた。

ドアを開け、部屋を出た。そして後ろ手でドアを閉じようとした時、階段を直子が上がってきた。彼女は階段の中程で立ち止まった。

「どうしたの？」直子は訊いてきた。「あたしの部屋に何か用？」咎めるような響きがある。

俺が部屋に入ったら悪いのかという思いと、プライバシーを侵害した罪の意識が、彼の胸の中で攪拌《かくはん》された。それは不自然な嘘という形になって彼の口から出た。

「いや、その、借りたいものがあったんだけど、よくわからないのでやめた」

「何が欲しかったの」

「ああ、あの……あれだ。本だ」

「本？　何の本？」

「あれだよ、夏目漱石の書いたやつで」しゃべりながら、いい加減な嘘をいってしまったものだと平介は後悔した。直子がどういう作家の本を読んでいるのか全然知らなかったから、とりあえず夏目漱石といってしまったのだ。

「猫？」と直子は訊いた。

「ネコ？」

「『吾輩は猫である』のこと。あたしが持ってる漱石といったら、あれだけだよ」

「ああ、そうだ。その本だ」平介はいった。「さっきテレビでその本の話が出てきたんだ。それで読んでみようかなという気になって」

「ふうん、珍しいね」直子はとんとんとんと階段を上がり、自分の部屋に入った。

平介は入り口から彼女の様子を見た。書棚に近づいた彼女は、すぐに一冊の分厚い文庫本を抜き取った。「どこ探したの？　ここにあるじゃない」

「ああ、そうか。気がつかなかった」

はい、といって直子は文庫本を差し出した。平介はそれを受け取った。

彼女はそのまま部屋を出るつもりのようだったが、最後に一度だけ室内を振り返った。

「あれ？」かすかに眉を寄せ、直子は机に近づいていった。「机の上、触った？」

「いや、触ってないけど」どきりとしたが、平静を装って答えた。

「ふうん」

「どうかしたのか」

「ううん。触ってないならいいんだ」そういいながら彼女は、オレンジのファイルと赤のファイルの場所を入れ替えた。

この夜、結局平介は相馬春樹からの電話のことを直子に話さなかった。相馬という男子のことを訊きたい気持ちもあったが、勘のいい直子が、ファイルの位置が変わっていたことと結びつけて考えることは大いにあり得た。勝手に彼女の持ち物を調べたことは、できれば感づかれたくなかった。

食後、直子の手前、彼は特に読みたくもない『吾輩は猫である』の頁を開いた。二頁ほど読んだところですぐに眠気に襲われた。後は読むふりでごまかした。

翌日、平介は帰りが少し遅くなった。腕時計の針は八時十五分を指している。だが家の窓から明かりが漏れているのを見て安堵した。もしまだ直子が帰っていなければ、またしても気を揉まねばならないところだった。

相変わらず直子が遅く帰ることはある。だが以前口論して気まずくなったことがあるので、平介はなるべく文句をいわないようにしていた。直子のほうもある程度気をつけているのか、八時を過ぎて帰ることは殆どなくなっていた。

玄関のドアを開け、家に入った。靴を脱ぎながら、ただいま、と奥に声をかけようとした。だがその前に彼は、囁くような話し声を聞いていた。直子がしゃべっている。時折くすくす笑う。

電話をしているらしいと平介は察した。彼は足音を抑えて廊下を歩いた。声は和室のほうからする。

「だってアリサカ先輩から聞いたんですよお。あたしのバックハンドのこと笑ってたって。ひどーいって思っちゃいました」

声は紛れもなく直子のものだったが、その口調は平介に対する時と全く違っていた。女子高生らしく言葉を崩しているだけではない。相手に対して甘えるような響きがある。

「えー、そうなんですかあ。なんか、信じられないなあ。じゃあ先輩、今度あたしとダブルス組んでくれますう?……えーっ、本当ですかあ。すごーい。……えっ？　やだあ、そんなの。どうしてあたしがそんなことしなきゃいけないんですかあ」しゃべりながら直子は笑っている。心の底から楽しそうだ。

平介は廊下を数歩戻り、わざと大きな音をたてて歩き直した。ただいま、と声を出す。直子の姿は見えないが、あわてる気配があった。

「あっ、じゃあまた明日。……はい……はい。それじゃ」

平介が入っていくのと、彼女が電話機から離れるのがほぼ同時だった。

「お帰りなさい。すぐにご飯食べるでしょ？」直子は台所へ行った。いつもの口調に戻っている。

「電話してたみたいだな」

「うん。学校の友達から。英語の宿題のことで」

嘘をつけ、と平介は腹の中で毒づいた。先程の口調は同年代に対するものではなかった。英語の話をしていたのでもない。さらに付け加えるならば、相手は男だ。

「そういえば、昨日電話があったよ。テニス部の相馬という人からだった」

「あ……そうだったの」

流し台のほうを向いている直子の肩が小さく揺れたように平介には見えた。

「電話があったことを伝えてくれといわれていたんだけど、すっかり忘れてた。今日、会ったんだろ？　何かいわれなかったか」

「ああ……新人戦の準備のことをいわれたから、きっとそのことで電話してきたんじゃないのかな。昨日電話したってことは、聞かなかったな」

「日曜日にかけてくるぐらいだから、急ぎの用だったんじゃないのか」

「急ぎというより、忘れないうちに連絡しておこうと思ったんだと思うけど」

「ふうん、まあいいけどな」

平介は二階に上がった。着替えながら、依然として電話のことを考え続けていた。さっき直子が話していた相手は、まず間違いなく相馬春樹という二年生だろう。問題は、なぜ彼女が嘘をついたのかということだ。テニス部の先輩からだ、という一言をなぜいえなかったのか。

そうか、と平介は合点がいった。直子は今日もテニス部の練習に参加したはずである。現に相馬と話したようなことをいっていた。ならば、なぜまた家に帰ってから彼と電話で話をしていたのかという当然の疑問が出てくる。彼女はその疑問にうまく答える自信がなかったのだ。

電話は相馬のほうからかけてきたに違いなかった。いつ平介が帰ってくるかわからない状況で、直子のほうからかけるはずがない。

平介はスウェットのポケットに手を入れた。折り畳まれたメモに指先が触れる。相馬春樹の連絡先を書いたメモだ。

こっちからかけてやろうか、と彼はふと思った。父親から電話があり、用もないのに娘に電話をしないでくれといわれたら、大抵の男ならひるむに違いない。

お父さん、ご飯よ、という声が階下からした。平介は大声で返事し、ポケットから手を抜いた。

「今からいっておくけど、来週一週間、帰りが遅くなるかもしれない」夕食の途中で、直子が遠慮がちにいった。

「またテニスか」

「そうじゃなくて、文化祭の準備。来週の土日が文化祭なの」

「遅くなるって、一体何をするんだ」

「うちのクラスはビデオ喫茶。教室を暗くして、手作りのビデオ映画を見せるついでに、コーヒーとかジュースとかも売りつけようというわけよ。それで映画の仕上げとか、店の装飾とかを、来週中にやらなきゃいけないの」

「そういうのって、全員参加なのか」

「全員参加よ。決まってるじゃない」

「遅くなるって、何時ぐらいだ」

「わからない。実行委員なんかは、毎年何日かは徹夜するっていうけど」

「徹夜？　学校に泊まるってことか」

「そうよ」

「まさかその実行委員に選ばれたんじゃないだろうな」

「あたしは違うわよ。クラブに入ってる子は両立が難しいから選ばれないの。クラブに入ってない子たちは、実行委員であるなしにかかわらず、もう準備にとりかかってる。だからあたしたちクラブ部員は、来週ぐらいは手伝わなきゃいけないの。そのために来週一週間は、全クラブが休みになるのよ」

「たかが文化祭に学校も面倒なことをするもんだな。東大への進学率を競ってるような高校が、そんなことしてていいのか」

「よく遊び、よく学べ。リフレッシュの大切さを学校もよくわかってるのよ。机にかじりついているだけじゃ、絶対に東大になんか受からない」直子は、ちょっと苛立った口調でいった。

31

予告どおり、翌週の月曜日は直子の帰りが今まで以上に遅くなった。何しろ七時過ぎに彼女から電話がかかってきて、遅くなるから店屋物でもとって夕食を済ませてくれと平介にいったぐらいなのだ。仕方なく彼は近所のラーメン屋で野菜炒め定食を食べた。

結局直子が帰ってきたのは九時を少し過ぎてからだった。平介としては何か一言いいたいところだったが、疲れた様子の彼女を見ているといえなくなった。夕食は学校のそばのお好み焼き屋で済ませたと彼女はいった。

直子が風呂に入り、二階へ上がっていって少しした時だった。リビングボードの上の電話が鳴りだした。平介はぎくりとした。十一時近くになっている。

受話器を取ろうと立ち上がりかけた時、呼び出し音が鳴りやんだ。なんだ間違いだったのかなと一瞬思ったが、すぐにそうではないことに気がついた。電話機に付いている小さなランプが点灯している。『子機使用中』のランプだ。つまり直子が上で電話に出ているということだ。

杉田家の電話がコードレスホンに変わったのは、この春だった。二階でも電話を受けられるようにしたほうがいいという直子の提案を受け入れたのだ。ふだん子機は二階の廊下の壁に取り付けてある。

平介はしばらくその小さなランプを見つめていた。単なる事務的な用件ならば二、三分で済むはずだというのが彼の感覚だった。ところがランプはなかなか消えなかった。彼はいったんテレビに目を戻し、天気予報を見終えてから、改めて確認した。ランプはまだついていた。

なんだ、こんな時間に非常識な――。

『子機使用中』のランプが消えたのは、結局それから小一時間後だった。その間平介はテレビを見たり、新聞を読んだりしていたが、いうまでもなく何ひとつ内容は頭に入っていなかった。

直子は次の日も帰宅時刻が九時を過ぎた。おかげで平介は二日続けてラーメン屋で夕食をとることになってしまった。

一体何をしているんだ、と彼は不信感を募らせつつあった。文化祭の準備に、これほど時間を要するものだろうか。たかが学生の模擬店ではないか。

テレビを見ながらそんなことを考えていた時である。またしても電話が鳴りだした。彼は反射的に時計を見ていた。十時五十分だ。昨日とほぼ同じ時刻だった。

呼び出し音は一回しか鳴らなかった。その代わりに昨日と同様『子機使用中』のランプが点灯した。直子はすでに自分の部屋にいる。廊下に出た気配はないから、電話がかかってくることを予想して、予め子機を部屋に持ち込んでいたことは明白だった。要するに誰かから、「今夜十時五十分頃に電話するから」といわれているわけだ。

その誰かとは誰なのか。

貧乏揺すりをしながら平介は、テレビと時計と電話とを代わる代わる見つめた。テレビではプロ野球の結果が流されている。すでに巨人は優勝を決めており、日本シリーズで対戦するパシフィックリーグの覇者を待つのみという状態だった。近鉄、西武、オリックスが連日めまぐるしく順位を変えている。巨人一筋の平介としては、今年にかぎりパ・リーグの結果も大いに気になるところだった。しかし今はそれどころではない。

時計の針が十一時半を越えたところで平介は廊下に出た。さらに足音を殺し、階段の下に立った。二階の廊下に直子がいる様子はない。子機を部屋に持ち込んでしゃべっているのだろう。

平介はヤモリのような格好で階段を上がっていった。直子の部屋から、かすかに声が漏れてくる。話の内容は全くわからない。

相馬春樹という名前が頭に浮かんだ。相手はあの男に違いない。一体どういう男だ。

どういうつもりで直子に電話をかけてくるのか。

声が聞こえなくなった。平介はもう少しドアに近づこうと、階段上で腹這いになったまま手足を動かした。

その時突然ドアが開いた。あやうくドアの角が平介の頭を直撃するところだった。直子が彼を見下ろして一瞬小さな悲鳴をあげた。

「何してるの、こんなところで」

「いや……別に」平介は階段の上に座った。全身から冷や汗が吹き出た。うまい言い訳が思いつかなかった。

直子はコードレスホンの子機を片手に持っていた。それを壁に取り付けた充電器に戻そうとして、何かに気づいたように平介を見た。

「盗み聞き？」

「そんなことはしてない。ただ……昨日も今日もずいぶん変な時間に電話がかかってきたみたいだから、気になって様子を見に来ただけだ」

「それのどこが盗み聞きじゃないのよ」

「話なんか何も聞こえなかったよ。それよりやけに長電話だったな」

「クラブの友達」ぶっきらぼうにそういって、直子はコードレスホンを本来の場所に戻した。

「相馬ってやつだろう」平介はいった。

直子はふてくされたような顔で黙り込んだ。図星だったようだ。

「そいつは二年生なんだろう？　だったら友達ってことはないじゃないか」

「どうして相馬さんが二年生だって知ってるのよ」

今度は平介のほうが返事に詰まった。直子の口元が歪んだ。

「やっぱりこの前、勝手にあたしのファイルを見たのね。おかしいと思った」

「見ちゃいけなかったか」

「プライバシーって言葉、知らないの？」

「相馬ってのは何者なんだ。なんでおまえに電話をかけてくるんだ」

「知らないわよ。向こうからかかってくるんだから仕方ないじゃない」

「知らないってことがあるもんか。用もないのに男が女に電話をかけてくるんだぞ。理由は一つじゃないか」階段の上で平介は怒鳴った。

直子は吐息を一つついた。それから彼を見下ろした。

「じゃあ正直にいう。たぶんあたしのことが好きなんだと思う。今週はクラブの練習がなくて学校じゃ会えないから、電話をしてくるんだと思う。これでいい？」

「もう電話するなっていえよ」

「どうしてそんなこといえるのよ。交際を申し込まれてるわけでもないのよ」

「そのうちに付き合ってくれっていってくるさ」

「その時には断ればいいんでしょ」

「本当は楽しんでるんだろう。若い男と話ができて、いい気分なんだろう」いいながら平介は自分の頬がひきつっていくのを感じた。

「楽しいわよ」直子はいった。「楽しんじゃいけない？　その程度の権利も、あたしは認めてもらえないの？　気分転換もしちゃいけないの？」

「俺と話してるより楽しいってわけだな」

平介の質問に、直子は答えなかった。ドアのノブを摑んだ。

「あたし、疲れたからもう寝る。おやすみなさい」

ちょっと待て、と平介はいおうとした。だがその時すでに彼女は部屋に入り、ドアを閉めていた。

布団に入ってからも、平介はなかなか寝つけなかった。電話ぐらいで大騒ぎをする自分の度量の狭さにうんざりする気持ちがある一方、なぜ自分の苦しみを理解してくれないのだと直子に怒りを感じる部分がある。

平介は彼女が相馬春樹のことを「相馬さん」と呼んだことにこだわっていた。

見かけ上は先輩かもしれない。しかし精神的な部分に関していえば、高校二年の男子など、直子にとっては子供のはずである。彼女は小学生の時、担任の橋本多恵子のことでさえ平介の前では、「彼女」とか「あの子」というふうにいっていたのだ。

相馬春樹の前では、直子は精神的にも高校一年の娘になるということなのか。だから彼女にとって相馬は、「さん」づけで呼ぶべき対象なのか。

その変化が一時のものであることを平介は願った。長野での夜、「俺には直子がいるから」といった時、彼女は「ありがとう」といってくれた。その一言が、今の彼の心の支えになっていた。

32

水曜日から三日間、直子は殆ど口をきかなかった。帰宅は連日九時過ぎだった。帰るとすぐに自室に引きこもり、風呂やトイレに行く時以外は出てこなかった。

電話が鳴ったのは水曜日の夜だけだった。木曜と金曜はかかってこなかった。直子から相馬に何かいったのかもしれない。

文化祭初日の土曜日の朝、直子が急に寝室に入ってきた。平介はまだ布団の中にいた。「これ」といって彼女は一枚の紙を彼の枕元に置いた。

彼はそれを手に取り、眠い目をこすって見た。ピンク色の紙にワープロで、『飲み物片手に素敵なビデオを見ませんか？　お待ちしています　ビデオ・バー・アンドゥ』と書いてある。下に学校内の地図もついている。

「なんだ、これ」

「気が向いたら来て」

「来てほしいのか」

「だから気が向いたらでいいよ」

行ってきます、といって直子は寝室を出ていった。

平介は布団の上で胡座をかいたまま、ずいぶん長い間そのパンフレットを眺めていた。行ってみたいという気持ちはある。直子がどんなふうに学校生活を送っているのかを、自分の目でたしかめてみたい。考えてみればこれまで彼は、彼女の外での顔を殆ど見ていないのだった。

しかし見たくないという気持ちもある。正直なところ怖かった。

彼女が果たしてうまく学校生活を送れているのかどうか心配で見るのが怖い、という意味ではない。今では彼は、その点については全く心配しなくなっていた。むしろその逆だ。直子が肉体的にも精神的にも、完璧に女子高生として皆の中に溶け込んでいるのを見るのが怖いのだ。それを目にした時に自分が味わうに違いない喪失感、孤独感、焦燥感を彼は恐れているのだった。

迷いながらも、この日彼は文化祭に行かなかった。八時頃に帰ってきた直子は、彼が来なかったことについて何もいわなかった。ただし文化祭がどうだったかということについても話す気はないようだった。

翌日は、何もいわずに直子は出かけていった。どうせ来る気はないだろうと思ったのかもしれない。平介も決心がつかないでいた。昼過ぎまで布団の中で雑誌を読み、午後からはゴルフ番組と野球中継を見た。野球はセ・リーグの消化試合だった。

行ってみようかという気になったのは、テレビにどこかの有名なレストランが映ったからだった。男女のタレントが、そこの自慢料理を食べるというだけの番組だった。

じつは昨夜は、杉田家の食卓に久しぶりに料理が並んだ。ただしいずれも直子がデパートの地下食料品店で買ってきた惣菜だった。今夜もそうなってしまうおそれは十分にあった。だがもし自分が文化祭に行けば、帰りに二人で食事をする手もあると平介は思いついたのだ。

時刻は午後二時を少し回っていた。パンフレットによれば文化祭は五時までだ。彼は急いで支度を始めた。

直子の高校に行くのは合格発表の日以来だった。あの時とは学校の様子がまるっきり変わっていた。門のそばには派手な看板が並び、校舎の壁にはポスターが貼られていた。何より変わっていたのは生徒たちだ。合格発表の時には、まだ幼さの残る顔がいくつかあったが、今はもうそんな顔はどこにも見当たらなかった。

生徒たちの親と思われる中年の男女も、ちらほら校内を歩いていた。しかし催し物には興味がなさそうだ。文化祭をというより、子供たちが通っている学校の雰囲気を確認しに来ているように見えた。

一年二組の教室の入り口は、着色した段ボールや色紙で飾りつけされていた。エプロンをつけた女の子が、平介を見てにっこりした。「いらっしゃいませ」

「ええと、あのう」平介は頭を掻きながら中を覗き込んだ。机を組み合わせたテーブル席がいくつかある。客はそこそこ入っているようだ。教室の後ろのほうに仕切りがあり、その向こうは見えない。たぶん厨房になっているのだろう。仕切りには四角い穴が開けられていて、トレイを持った女の子が出入りしている。「ええと、杉田藻奈美はいますか」

「あっ、杉田さんのお父さん？」エプロンの娘は目をくるくると動かした。

「はあ」

「わあ、大変」彼女は駆け出し、仕切りの向こうに消えた。

すぐに直子が出てきた。先程の娘と同じエプロンをつけていた。長い髪をバレリーナのように後ろでまとめている。

「今日は来たんだね」直子はいった。特に嬉しそうな顔はしていない。だが不愉快でもなさそうだった。

「まあ、ちょっと見ておくのもいいかなと思って」

「ふうん……」

彼女は彼を窓際の席に案内した。すぐそばにビデオモニターが置いてある。モニターは全部で四台。それぞれにビデオデッキが接続されている。運ぶだけでも大変だったろうなと平介は想像した。

「何か飲む？」直子が訊いた。

「ああ、そうだな。じゃあコーヒーを」

「コーヒーね」直子はくるりと踵を返し、仕切りの向こうに消えた。その時に気づいたのだが、制服のスカートがいつもよりずいぶんと短くなっていた。ウェイトレス役の女子は皆そうだ。どういうふうに工夫してあるのかは平介にはわからない。屈んだ時、下着が見えるのではないかと思い、ちょっとはらはらした。

ビデオモニターには手作りの映像が延々と流されていた。他愛のない映像ばかりだ。生ゴミを漁るカラスと猫の映像に、関西やくざのような台詞がテロップでつけられているのが少しおかしかった。

「面白い？」直子がトレイにコーヒーを載せて戻ってきた。カップは紙製だった。

「ばかばかしいところがいいな」

「そんなのでも、男子たちが苦労して作ったみたいよ」直子は彼の横に座ると、小さな容器に入ったミルクをコーヒーに入れ、軽くかきまぜてから彼の前に置いた。

平介はコーヒーを一口飲んだ。うまいような気がするのは、気分が違うせいだろう。

「この飾りは、全部自分たちで作ったのか」壁や窓ガラスに貼り付けられた、色紙やセロファン製の飾りを見て平介は訊いた。

「そうよ。大して上手じゃないけど、時間はかかっちゃった」

だろうな、と平介は頷いた。これなら連日帰りが遅くなったのもわかると思った。

仕切りの向こうから、何人かがちらちらと平介たちを見ていた。平介が目を向けると、さっと顔を隠す。

「なんだか注目されてるみたいだな」

「意外なんじゃないかな。あたしの父親が来たってことが。あたし、学校じゃ殆ど家のことを話さないから」

「そうなのか」

「だって本当のことを話すわけにはいかないでしょ。嘘をつくのは大変だもの」

それもそうかと思い、平介は頷いてコーヒーを飲んだ。

「文化祭は五時に終わるんだったな」

「そうだけど」

「じゃあ、久しぶりに食事でもしないか。終わるまでどこかで待っててやるよ」

喜ぶかと思ったが、直子は戸惑った表情を見せた。

「文化祭自体は五時までだけど、その後いろいろあるの」

「いろいろって？」

「後片づけとかキャンプファイヤーとか……」

「キャンプファイヤー、か」

そういうものがあったなと平介は思った。遠い記憶の彼方の話だ。

「帰りはかなり遅くなるのか」

「そんなことはないと思うけど、時間がはっきりわからないから……」

「そうか」

「ごめんなさい」直子はうつむいた。

「いや、別にかまわんさ。じゃあ今夜は寿司でもとっておくよ。それなら、直子が帰った時に腹が減っていたら、すぐに食べられるだろう」

直子は小さく頷いてから彼の耳元に口を近づけ、「直子って呼ばないで」といった。

「ああ、そうか。すまんすまん」彼は顔の前で手刀を切った。

さっきのエプロンの女の子が近寄ってきた。「藻奈美、ちょっと」

「どうしたの?」

「コーヒーのフィルターが切れちゃった」

「やっぱり足りなかったか。じゃ、ペーパータオルを代わりに使えばいいよ」

「やり方がわかんないんだけど」

「しょうがないな」直子は立ち上がり、エプロンの女の子と共に仕切りの向こうに消えた。

平介は腰を浮かし、舞台裏を覗いた。数人の女子が、サンドウィッチを作ったり、ジュースにするための果物を切ったりしていた。直子はペーパータオルを切り取り、コーヒーメーカーにセットする方法を、近くにいる者に教えていた。見かけの歳格好は皆と変わらないが、そんなふうにしている姿は彼女らの母親のように平介には見えた。

彼が元の席に戻ろうとした時だ。一人の若者がすぐそばに立っていた。背が高く、よく日焼けした顔は彫りが深かった。平介は最初、自分とは無関係な若者だと思い込んでいた。ところが若者は平介が座った後も、彼のそばを離れなかった。

「あのう」と若者はいった。

その声を聞いた途端、激しい胸騒ぎが平介を襲った。聞いたことのある声だった。

「杉田さんのお父さんですね」

「そうですが」平介の声はかすれた。血が逆流するのがわかる。身体が熱くなる。

「先日は失礼しました。テニス部の相馬です」そういって若者は立ったまま頭を下げた。

「ああ……」平介は咄嗟に言葉が出なかった。何かいおうとして、周りの視線に気づいた。何人かが二人を見ていた。

とにかく、と平介はいった。「とにかく座ったらどうだい」

はい、といって相馬は平介の向かい側に座った。

平介は困惑し、厨房のほうを見た。すると直子と目が合った。彼女は仕切りから顔を覗かせていたのだ。驚きの表情が浮かんでいる。彼女が相馬をここに呼んだわけではないらしい。

「夜遅くに何度も電話をかけてすみませんでした。御迷惑をおかけしました」相馬はもう一度頭を下げた。

「藻奈美から何かいわれたのかい」

「はい。お父さんは朝が早いから、夜遅くの電話は困るって」

「ははあ」それでここ二日間は電話がなかったのだなと合点した。

「本当にすみませんでした」

「いや、もういいよ。別に、そう怒ってるわけじゃないし」面と向かって謝られると、こういうよりほかなかった。

「それならいいんですけど」若者は安堵したようだ。

「それをいうために、わざわざここへ来たのかい」

「はい。杉田君のお父さんが来てるって、後輩の一人が教えてくれたんです」

「ふうん」

どういうことだ、と平介は思った。その後輩は、なぜそんなことを教えに行ったのだ。それではまるで公認の仲のようではないか――。

「それじゃあこれで」といって相馬は立ち上がった。「失礼します」

「あ、さよなら」

相馬は教室の後ろに向かって小さく手を上げ、何か伝えるように唇を動かすと、にっこり笑ってから出ていった。誰に笑いかけたかは見るまでもなかった。

すぐに直子が平介のところへ来た。「彼、何をいいに来たの？」小声で訊いた。

彼はありのままを話した。そして、「青春ドラマみたいだったな」と付け足した。皮肉が半分、正直な印象が半分だ。

「熱くなるタイプなのよ」

「あいつのほうは恋人気取りだったぞ」

「そんなわけないでしょ。馬鹿なこといわないで」唇を殆ど動かさずに彼女はいった。

突然チャイムが鳴った。あと十五分で文化祭は終了というアナウンスが流れた。ため息をつくような声が周りから上がった。

平介は腰を上げた。「じゃあ、帰るから」

「気をつけてね。来てくれてありがとう」

「あまり遅くならないようにな」そういって平介は教室を出た。

五時前に学校を後にしたが、真っ直ぐ家に帰る気になれなかった。彼は電車に乗り、新宿に出た。大型電器店を覗いた後は、本屋にでも寄るつもりだった。だが電器店から出てきた二人の男女を見た途端、彼の足は止まった。

高校生らしき男女だった。男は髪が長く、女は化粧をしていたが、どちらも制服と思われるものを着ていた。男のほうが女の肩を抱き、女は男の腰に手を回していた。人前であることを全く気にしていない様子で、今にも唇が触れそうなほどに顔を近づけていた。

その二人の姿に直子と相馬春樹の顔がだぶった。平介は全身に鳥肌が立つのを覚えた。

この瞬間閃いたことがあった。相馬春樹は教室を出ていく前、直子に向かって何か唇で伝えたようだが、その内容が突然理解できたのだ。

あとでね――彼はそういったのだ。間違いなかった。その唇の動きを、映画のワンシーンを見るように正確に思い出すことができた。

あと、とはどういうことだ。何があるというのだ。
平介はじっとしていられなくなった。何かに急かされるように駅に向かっていた。

俺は一体何をしているんだろうと自問し続けていた。だが平介は足を止められなかった。気がついた時、彼は高校に戻っていた。門の前に立っていた。

日はすっかり落ちている。いつもならば学校全体が静寂と闇に包まれつつある時間だ。しかし今日は違う。校庭の中に大勢の生徒たちが残っている。どこからか音楽と歌声が聞こえてくる。歌っているのは軽音楽部か。

平介は門をくぐっていた。グラウンドのほうへ行くと、キャンプファイヤーの炎が見えた。それを囲むように生徒たちがいる。立ったままだったり、座り込んでいたりで、その姿勢は様々だ。

片隅に簡単なステージが作られていた。その上で数名のバンドが演奏していた。ボーカルは女性。黒いエナメルの衣装が炎の光を反射している。大人びて見えるが、無論この学校の生徒なのだろう。

キャンプファイヤーも変わったものだなと平介は思った。フォークダンスのようなものを彼は想像していた。

見たところ一般客の姿はない。だが誰も平介のことなど気にしていない様子だった。暗いし、バンドの演奏に気持ちを集中させているからだろう。

平介は直子を探し、生徒たちの間を草木をかきわけるように移動した。女子はともかく、男子の中には平介よりも背の高い者がいくらでもいる。彼等の間に入ってしまうと周りが何も見えなかった。

バンドの歌う曲の雰囲気が変わった。それまではバラード調のものを歌っていたのだが、アップテンポの歌を歌いだした。それと同時に、生徒たちが大きな変化を見せた。座っていた者も立ち上がり、ほぼ全員が飛び跳ねながら手拍子を始めたのだ。

若者たちが一斉に動きだすと、空気が薄くなったような錯覚に襲われた。平介は喘ぎながら歩き回った。

足が何かに当たった。誰かの足に引っかかったらしい。彼は躓《つまず》き、地面に両手をついていた。仕方なく四つん這いのまま移動した。無数の足がリズムに合わせて地面を踏む。飛び散った土が彼の顔面にかかった。

ステージから遠ざかったせいか、ようやく生徒の数が少なくなってきた。キャンプファイヤーの炎が近くに見える。彼は立ち上がり、服の汚れを払った。それから顔を上げた。

その時彼の目が直子の姿を捉えた。

彼女は炎から数メートル離れたところに立っていた。彼のほうに横顔を向けていた。手拍子はしていなかったが、目はステージに向けられていた。

そして彼女の横には相馬春樹の姿があった。二人の間隔は一メートルもない。

一瞬二人が手を繋いでいるように平介には見えた。だがそれは気のせいだった。直子は身体の前で両手を重ねていた。

ほかの生徒が休むことなく身体を動かしているのに、直子と相馬だけは微動だにしなかった。この時間と空間を嚙みしめているようだった。

平介は全く動けなくなっていた。声も出せない。

キャンプファイヤーの炎が激しく燃え上がり、直子と相馬の顔を真っ赤に照らし出していた。炎がめらめらと動くたびに、二人の影も揺れた。

33

十二月に入って二度目の土曜日、杉田家に一つの荷物が届いた。大阪の日本橋《にっぽんばし》というところからだ。直子は学校に行っている。テニスの練習もあるので、夕方までは帰らない。平介は一階の和室にその段ボール箱を持ち込み、ガムテープをはがして蓋を開けた。中からはさらに二つの箱が出てきた。一つずつ開け、内容物を確認する。

一つはカセットレコーダーだ。大きさは掌《てのひら》に載る程度である。ふつうのレコーダーと違うところは音声感応式という点だ。つまり音や声が聞こえると自動的に録音が始まり、聞こえなくなるとストップする。会議や講演を録音した場合でも、空録音がなくなるわけだ。

だがもちろん平介は、そんなものを録音するためにこの装置を注文したのではない。

もう一つの箱には、マッチ箱ぐらいの大きさの部品が入っていた。電子式テレフォンピックというものである。小さなコードが出ていて、先に差し込みジャックが付いている。電話用コード、電話用二股プラグが付属品として入っていた。

平介はそれぞれの取扱説明書を見ながら、まず家の電話用モジュラープラグを探した。それはリビングボードの横の壁にあった。前に古新聞が積んであるので、まずはそれを動かさねばならなかった。そのモジュラープラグに電話機のコードが差し込まれている。彼はいったんそれを抜き、代わりに二股プラグを取り付けた。それから改めて二股の片方に、電話機のコードを差し込んだ。さらに二股のもう片方のプラグには、付属の電話用コードを差し込む。

一方カセットレコーダーには電池とテープをセットする。その上でレコーダーのマイク用ジャックに電子式テレフォンピックを接続した。そのテレフォンピックに、先程の電話用コードの一端を繋ぐ。これで完了である。

平介は電話の受話器を取り、１７７とボタンを押した。天気予報のアナウンスが始まった。

「気象庁予報部発表の十二月十日午後一時現在の気象情報をお知らせします。現在東京地方に注意報警報は出ておりません……」

音声感応式カセットレコーダーが作動しているのを確認し、彼は電話を切った。巻き戻し、再生する。今聞いたばかりのアナウンスが、そのままスピーカーから聞こえてきた。彼は納得し、テープを頭まで巻き戻した。

リビングボードを少し前にずらし、壁との隙間にレコーダーとテレフォンピックを押し込めるようにした。さらに隙間が見えないよう、古新聞を積んでおいた。古新聞を処分するのは平介の仕事だ。直子がこれをどかすことはまずない。

彼は空き箱や段ボールを片づけた。これが見つかったらお話にならない。

卑劣なことをしている、という自覚はある。だが平介はこの電話盗聴のセットを雑誌で見つけた時、注文せずにはいられなかった。大げさな言い方をすれば、これで救われる、とさえ思ったのだ。

直子が外で何をしているのか、どういう人間たちと付き合っているのか、どんな話をしているのか、気になって仕方がなかった。平介と一緒にいる時の直子は、彼がよく知るこれまでの彼女となんら変わるところがない。だがそれは彼女のほんの一面に過ぎないことが、このところ彼はわかってきた。

考えてみれば当然のことだ。彼女が平介に対して見せる顔は、彼の前でだけ通用するものなのだ。家を一歩出れば、杉田藻奈美として彼女は生きていかねばならない。

その外の顔のことを、今まで平介はあまり気にしたことがなかった。藻奈美のふりをして生きていようとも、彼女の本質は直子であり、直子は自分の妻であり続けると信じていたからだ。

その自信がぐらついている。いや、自信らしきものはすっかり消失しているといってもいい。平介は彼女を失うことを恐れていた。その可能性を感じるから怖いのだ。

盗聴セットの空き箱や段ボールを細かく切り刻み、新聞紙に包んでゴミ箱に捨てた時、家の玄関先で物音がした。郵便受けに何かが入れられる音だ。平介はすぐに玄関に向かっていた。

届けられた郵便物は三つだった。平介宛のダイレクトメールが一通、クレジットカード利用代金明細書が一通、そして残る一通が杉田藻奈美宛の封書だった。

藻奈美宛の封書の裏を見た。かつて彼女が通っていた小学校名と第五十五期生同窓会幹事という文字が並んでいた。小学校の同窓会が行われるのかもしれない。これはその案内状と思われた。

平介は部屋に戻り、三通の封書を卓袱台の上に置いた。そしてテレビをつける。

しかしすぐに藻奈美宛の封書が気になりだした。本当に単なる同窓会の案内だろうか、いや同窓会は同窓会でも、大規模なものではなく、親しい者だけが集まる程度のものかもしれない。

彼は封書に書かれた文字を見つめた。明らかに男の字だった。

同窓会という名を借りて、高校生の男子がコンパを計画したということじゃないのか、という気がしてきた。小学生時代の記憶を辿り、あるいは卒業アルバムを見るなどして、美人女子高生に変身していそうな女子に目星をつけ、片っ端からこういう手紙を出しているのではないか。いかにも色欲のことしか考えていない高校生のやりそうなことだった。

ひとたびそういう想像が働くと、平介はほかのことを考えられなくなってしまう。彼は台所に行き、薬缶で湯を沸かし始めた。

どうかしている、と自分でも思う。だが気持ちを抑えることができなかった。

薬缶の口から湯気が上がりだした。平介は封筒を持ってきて、糊付けされている部分に蒸気をあて始めた。たちまち紙が湿り始める。

十分に糊が溶けたと思われたところで、爪の先を使い、慎重に封を剝がしていった。間もなく封筒の口は完全に開いた。

中には折り畳まれた紙が二枚入っていた。どちらもB5のコピー用紙だった。一枚は地図をコピーしたもので、どこかの公民館への道順が描かれていた。もう一枚はやはり同窓会の案内状だ。ただし平介が想像したようなものではなく、五十五期生全体の同窓会だった。教師も何人か参加するようなことが書いてある。

これなら問題はなさそうだなと思い、平介は紙を封筒に戻した。そしてもう一度蒸気をあてて糊を溶かし、封印し直した。

直子に来た手紙を無断で開けるのは、これが初めてではなかった。今までに二度、今日と同じことをしていた。平日でも直子の帰りが遅い時などは、彼のほうが郵便物を取る。

最初に開けたのは直子の中学時代の友達から送られてきた手紙だ。女の子だった。内容も特に問題はない。高校が別々になってしまったけれど元気にしていますか、という程度のものだった。

その手紙にしても差出人が女の子であることは封筒を見ればわかった。だが平介はその封筒に怪しい雰囲気を感じずにはいられなかった。奇麗な封筒、女の子らしい文字。それらに作為的なものを感じた。男ではないか。あの相馬春樹からの手紙ではないか。冷静に考えればそんなことはありえないはずだったが、直子のこととなるとその冷静さを平介は欠いてしまう。

その結果、封筒を開け、中を見てしまった。そして自分の思い描いたことが全くの邪推に過ぎなかったことを確認した。自己嫌悪は感じた。だがそれよりも安堵感のほうが大きかった。

二通目を開封した時は、もっと馬鹿げていた。それは百科事典のチラシを入れたダイレクトメールだったのだ。しかし少しでも受け取り人の気を引こうと、封筒をまるで私文書のような体裁にしてあった。差出人のところには、社長の名前がまるで手書きのような字体で印刷してあった。もちろん出版社名も横に書いてはある。ところが平介は男の名前にばかり目がいき、頭に血を上らせた状態で封筒を開けた。カラー写真をふんだんに使った百科事典のチラシを見た時には、あまりの馬鹿馬鹿しさに、さすがに一人自嘲した。

そして三通目が同窓会の案内状だ。

罪悪感はある。しかし直子に関わる何らかの文書が封印されたまま置いてある状態というのは、平介にとっては耐え難いものだった。中を見て楽になるという方法を知ってしまったために、余計に我慢ができない。一種の麻薬といえた。

その中毒症状は手紙だけに留まらない。

じつは最近平介は直子の留守中に、何度か彼女の部屋に入っていた。机の引き出しの中を調べ、本棚に差してあるノート類を全部開いてみた。理由は手紙を開けるのと同じだ。彼女のことを知っておきたい一心からである。

もしかすると直子は日記を書いているんじゃないか、と思いついたのがきっかけだった。平介の頭の中には、女子学生というのは日記をよく書くものだ、という思いこみがあったのだ。そんなことを考え始めると、もうじっとしていられなくなる。ついにはあるかどうかもわからない日記を探すため、部屋に忍び込んだというわけだった。

日記は見つからなかったが、平介は直子の部屋のどこに何があるかは完全に把握するにいたっていた。アドレス帳の内容は別の紙に写し終えているし、カレンダーに書き込まれた予定なども平介の手帳に書き込み済みだ。彼女の次の生理予定日がいつかも、ナプキンをどこに買い置きしてあるかも彼は知っていた。

しかしそれでも彼の不安は一向に解消されない。彼を悩ませる最大のものは、やはり電話だった。

電話はいつも遅くとも九時半までにかかってきた。そして十時までには切られていた。かけてきているのは相馬春樹だろう。彼は遅い時間に電話したことについて謝ったが、電話すること自体は悪いとは思っていないようだった。

それに加えて気になることがある。どうやら直子のほうからも電話をしているようなのだ。毎月の電話料金を子細に観察してみて判明したことだった。

そこで彼は電話がかかってこない日には、なるべくこまめに電話機をチェックすることにした。彼女から電話をかけた場合にも、『子機使用中』のランプが点灯するはずだからだ。ところがこれまで彼は、電話がかかってきた時以外で、そのランプが点いているのを目撃したことがない。すると彼女からはかけていないということか。しかしそれでは電話料金との矛盾が解決しない。平介は自分からはめったに電話をかけないのだ。

考えられるのは、平介の留守中にかけているということだ。彼が残業で遅くなった時、休日出勤する時、床屋に出かけた時などだ。さらにもう一つ、留守ではないが平介に気づかれずに電話をかけられる時がある。彼の入浴中だ。風呂好きの彼は、最低でも三、四十分は風呂場から出てこない。その間ならば、心置きなくおしゃべりができる。

そのことに気づいて以来、彼は長風呂の習慣をやめた。身体を洗ったら、ろくに湯船に浸かりもせずに浴室から出るようになった。

しかしそれでは問題解決にはならなかった。彼を苦しめているのは彼女が電話をしていること自体ではない。彼女たちがどんな話をしているのかがわからないから、不安で胸がいっぱいになるのだ。

電話の盗聴セットを広告で見た時、これで救われると思った背景には、こうした事情があった。

平介は時計を見た。午後四時半になっていた。そろそろクラブの練習が終わる頃だ。

今日は少し寒いから『ゆきんこ』あたりか――。

札幌ラーメンの店を彼は思い浮かべた。直子の通っている高校のそばにある。彼女がよくその店に行くということを、平介は彼女の部屋のゴミ箱に捨ててあったレシートから知った。『ゆきんこ』のほかには、お好み焼きの『味ふく』、喫茶『くるる』などのレシートも見つかっている。ほかにも店はあるのだろうが、高校生相手ではレシートを出さないところのほうが多いかもしれなかった。

もし『ゆきんこ』なら、たぶん味噌チャーシューだな――。

それが直子のお気に入りメニューで、六百六十円だということも彼は知っていた。

34

湯船にゆったりと浸かり、鼻歌を一曲歌ってから外に出た。絞ったタオルで全身を拭き、浴室を出てからバスタオルでさらに念入りに髪や身体の水気を取った。ヘアトニックを付け、ドライヤーで髪を乾かしてからパジャマを着て、ようやく脱衣室を出た。和室に戻って時計を見る。約四十五分を入浴に費やしていた。

電話を見ると『子機使用中』ランプは消えていた。しかしリビングボードの裏に隠してあるレコーダーからテープを取り出すと、やはり録音が成されていた。平介が風呂から出る物音を聞いて、電話をきったのだろう。風呂場のドアを開閉する音が意外に大きいということに、彼は最近気がついた。すぐそばに階段があるので、伝声管の原理で二階にもよく聞こえるのだ。

平介はテープを持って二階に上がった。当然のことながら、直子の部屋から話し声は聞こえてこない。電話を終え、今は机に向かって勉強中なのだろう。

彼は寝室に入り、本棚に載せてあるウォークマンを手に取った。蓋を開け、テープを入れる。イヤホンを耳に突っ込み、テープを巻き戻す。

これを聞くのが毎日の楽しみの一つになっていた。盗聴を始めて一週間になる。直子が電話で誰とどういう会話をしているのか、大体わかってきた。

安心したことがある。この一週間に関していえば、相馬春樹からの電話は一度もなかった。直子のほうから彼にかけたこともない。頻繁に電話をかけてくるのは、笠原由里絵というクラスメイトだった。どうやら直子の一番の親友ということらしい。直子からかける相手も、大抵はその女子だった。

クラスメイトにかけるのならば、何も俺の入浴中を狙わなくてもいいじゃないかと平介は思ったが、すぐにそれが直子の気遣いによるものだと気づいた。平介が余計な心配をすることを、彼女は避けているのだ。

直子と笠原由里絵の会話は、部外者にとっても楽しく面白いものだった。笠原由里絵が教師や男子の悪口をいうのを直子が笑って聞いているというパターンが殆どなのだが、辛辣を極めた由里絵のけなしっぷりは見事というほかなく、聞いていて嫌な気分になるどころか、むしろ痛快という感じだった。

彼女たちの会話には学校での情報も多く含まれていた。それによって平介は、菅原という男性教諭がサディスティックなほど生徒に校則を守らせようとする反面、いくつかのクラスにいる自分のお気に入りの女子生徒には異様に馴れ馴れしくすることや、森岡という男子生徒が別の高校の女子生徒を妊娠させたという噂が流れていることなどを知った。毎年東大に何人も送り込んでいる進学校でも、内部にはいろいろと病巣を抱えているものなのだなと再認識した。

テープが頭まで戻ったので、早速再生ボタンを押した。今日はどんな話が聞けるのかとわくわくする。

(……しもし、杉田ですが)

まず直子の声がした。電話を受けたという感じだから、向こうからかかってきた電話らしい。

(あ、もしもし、俺だけど。相馬)

かっと身体が熱くなった。ついにあの男から電話がかかってきた。全くかけてこなくなったわけではなかったのだ。

（ああ、こんばんは）

（今、大丈夫かな）

（うん、平気。お父さん、お風呂に入ってるから）

（やっぱりそうなんだ。モナのいったとおりだね。すっげえ正確）

（長年の癖なんだね、きっと。本人は意識してないかもしれない）

（えっ、九時半に風呂に入ること？）

（うん。ほら、プロ野球のシーズン中は、大体九時半ぐらいまでナイター中継があるじゃない。本来は九時までのところを三十分延長しちゃってさ。いつもその中継が終わってからお風呂に入るから、その習慣が身についちゃってるんじゃないのかな）

（ふうん、そうなのか。面白いね）

そういえばそうかな、と平介は思った。たしかに風呂に入るのは、いつも九時半頃だ。直子が指摘しているように、ナイターが終わったらすぐに入るようにしている。それがプロ野球シーズンが終わった後も続いているというのは、全く意識していなかった。

そして会話を聞くかぎり、それでどうやら直子は相馬に、電話するなら九時半を過ぎた頃にしてくれといっていたようだ。

二人の話はテニス部のことに移る。ほぼ毎日クラブで会っているのならば、わざわざ電話で話すこともないだろうと思えるような内容だ。

直子が先輩の相馬に対して敬語を使っていないことも平介を苛立たせた。いつの間にそんなに親しくなったのだという思いが、胸に湧き上がる。

（ええと、ところでさ、あのこと考えてくれた？）

相馬が声の調子を落としていった。

（イブのこと？）

（うん）

（考えたけど……）

直子が口ごもる。平介はイヤホンをしていないほうの耳を塞いだ。聞き逃してはならない会話だと直感していた。イブとはクリスマスイブのことだろう。

（何か予定があるの？）

（そうじゃないんだけど）

（だったらいいじゃないか。ふだん一度もデートしてくれないんだからさ、クリスマスイブぐらいは俺の頼みをきいてくれよ）

どうやらイブにデートしようと誘っているらしい。平介の頭に血が上った。生意気な。ガキのくせに。心臓の鼓動が速くなる。

（でも毎日会ってるんだから）

そうだ。それで十分だ。平介は心の中で呟く。

（俺のこと、嫌いなわけ？）

(そういう問題じゃないよ。だから前からいってるじゃない。あまり家を空けられないんだって)

嫌いだといってやればいいじゃないか、と平介は思った。

(それはわかってるよ。モナが家のことをしなきゃならなくて大変だってことは知ってるよ。でもさあ、一日ぐらい何とかならないか。モナにだって、自分の時間を楽しむ権利があるはずだぜ)

平介は拳を握りしめていた。ガキのくせに何をいってやがる。おまえに何がわかる。

(みんな、俺たちは付き合ってると思ってるよ。時々訊かれるんだぜ。どこにデートに行くんだとか、二人で何して遊ぶんだとか。デートなんかしてないっていったら、みんな変な顔するよ。俺、そんな時結構みじめなんだぜ)

勝手にみじめになってろ――。

だから、と直子はいった。

(そういう付き合いがしたいのなら、ほかの女の子を誘ってあげてくださいと、前からいってるじゃない)

(またそれかよ。そんなふうに、あっちがだめならこっちっていうふうに、ころころ変えられると思ってんのかよ。俺だって、真剣にモナのことを考えてるんだぜ)

直子が黙り込んだ。その沈黙が平介を焦《じ》らせた。若者の言葉に、直子の心が揺れているように思われた。

（イブの予定、俺、もう立ててあるんだ。どこへ行くかとか、どこで食事するとかも、決めてある。予約しとかなきゃいけないからさ）

（困るよ……）

（俺は最後まで諦めないよ。だからモナも、もう少し考えてくれないか。前向きにさ）

（うん……）

なぜきっぱり断らないんだ、と平介は歯ぎしりする思いだった。もう電話してくるなといえば済むことじゃないか——。

（ところでさ、さっきテレビ見てたら、すっげえ変な動物が出てきてさ）

気まずいまま電話を切りたくなかったからか、相馬のほうから話題を変えた。直子も調子を合わせて相槌を打つ。そんな会話が数分続いた後、お父さんがお風呂から上がったみたい、という直子の台詞をきっかけにして電話は切られた。

クリスマスイブまでの一週間、平介は何も手につかなかった。会社にいても、仕事のことなど全く考えられなかった。幸い年末ということで、職場全体が仕事納めの雰囲気である。そうでなければ、しょっちゅう上の空になっている平介は、上司の小坂あたりから小言をくっていたかもしれなかった。

彼の頭の中を占めていることはただ一つ、直子はどうするつもりなのか、ということだった。あの夜以来、相馬春樹は電話をかけてきていない。だから二人の話し合いがどのように落ち着いたのか、彼は知らなかった。もしかしたら学校で話をしているのかもしれないが、たぶんそれはないだろうと踏んでいた。どうやらテニス部の練習中は、なかなか自由に話をできないらしいというのが、前回の電話を盗聴して感じたことだった。それを裏づけるように、直子もこの一週間、様子がおかしかった。ぼんやりしていて、話しかけても返事しないことが多い。たぶん相馬の誘いをどう処理するか、悩んでいるのだろう。

おそらく彼女の中には、以前の直子のままの部分と、十五歳の少女としての部分が、微妙に混在しているのだろうと平介は想像していた。大人の部分は現実を理解し、自分がすべきことを冷静に判断できる。ところが少女の部分は、他のふつうの少女たちと同様、極めて不安定な精神しか持ち合わせていないのだ。それが彼女を迷わせているに違いないと平介は考えていた。

そしてイブを明日に控えた十二月二十三日、相馬から電話がかかってきた。例によって二人のやりとりを、平介は寝室にあるウォークマンで聞いた。

(明日、四時に新宿紀伊國屋の前で。いいね)

相馬の声には思い詰めたような響きがあった。それが妙に圧力を感じさせる。

(ちょっと待って、あたし、やっぱり行けないよ)

(どうして？　お父さんの許可が必要なら、俺から頼んでみるよ)

(そんなことしても無駄だから)

（なんでだよ。やってみなきゃわかんないじゃないか）

（とにかく明日はだめなの）

（用事があるわけじゃないんだろ）

（用事があるの。どうしても家を空けられないの。ごめんなさい）

（嘘だ。モナは嘘をついてる。ごまかそうとしても無駄だぜ）

直子が言葉に詰まった。そんなところがまたしても平介の神経を苛立たせる。

（俺、待ってるよ。四時に紀伊國屋の前で待ってる。来たくないなら、来なくていい。だけど俺はずっと待ってるから）

（そんなこといって、困らせないでよ）

（困ってるのは俺のほうだぜ。一体モナが何を考えているのか、全然わからない。だからもう考えることはやめて、自分のしたいようにすることに決めたんだ）

（あたし、行けないから）

（それでいいよ。だけど俺は行く。四時だからな）

直子にいい返す時間を与えず、相馬は電話を切った。もしかしたらこの後直子のほうから電話をかけたかもしれないと思い、平介はテープの再生を続けたが、それ以後は何も録音されていなかった。

平介はウォークマンを片づけると、寝室を出た。少しためらってから直子の部屋をノックした。はい、という返事。心なしか沈んで聞こえる。

「入るぞ」といいながら彼はドアを開けた。

　直子は机に向かっていた。一応前にノートと参考書を置いている。だが勉強していたとは限らない。

「今日はまだ勉強が残ってるのか。下でお茶でも飲まないか」

「ああ……今はいらない。珍しいね、こんな時間にそんなことをいいだすなんて」

「そうかな。なんだか、ちょっとそういう気分になったんだ」

「電子レンジの上に、バームクーヘンが置いてある。貰い物だけど、よかったら食べて」

「ああ、じゃあそうするかな」平介は廊下に戻りかけて振り返った。「明日はイブだな」

「そうだね」直子はすでに机のほうを向いていた。

「何か予定はあるのか？」

「うん……特にはないけど」

「そうか。それなら夜はどこかへうまいものでも食いに行くか」

「明日はたぶんどこも一杯だよ。イブだし、土曜日だし」

「じゃあ寿司でもとろう。和風のクリスマスだ」そういって彼は部屋を出ようとした。

　それを直子が、「あっ、ちょっと待って」と呼び止めた。

　どうした、と彼は訊いた。

「明日、もしかしたら出かけるかもしれない」遠慮がちに直子はいった。

「どこへ行くんだ」頬がひきつるのを平介は感じた。

「友達から買い物に付き合ってくれっていわれてたの。まだはっきりとはわからないんだけど……」

「ふうん」

平介には直子の考えていることがよくわかった。たぶん彼女自身、どうすればいいのかまだ決心がつかないでいるのだ。それで万一の場合には出かけられるように、布石だけは打っておこうということだろう。

「出かけたら、帰りは遅くなるのか」

「そんなことはないと思う。すぐに……そうね、一、二時間で帰ってくるつもり」

「そうか」平介は頷いて部屋を出た。

一、二時間と聞いて、平介は少し安心した。とりあえず待ち合わせ場所に行ってみるとしても、喫茶店で話をする程度で帰ってくるつもりなのだろう。

それでもこの夜、平介はなかなか眠れなかった。直子を相馬春樹のもとへ行かせることには、重大なリスクを伴うように思えた。彼女の心の奥底に封印されている何かが、突然表面に出てくるのではないかという気がするのだ。

なかなか眠れなかった、というのは適切ではない。平介は殆ど眠らずに、クリスマスイブの朝を迎えた。

この日デートを予定しているカップルたちを祝福するように、空は朝から晴れ渡っていた。狭い庭に強い日が差すのを眺めながら、平介は直子が作った焼き飯を食べた。昼食を兼ねた遅い朝食である。夜中は眠れなかったにもかかわらず、すっかり夜が明けてからうつらうつらしてしまい、結局布団から出たのは十時過ぎだったのだ。

「今日は出来れば物置の掃除がしたいな」食後の茶を飲みながら平介はいった。「不要なものが、かなりたくさん入ってるはずだ。燃えないゴミの日は、年内あと一回だろう。今日中にまとめておいたほうがいい」

「でも物置に入ってるのは大型ゴミばかりじゃないかな。燃えないゴミの日でも、出すわけにはいかないわよ」

「それでもいいじゃないか。今片づけておけば、今度捨てる時に楽だろう」

「すぐに捨てられないものが外に出ちゃうと、みっともないじゃない。お正月だってくるし。年末だからって、そう大掃除みたいなことをしなくていいよ」直子は空になった平介の湯飲み茶碗に、急須で茶を注いだ。

「そうかな」平介は茶を啜った。彼にしても、特に今日掃除をしたいわけではない。直子を家に釘付けにしておく理由が欲しかっただけだ。

物置のことを考えていて、ふと頭に閃いたことがあった。

「あれどこへやったかな。ツリー。クリスマスツリー。藻奈美が小さかった頃に買ってやったじゃないか」

「ああ、あれ。さあ、押入の中じゃないの？」

「ここか」そういって平介は立ち上がり、押入の襖を開けた。

「何するの？　あんなもの、出さなくていいよ」

「なんでだよ。せっかくのイブなんだから出そうや」

押入の中には、段ボール箱や衣装ケース、紙袋などが、かなり乱雑に押し込められていた。平介はそれらを手前から順番に出していき、畳の上に置いていった。直子は眉をひそめたまま、彼のすることをじっと見ている。

奥から細長い段ボール箱が出てきた。蓋からぴかぴか光る紙がはみ出ている。

「見つけた」平介はその箱を開けた。樅の木の模型や、飾り付け用の部品が入っていた。

「本当にそれ、飾るの？」

「飾るんだよ。いけないか」

「別にいけなくはないけど……」

この時直子がちらりと時計に目をやるのを平介は見逃さなかった。正午を少し過ぎたところだった。

約一時間かけて平介はツリーを組み立てた。それをリビングボードの上に置いた。

「クリスマスらしくなってきたな」

「そうね」台所で洗い物をしていた直子は、ちらりと見ていった。

「なあ、ちょっと出かけないか」

平介の言葉に、彼女はぎくりとしたように背中を伸ばした。

「出かけるって、どこに？」

「買い物に行こうや。このところ新しい服を買ってないだろう。買ってやるよ。クリスマスプレゼントだ。ついでにケーキも買って帰ろう。せっかくツリーも出したんだから、本格的にそれらしくやるのもいいじゃないか」

しかし直子はすぐには返事しなかった。立ったまま、流し台の中をじっと見つめていた。やがて彼女はゆっくりと向きを変え、和室に入ってきた。

「昨日もいったけど、今日あたし、ちょっと出かけなきゃいけないの」

「だけど、まだどうなるかわからないといってたじゃないか。友達からも連絡は来てないみたいだし」

「あたしから連絡することになってるの。だから、そろそろ電話しなきゃ」

「断れよ。行けなくなったって」

「でも、あたしのことをあてにしてたみたいだから」

「買い物に付き合うっていうだけだろ。ほかの友達を誘うさ」

「だけど……とにかく電話してから」直子は和室を出ていった。二階で電話をするつもりらしい。

「ここでかけろよ」と平介はいったが、直子は階段を駆け上がっていった。声が聞こえなかったはずはなかった。

彼は電話機を見つめた。『子機使用中』のランプが点灯している。実際にどこかへ電話しているようだ。相馬の家かもしれないと平介は思った。

電話は数分で終わった。すぐに直子が下りてきた。

「やっぱりあたしに一緒に行ってほしいって。すぐに帰るから、ちょっと行ってくる」

「誰なんだ、友達って」

「由里ちゃんよ。笠原由里絵ちゃん」

「どこまで行くんだ」

「新宿。三時に待ち合わせたから」

「三時？」

「そう。だから、そろそろ支度しなきゃ」直子は再び二階に上がっていった。

平介は首を捻った。昨日の相馬からの電話では、四時に新宿紀伊國屋前だといっていた。やはり今かけた先は相馬のところで、時間をずらしたのか。

今の電話も録音はされているはずだった。平介は聞きたい衝動に駆られた。しかしレコーダーを取り出しているところを、万一直子に見られたら大変だった。

直子は二時過ぎに出かけていった。うっすらと化粧していることに、平介は気づいた。赤いセーターの上に、黒のフード付きのコートを羽織っていた。

彼女が出ていってしばらくしてから、平介はレコーダーを取り出した。そのままテープを巻き戻し、再生スイッチを押した。

（はい、笠原ですけど）

（あっ、由里ちゃん？　あたし）

（あ、藻奈美。どうしたの、こんな変な時間に）

（ちょっと頼みがあるんだけど、きいてくれる？）

（何？　なんかまずいことでもあったの？）

（まずいっていうか、これからまずくなるかもしれない）

（えっ、どういうこと）

（じつはね、あたしこれから出かけなきゃならないんだけど、由里ちゃんの買い物に付き合ったっていうことにしてほしいの）

（ははーん、アリバイか）

（ごめん。うちのお父さんが由里ちゃんに電話でたしかめることは、たぶんないと思うんだけど）

（わかった。今日はあたし、電話に出ないようにするよ。ママにも説明して、藻奈美のお父さんから電話がかかってきた場合のことを考えとく。うちのママは、そういうところ、わりと融通がきくんだ）

（ごめんね。迷惑だと思うんだけど）

（今度何かおごってくれればいいよ。それより、がんばりな）

（えっ、どういう意味？）

（とぼけなくてもいいよ。イブにアリバイ工作を頼まれりゃあ、どういう事情かはわかるって。だけど頼まれるほうのあたしはみじめだね）

（本当にごめん）

（そんなに謝らなくてもいいよ。ぐずぐずしてるとデートに遅れるよ）

（うん、じゃあね）

電話はここで切れていた。

直子は今日の外出について平介が疑いを抱くことを予想していた。それでも出かけていった。相馬春樹に会いたいからなのか、いつまでも待っているといった彼の台詞が気になったからなのかは平介にはわからない。たしかなことは、彼女の心を占める割合が、今日に関していえば、平介のことよりも相馬春樹のことのほうが大きいということだ。

平介は胡座をかき、腕組みをした。その目を時計に向けた。

不吉な思いが、彼の心を侵食していった。直子を失うのではないかという恐怖が、巨大な影が覆い被さるように彼を包んだ。

小一時間、平介はそうしていた。暖房は全く入っていなかったが、寒さを全く感じなかった。額から汗さえ流していた。

彼は立ち上がった。階段を駆け上がり、急いで寝室で着替えた。

新宿駅には三時五十分に着いた。平介は足早に紀伊國屋を目指した。まだ四時前だからといって安心はできない。二人が出会ってしまえば、その場を離れてしまうだろう。

紀伊國屋前に着いたのが三時五十五分。平介は少し離れたところから眺めた。有名書店の前は、待ち合わせをしている人が多い。特に今日は若者ばかりだ。

四角い柱のすぐそばに、見覚えのある青年が立っていた。長身に濃紺のダッフルコートがよく似合っている。手に持っている紙袋には、おそらくプレゼントが入っているのだろう。ややうつむき加減で元気がなさそうに見えるのは、相手が現れないかもしれないと思っているからか。

その青年がわずかに顔を上げた。切れ長の目が何かを捉えたようだ。彼の表情はみるみる明るくなった。

平介は青年の視線を辿った。その先には直子の姿があった。彼女はややはにかみながら彼に近づいていく。高校一年生、十五歳の表情だ。

平介は歩きだしていた。大股で、一直線に相馬春樹に近づいていった。

青年が一歩前に出た。直子は小走りになる。二人の距離は五メートルほどになった。それが四メートルになり、三メートルになった。

直子は何かいおうと口を開きかけた。「待った?」とでもいいたかったのかもしれない。しかしその言葉は発せられなかった。その前に彼女の目が平介を捉えたからだ。

時間が止まったように直子は足を止めた。全身を、顔を、そして表情を硬直させた。

平介は黙って近づいていく。やがて相馬春樹も異変に気づいた。人形の首が回るように、彼は平介のほうを向いた。

波紋が広がるように、驚きの色がゆっくりと顔に現れた。

35

こういうワンシーンを何かの映画で見たような気がしていた。もしかしたらそれは錯覚で、今この局面を、平介の中に潜む別の人格が客観視しているのかもしれなかった。周りに大勢の人間がいるはずなのに、平介の目には直子と相馬の姿しか入っていなかった。あるいは彼等二人もそうなのかもしれない。二人とも全く動かず、自分たちに向かって歩いてくる中年男の顔を凝視し続けていた。

平介は立ち止まった。三人の位置関係がほぼ正三角形になった。

「お父さん……」最初に声を発したのは直子だった。「どうして……」

いくつかの疑問を含んだ「どうして」だった。どうしてここで二人が会うことを知っていたの？　どうしてここへ来たの？

平介は彼女の質問には答えず、青年の顔を見つめた。

「相馬君……だったね」

はい、というように相馬春樹の唇は動いた。しかし声は出てこなかった。

「クリスマスイブに、うちの娘をデートに誘ってくれてありがとう」平介は軽く頭を下げた。それからまた相馬を見た。「でもね、せっかくだけど、藻奈美は君とは付き合えないんだ。デートもさせるわけにはいかない」

相馬は目を見開いた。そのままの顔を直子のほうに向けた。

平介も彼女を見た。彼女は二人の視線を交互に受けとめてから、黙って下を向いた。唇を嚙んでいた。

「そういうことだから、すまないけど藻奈美は連れて帰らせてもらうよ」

平介は直子の後ろに回り、腰のあたりを掌で軽く押した。彼女は全く抵抗しなかった。押された方向に一歩二歩と足を踏み出した。

「待ってください」相馬が呼び止めてきた。「なぜですか。なぜだめなんですか」

平介は青年のほうを振り返った。説明してあげたい気はある。だがそれはできない。いや、仮に説明したところで彼には理解できないだろう。からかわれていると思い、腹を立てるに違いなかった。

「世界が違うんだよ」仕方なく平介はいった。「私や娘が生きている世界と、君のいる世界は、全く別物なんだ。だから交わってもうまくはいかないんだ」

平介は直子の背中に手を回して歩き始めた。直子は綿菓子のように軽かった。

相馬がどんな顔で自分たちを見送っているのか、平介には全く想像がつかなかった。呆然としているか、怒っているか、それともまだ何が起きたのか把握できないでいるか。いずれにしても自分のすべきことは、一刻も早くここから立ち去ることだと思った。

直子は夢遊病者のようだった。歩くことも立ち止まることも、彼女は自分の意思ではしなかった。ただ平介と同じように動いているだけだ。それは電車に乗っている時も同様だった。一言も口をきかず、焦点のさだまらぬ目をぼんやりと斜め下に向けているだけだった。

彼女がデパートの包みを持っていることに平介が気づいたのは、二人の降りるべき駅が近づいてからだった。それが何であるか尋ねるまでもなかった。彼女がなぜ待ち合わせ時刻よりも一時間も早めに家を出たのかを平介は理解した。相馬春樹へのプレゼントを買うためだったのだ。

虚ろな表情のままの直子を連れ、平介は自宅に帰ってきた。玄関のドアを開ける時、隣の主婦の吉本和子が挨拶してきた。平介は笑顔で応じたが、直子は無表情のままで、吉本和子のほうを見もしなかった。吉本和子は怪訝そうな顔をしていた。

家に入ると、直子はのろのろと靴を脱ぎ、重い足取りで廊下を歩いた。そのまま階段に向かいかけたのは、自分の部屋に閉じこもりたかったからだろう。平介はそれを止める気はなかった。しばらくは一人にさせておくつもりだった。

ところが階段のすぐ手前で彼女は立ち止まった。それまではうなだれていたのに、突然顔を上げた。

どうした、と平介が声をかける暇もなかった。直子は持っていたバッグや紙包みをその場にほうり出し、和室に入った。部屋の中央に立つと、リビングボードを見下ろした。

平介は和室の入り口に立ち、彼女を見ていた。何をする気なのか全くわからなかった。直子はリビングボードに近づき、電話機を本体ごと摑んだ。持ち上げると、コードが壁との隙間からずるずると出てきた。彼女はリビングボードの横に積んである古新聞を乱暴にどかした。チラシの束が崩れて畳に落ちた。

彼女が何をやろうとしているのか、平介は察知した。まずいと思った。しかし身体は動かず、ぼんやりと彼女の動きを見ているだけだった。もはや今さら彼女を止めようとしたところで手遅れだということもわかっていた。

ついに直子は目的のものを見つけたようだ。リビングボードと壁の間に指を突っ込み、例のカセットレコーダーを引っ張り出してきた。

「何よ、これ……」黒い機械を手にし、直子は呟くように訊いた。それから徐々に顔を歪めていき、今度は叫んだ。「何よこれっ」

平介は答えられない。ただ立っているだけだ。

直子はレコーダーを操作した。巻き戻しボタンを押し、一旦止めてから再生ボタンを押す。スピーカーから声が聞こえてきた。

(はい、笠原ですけど)

(あっ、由里ちゃん？　あたし)

(あ、藻奈美。どうしたの、こんな変な時間に)

(ちょっと頼みがあるんだけど、きいてくれる？)

（何？　なんかまずいことでもあったの？）

（まずいっていうか、これからまずくなるかもしれない）

直子は停止ボタンを押した。その手が震えているのが平介にもわかった。

「こんなことしてたのね」声も震えていた。「いつから？」

「二週間……」喉に痰がからんだ。平介は咳払いしてからもう一度いった。「二週間ぐらい前からだ」

直子は苦渋を顔に浮かべた。

「おかしいと思った。だって今日のことをあなたが知るわけないんだもの。でもまさか、こんなことしてたなんて……」

「おまえのことが気になったからだ」

「だからって、こんなことしていいわけないでしょうっ」直子はレコーダーを畳に叩きつけた。蓋が開き、中のテープが飛び出した。「あたしにだってプライバシーってものがあるのよ。こんな……こんな卑劣なことして恥ずかしくないのっ」

「じゃあ訊くが、俺に嘘をついて男に会いに行くのは卑劣じゃないのか。悪いことじゃないのか」

「それはあなたに余計な心配をさせたくないからよ」

「いい加減なことをいうな。そんな言い方が通るなら、ばれなきゃ浮気してもいいってことになるじゃないか」

「そうじゃないのよ。あたし、今日相馬さんとデートする気なんかなかった。あなたも盗み聞きしてたなら知ってるでしょ。彼は今日、いつまでも待ってるっていったのよ。そんなことさせたくなかったから、とりあえず待ち合わせ場所まで行ってみることにしたの。プレゼントを渡したら、その場ですぐに別れるつもりだった。そうでもしないことには、彼の気が済まないと思ったからよ」

「待ちぼうけをくわせりゃよかったじゃないか。そのほうが話が早い」

「そんなことできないわよ。待ってることがわかってるのに」

「そもそもなんでそういうことになったんだ。あんな奴と親しくするからだろう。思わせぶりに色目を使ったりするから、あいつもその気になってしまうんだ。最初から相手にしなけりゃよかったんだよ」

「あたしはふつうにしてただけよ。話しかけられたら答えるし、電話がかかってきたら話すわよ。それのどこがいけなかったのよ」

「おまえはふつうにする権利なんかない」平介はいい放った。

直子が驚いたように目を開いた。呼吸の荒くなっているのが肩の揺れでわかった。

彼女の目を見つめながら平介はいった。

「いいか、おまえは俺の女房なんだぞ。姿形は藻奈美のものでも、おまえが俺の妻だっていう事実からは逃げられないんだからな。おまえは若い身体を手に入れて、もう一度人生をやり直せるような気になっているようだけど、それはあくまでも俺の許せる範囲内だってことを忘れるな」

直子は畳の上にしゃがみこんだ。ぽたぽたと涙が落ち始めた。

「忘れてないわよ」

「いや、忘れてる。忘れようとしている。俺は今でも、おまえの夫のつもりだぞ。だからおまえのことを裏切っちゃいけないと思ってる。浮気だってしてない。再婚のことだって考えてない。小学校に橋本という先生がいただろう。俺はあの人のことが少し好きだった。交際したいと思った。だけど結局、電話すらしなかった。なぜだと思う？　おまえを裏切りたくなかったからだ。俺はおまえの夫だと思ったからだ」

平介は両手を握りしめ、直子を見下ろしていた。重い沈黙が狭い和室にたちこめている。彼はごうごうという奇妙な音を聞いた。トンネルに風が吹き抜けるような音だ。それが自分の発する呼吸音だということに、しばらくしてから気づいた。

直子が立ち上がった。壊れた操り人形の糸を、ずるずると引き上げたような立ち方だった。黙ったまま、彼女は部屋を出た。家に帰ってきた時よりもさらに頼りない足取りで、階段を上がっていった。

平介は座り込んだ。虚しさが、どんよりとした雨雲のように胸に広がっていた。進むべき道が見つからず、然りとて後戻りもできないという絶望感に襲われていた。

彼はカセットレコーダーとテープを拾った。しかしそれを再びセットする気にはとてもなれなかった。リビングボードの脇に手を突っ込み、コードをプラグから外した。

どこかから奇妙な音が聞こえてきた。笛のような音だ。平介は耳をすませながら廊下に出た。

それは階段の上から聞こえてくるのだった。笛の音ではなくすすり泣く声だった。

36

年が明け、一月も半ばを過ぎていた。久しぶりにインジェクタ工場を覗いた平介は、休憩所で班長の中尾に会うなり、「平さん、痩せたんじゃないか」といわれた。

「えっ、そうかな」平介は自分の頬を触った。

「痩せたよ。なあみんな」

中尾の問いかけに、そばにいた連中も頷いた。

「顔色もあんまりよくないし、どこか悪いんじゃないか。医者に診てもらったほうがいいよ」と中尾はいった。

「別に身体の具合は悪くないんだけどな」

「それがいけないんだ。自覚症状が出たらおしまいだよ。悪いことはいわないから、医者に行きなって。もう歳なんだからさ」

「うん、まあそれはわかってるけどさ」平介は頬を撫で続けた。

痩せたかもしれないな、と彼は思った。心当たりはあった。ただし病気ではない。理由は簡単だ。最近、あまりまともに食事をとっていないのだ。

食事にありつけないわけではない。帰れば夕飯が用意されているし、休日には朝昼晩ときっちり料理が出る。ただ、食が進まなかった。直子と一緒にいると、胸が詰まって何も食べられなくなるのだ。

あのクリスマスイブ以来、直子はめったに口をきかなくなった。表情すら変えなくなった。家事をする時以外は部屋に閉じこもり、何時間でも出てこなかった。

自分の前でだけそうなのかと平介は思っていた。ところがそうでないことを最近知った。学校の担任教師から電話がかかってきて、藻奈美さんは身体の具合でも悪いのではないかと尋ねられたのだ。精気がないのは学校においても同じらしい。また彼女は、年明け早々にテニス部に退部届を出していた。

イブの出来事が余程ショックだったのだろう。平介は、自分のしたことといったことが彼女を深く傷つけたということは自覚していた。だが、ではどうすればよかったのかという問いには答えを出せずにいた。

定時のチャイムが鳴ると、彼は会社を出た。今年に入ってから、残業は極力避けるようにしていた。直子のことが心配だからだ。

家に帰り玄関のドアを開けると、彼はまず靴を見た。直子の靴が揃えて脱いであるのを確認し、とりあえずほっとした。今日も無事に帰ってはきたらしい。

いつか家を出たまま帰らなくなる日が来るのではないか、と彼は常に心配している。

彼の追ってこないところで生活すれば、彼女はふつうの十六歳の女性として生きられるからだ。恋愛もできるし、結婚もできる。まさに全く別の人生を歩めるわけだ。

彼女がまだ出ていかないのは、その決心がつかないだけかもしれなかった。住むところや生活費のことが心配なのかもしれない。もちろんすでに決心していて、あとはいつ行動に移すかを決めるだけの段階ということもありえた。明日平介が帰ってきた時には、彼女の靴は玄関にはないかもしれない。

和室には直子はいなかった。平介は階段を上がり、彼女の部屋のドアをノックした。はい、というか細い声が返ってきた。

ここでまた一つ、平介は安堵の吐息をつく。

じつは家出以上に恐れていることがあった。直子が自殺するのではないかということだった。考えてみればそれが、彼女が現在の苦しみから逃れられる、最も簡単な道だからだ。いや、簡単な道だと彼女が考える恐れがあった。

だがとりあえず今日は、その悲しい誘惑には屈しなかったようだ。

平介はドアを開けた。「ただいま」

「お帰りなさい」直子は机に向かったまま、振り返らずにいった。本を読んでいたようだ。このところ彼女は本ばかり読んでいる。

「何の本を読んでるんだ」平介は近寄りながら訊いた。

直子は答える代わりに、手元の本がよく見えるように身体を少し後ろに引いた。開いたページの左上にタイトルが印刷されている。

「『赤毛のアン』……か。面白いのかい」

「まあね。でも、別に何でもいいの」直子はいった。現実を忘れられれば、と続きそうな口調だった。「ご飯の支度、そろそろしたほうがいいわね」文庫本を閉じた。

「いや、そう急がなくてもいいけど」

ゴミ箱のそばに、紙が一枚落ちていた。折り畳まれた白い紙だ。平介はそれを拾い上げた。直子が、「あっ」と小さな声を漏らした。

開いてみると、『一年二組　スキーツアーの案内』という文字が目に飛び込んできた。ワープロで印刷されたものらしい。

「何だ、これは」平介は訊いた。

「見ればわかるでしょ。うちのクラスの子が今度の春休みにスキーツアーを計画したのよ。その参加者を募ってるわけ」

「学校行事ではないんだな」

「違うわ。だから参加しない。それでいいでしょ」直子は彼の手から紙を奪いとると、びりびりと細かく破ってからゴミ箱に捨て直した。「ご飯の支度、しなきゃ」そういって立ち上がった。

「直子」平介は彼女を呼び止めた。「俺のこと、憎んでるのか」

直子は目を伏せた。首も深く折った。

「憎むわけないじゃない」囁くようにいった。「ただ、どうしていいかわからなくて途方に暮れてるだけ」

平介は頷いた。「そうだな。俺もだよ。どうしていいか、全くわからない」

二人とも黙り込んだ。空気が急速に冷ややかさを増していくようだった。窓の外を冬の風が通過していく音がした。荒野の真ん中で、二人だけで立っているような錯覚を平介は抱いた。

平介は、ふと直子のことを思い出した。今の直子ではない。本来の肉体を持っていた頃の直子だ。よく笑い、よくしゃべる女性だった。今この家に笑いはない。

「ねえ」彼女がいった。「あれ、しようか」

平介は彼女のほうを見た。彼女はうつむき、足下を見つめていた。艶のある長い髪の間から白い首筋が覗いていた。

「あれを、か」彼は確認して訊いた。

「結局それしか解決する方法はないような気がする。心だけじゃ、どうしようもない場合もあるのよ」

「そうなのかな」

「あなたはやっぱり気乗りしない？」

「どうだろう。突然そんなふうにいわれても……。君はどうなんだ」

尋ねてから平介は自分の言葉に驚いた。君、なんていう台詞を口にしたのは、いつ以来のことだろう。

「あたしは……そうね、自分の身体に訊いてみないとわからない」直子は胸に手をあてていった。

「そうか。俺も、そうかもしれない」平介は首の後ろを掻いた。

現在の直子を一人の女として見るようになっていたのは事実だ。だからこそ相馬春樹に対して異常な嫉妬心を燃やしたりもしたのだ。しかし性行為を望むかとなると話は別だった。考えたことがない、というより、考えることを無意識に拒否し続けてきた。

「して、みるか」ついに彼はいった。

直子は何もいわず、ベッドの前まで歩いていった。そしてその縁に腰を下ろした。

「明かりを消して」と彼女はいった。

平介は壁のスイッチをオフにした。蛍光灯が消え、一瞬室内が闇に包まれた。だが窓からかすかに入る明かりのおかげで、すぐに目が慣れ始めた。

直子はベッドの上で服を脱ぎ始めていた。白い背中がほんのりと見える。その背中が羽根布団の中にもぐりこんでいく。

「いいよ」と彼女はいった。

どうすればいいだろう、と平介は考えた。とりあえず自分も服を脱ぐしかないか、と思い至った。

下着一枚になってから、彼は手探りでベッドに近づいていった。勉強用の椅子が足に触れた。

直子は顔まで布団にもぐりこんでいた。平介はその布団の端を摑み、少し持ち上げた。彼女が身体を固くする気配があった。

「あの……」彼女がいった。「ありきたりな言い方だけど、優しくしてね。忘れてるかもしれないけれど、あたし、初めてだから」

「ああ……そうだったな」

平介は少し迷ってから下着を脱いだ。彼の陰茎はまだ勃起していなかった。だが勃起しそうな予感はあった。

「ええと」彼はいった。「あれはないんだけど、どうする?」

「あれ?」

「ゴムだよ。コンドーム」

「ああ」直子は反対側を向いたままいった。「あたし、もうすぐ生理だから、大丈夫だと思う」

「あ、そうなのか」

昔よくこういう会話を交わしたなと平介は思い出した。

彼は布団の中に手を入れた。直子の肌に指先が触れた。彼女がびくりと身体を震わせた。彼はさらに深く手を入れた。掌が、彼女の右手の二の腕をとらえた。

驚くほどに滑らかな肌だった。柔らかくなければ、そして体温がなければ、磨き上げた大理石で作られた像だと思ったに違いなかった。その見事な造形に平介は感動した。

この瞬間彼の下半身に変化が起きた。瞬く間に彼の陰茎は勃起していた。

掌が汗ばみ始めた。直子がさらに身体を硬直させた。

平介は手を動かそうとした。彼女の身体の中心に近いところへ移動させようとした。ところが腕は全く動かなかった。彼の中の何かが、動かすことを強く拒否していた。

戻れ、戻れ、戻れ――誰かが叫んでいる。

時間だけが過ぎていった。闇の中で平介も直子も、完全に静止していた。

「直子」平介はいった。「やめよう」

一呼吸置いてから彼女からの返事があった。「そうね」

平介は布団から手を抜いた。目をこらしながら脱ぎ捨てた下着を拾い、足下に気をつけながら穿いた。

窓の外は相変わらず風が強かった。空き缶の転がる音が聞こえた。

37

平介の机の上に載っている電話に外線が入った。外線だとわかったのは、呼び出し音が内線とは異なるからだ。下請け工場から電話が入る予定だったので、てっきりそれだと思い彼は受話器を取り上げた。ところが交換台の女性は意外なことをいった。

「札幌のネギシ様より、杉田さんに外線です」

「あ、はい」返事してから、ネギシって誰だっけと一瞬思った。だがすぐに根岸という名字と、札幌で見たラーメン屋の看板が思い浮かんだ。

根岸文也か、と思った。

「もしもし、杉田さんですか」しかし聞こえてきたのは女性の声だった。やや年配か。

「はいそうですけど、ええと根岸さんとおっしゃいますと」

「根岸典子といいます。あの、お忘れかもしれませんが、以前息子がお会いしたそうなんですけど」

「はいはい」平介は受話器を左手に持ちかえた。「もちろん覚えてますよ。ええとあれは何年前になるかな」

「何ですか、その時に息子が大変失礼なことをしたそうで、本当に申し訳ございません。私も、最近になって聞いたものですから」

「いやあ、別に失礼だなんてことはなかったですよ。そうですか、あの時の話をお聞きになったんですか」

「ええ、それでもうびっくりしてしまって……」

「そうですか」

文也は、平介と会ったことを、母親には絶対に話さないような口ぶりだった。時間が経ったから、話そうという気になったのか。それとも単に口がすべったのか。

「あのう、それでですね、一つどうしてもお話ししておきたいことがあるんです。杉田さん、お忙しいとは思うんですけど、少しお時間をいただけないでしょうか」

「はあ、それはかまいませんけど、札幌にいらっしゃるんでしょう？」

「ええそれが、今ちょうど東京に出てきてるんです。知り合いの結婚式がありまして」

「あ、そうなんですか」

「三十分で結構なんですけど、今日か明日、何とかなりませんでしょうか。場所をいっていただければ、どちらへでも伺いますけど」

「今はどこにいらっしゃるんですか」

「東京駅のそばのホテルです」

ホテル名を根岸典子はいった。明後日の日曜日に同じホテルで披露宴が行われるのだという。本来なら明日上京してくればいいものを、一日早く来たのは、平介に連絡をとるためだったらしい。

「じゃあ、私がそちらへ行きますよ。明日の昼間はいかがですか」

「はい、それはもちろん私はかまいませんけど、それでいいんですか。私、会社のそばまで伺いますけど」

「いや、今日は仕事が何時に終わるかわかりませんし、場所がわかりやすいほうがいいですから」

「そうですか、どうもすみません」

午後一時にホテルのティーラウンジで会うという約束をして電話を切った。

今さら何だろうなと平介は思った。文也の話によれば、根岸典子にとって梶川幸広はあまり思い出したくない男のはずである。それをわざわざ自分から、一体何を話そうというのだろう。

事故の記憶は風化していないが、時間が経つにつれて、平介の心の中に占める割合というのは確実に減ってきている。またそうでないと生きてはいけない。一時はあれほどこだわった事故原因も、率直なところどうでもいいという気になっていた。梶川運転手がどんな個人的理由で異常ともいえる超過労働をしていたのかについても、別れた妻子に仕送りするためだった、ということで自分の気持ちに決着をつけていた。いろいろと不可解な点は残っていたし、梶川逸美のことも時折思い出して心配になったりもするのだが、すべて済んだことと思うようになっていた。

それに、と平介は思う。今はもっと深い悩みがいつも心を占めている。

直子には根岸典子と会うことは話さなかった。それを話せば、事故の記憶が蘇り、藻奈美の死、そして現在の状況というように連鎖反応式に思いが繋がっていくに違いないからだ。そうなればまた気まずい時間を過ごさねばならない。それは避けたかった。

土曜日は晴天だったが、風が冷たそうだった。平介はマフラーを巻いて家を出た。会社に用があるからと直子には説明した。彼女はホーム炬燵《こたつ》に入って編み物をしていた。創立記念日で学校が休みらしい。編み物は彼女の昔からの特技だ。彼女が最近家ではあまり勉強しなくなっていることに平介は気づいていた。医学部進学の話も全く出さない。無論彼は、そのことについて質問したことはない。どういう答えが返ってくるかは明白だった。

覚悟したよりも風が冷たく、歩いていると耳がちぎれそうだった。電車に乗ってから、ほっと息をついた。だが約束したホテルに行くには、東京駅から数分歩く必要があった。やっぱり別の場所にすればよかったかなと、この時だけは思った。

オープンスペースになったティーラウンジの入り口に立った時にはじめて、平介は自分が相手の顔を知らないことに気づいた。黒い服を着たギャルソンが、「お一人様ですか」と尋ねてきた。

「いや、待ち合わせをしているんだけどね」

平介がこういった時だった。すぐそばの椅子に座っていた痩せた女性が、彼のほうを見ながらおずおずと立ち上がった。薄紫色のニットの上下に、同じ色のカーディガンを羽織っている。

「あの」と女性のほうから声をかけてきた。「杉田さんでしょうか」

「そうです」平介は頷いて近づいていった。

「どうもお忙しいところ申し訳ございませんでした」彼女はぺこぺこ頭を下げた。

「いえいえ、どうぞおかけになってください」

根岸典子の前にはすでにミルクティーが運ばれていた。平介はコーヒーを注文した。

「息子さんはお元気ですか」

「ええ、まあ」

「あの時はたしか大学の三年生でしたね。すると今はもう就職しておられるのかな」

「いえ、それが去年大学院のほうに進みまして」

「へえ」平介は思わず相手の顔を見ていた。「それはすごい」

「何ですか、大学でやり残したことがあるとかで。授業料はアルバイトで何とかするとかいったものですから」

「しっかりした息子さんですね」

コーヒーが運ばれてきた。平介はブラックのままで飲んだ。

大学院生の息子がいるのだから、根岸典子の年齢は五十歳前後にはなっているはずだ。たしかによく見ると皺が多い。だがどこか垢抜けた感じがして、もっと若い印象を受ける。昔は美人だったろうと平介は想像した。

「じつは先日息子の引き出しから、偶然一枚の写真を見つけました。小さな写真です。息子が四歳の時に撮ったもので、顔の部分だけを丸く切り取ってありました」

ああ、と平介は頷いた。どういう写真か思い出した。

「私は息子に、この写真をどうしたのかと問い詰めました。息子は最初、古いアルバムから見つけたようなことをいってましたけど、嘘だということはすぐにわかりました。あの子の小さい頃の写真は、一枚も残っていないはずだからです。そのことをいうと、ようやく渋々ながら、杉田さんのことを話し始めたんです。私、それを聞いてびっくりしました。そんなことがあったなんて、全く知らなかったものですから」

「私と会ったことはおかあさんには話さない、と彼はいってましたからね」

「本当にすみませんでした。あの時私がお会いしていれば、もっと早くいろいろなことをお話しできたと思うんですけど」

「でも彼はいろいろと話してはくれましたよ。どうして父親である梶川さんを憎んでいるのかだとか……」

「ええ、でもそれはすべてではないんです。いいえ、というより」根岸典子は一度首を振ってから吐息をつき、平介を見た。「まるっきり事実とは逆なんです」

「逆？　どういうことですか」

するとと根岸典子はいったんうつむいてから、改めて顔を上げた。

「杉田さんは例の事故で、奥さんを亡くされたそうですね」

「はい」といって平介は顎を引いた。

「本当にお気の毒なことでした。あの事故の責任の半分は、私たちにもあるんです。だからもう、何とお詫びしていいかわかりません」

「梶川さんはあなたがたに仕送りをするために無理な労働をして、それが原因で事故を起こしてしまったからですか」

「ええ……あの頃私は始めたばかりの商売がなかなかうまくいかず、お金に困っていました。日々の生活費は何とかなりましたけど、息子を大学に行かせてやるだけの余裕はとてもなかったんです。そんな時、あの人が電話をかけてきました。あの人は文也の年齢をずっと数えていて、そろそろ受験だということを知って電話してきたんです。進学させるのか、そのためのお金はあるのかということを尋ねてきました。私はあの人には頼りたくなかったんですけど、ついつい苦しい事情を打ち明けてしまいました」

「すると梶川さんは自分が何とかするとおっしゃったわけですね」

「はい。それ以来、毎月十万円以上のお金を送ってくれるようになりました。私も、文也が大学に入るまでは甘えようと思いました。ところがあの子が浪人してしまったものですから、結局一年以上あの人に苦労をかけることになってしまいました。文也はなるべくお金がかからないようにと思って、国立一本に絞ったものですから……」

「そういうことでしたか。でもだからといって、事故のことであなたが謝る必要はないと思いますよ。梶川さんは贖罪のつもりで仕送りをしておられたわけでしょう？」

「贖罪……」

「ええ。昔あなたがたを捨てた罪滅ぼしのためだと。息子さんの話から想像すると、そういうことになると思うんですが」

根岸典子はゆっくりと瞼を閉じ、そして開いた。

「ですから、そこのところが逆なんです」

「どういうことですか。贖罪という言い方が大げさなら、親の責任ということでもいいですよ。息子さんの学費を実の父親が出すというのは、むしろ当然のことだと思います」

根岸典子は首を振った。

「そうじゃないんです。あの人には責任なんかないんです」

「なぜですか」

彼女は唇を舐めた。何かを躊躇《ためら》っているように見えた。やがて、ためていた息をふうーっと吐き出した。

「文也は……あの人の子供ではないからです」

「えっ」平介は目を剝き、彼女の顔を凝視した。

根岸典子は頷いた。

「じゃあどなたの子なんですか。あなたのお子さんであることはたしかなんでしょう？」

「それはたしかです。私が生んだんですから」彼女はわずかに表情を和ませた。

「すると連れ子さんなんですか。いや、でも彼はそんなことはいってなかったな」

彼、とは根岸文也のことである。

「戸籍上、文也は梶川幸広の子供ということになっています」根岸典子はいった。

「戸籍上、とわざわざおっしゃるということは、本当はそうではないということですか」

平介の問いに彼女は頷いた。

「あの人と結婚する前、私は薄野《すすきの》で水商売をしていました。その頃付き合っていた男性の子供です」

「ははあ……」元ホステスということらしい。どおりで垢抜けているはずだと平介は納得した。「妊娠した状態で、梶川さんと結婚されたわけですか」

「そこのところが微妙なんですけど」彼女はバッグから取り出したハンカチで口元を押さえた。「その男性とは、とっくの昔に別れたつもりだったんです。ところが間もなく結婚式という頃になって、突然私の前に現れました。よりを戻したい、というようなことをいいだしました。別れた女でも、ほかの男のものになると思うと、急に惜しくなったのかもしれません」

ありそうなことだと思い、平介は頷いた。

「私によりを戻す気がないことを知ると、じゃあ最後に一日だけ付き合ってくれといいだしました。それでも断ればよかったんでしょうが、一日だけ付き合えば後はもうつきまとわないといわれ、面倒だったのでいうことをきくことにしたんです」

「その時の子が文也君なのですか」

ええ、と彼女は小声でいった。

「結婚式より三週間ほど前だったと思います。幸いその男は、本当にその後私の前には現れませんでした。でも私は妊娠していたんです。それがわかった時、とても迷いました。あの男の子供かもしれないと思ったからです。夫に内緒で堕ろそうかとも思いました」

つまり梶川幸広の子供である可能性もあったということだ。

「でも喜んでいる夫を見ていると、とても堕ろす決心がつきませんでした。結局、夫の子供である可能性にかけることにしたんです」

根岸典子はいつの間にか梶川幸広のことを夫と呼んでいた。それが自然なように平介にも思えた。

「梶川さんの子でないことは、いつわかったんですか」

「文也が小学校の二年生ぐらいの時だったと思います。会社で血液検査を受けた夫が、ものすごい顔で帰ってきて、文也の血液型を訊きました。その時に、ああやっぱり違ったのかと思いました。私はA型で、文也はO型だったんです。夫は自分の血液型をよく知らなくて、検査を受けるまではB型だと思っていたようです。二人の兄弟がそうだったものですから」

「B型ではなかったんですね」

「はい。会社では、AB型だといわれたそうです。AとABからO型が生まれないことは、あの人も知っていました」

「その時にあなたも事実を知ったわけだ」

「ええ。でも正直いうと、あまり驚きませんでした。後から考えてみると、妊娠したとわかった時から、あの人の子供でないことはわかっていたような気がするんです。そのことに自分で気づかないふりをしていただけなんですね。文也が夫に全然似ていないことも、私は気づいていました」

「梶川さんには、本当のことをお話しになったんですか」

「もちろん話しました。隠し続けられることではありませんから」

「それで梶川さんは怒って家を飛び出したというわけですか」

「それが理由で家を出たのはたしかです。でも、怒って、というのは少し違います。私は一度も、あの人から責めるようなことはいわれなかったんです。私の話を聞いたあの人は、不思議なほど落ち着いて見えました。お酒を飲んで暴れることも、私に辛く当たることもありませんでした。文也にも、それまでと同じように接していました。ただ私とはあまり話をしようとはせず、家にいる時には窓の外を見て、じっと何かを考えているようでした。あの人が出ていったのは、私の話を聞いてからちょうど二週間後のことです。最小限の荷物と文也の写真を貼ったアルバムを持っていなくなりました」

「書き置きか何かは？」

「ありました」根岸典子はバッグから白い封筒を取り出した。それをテーブルに置いた。

「見てもいいんですか」

ええ、と彼女は答えた。

平介は封筒を手に取った。中には便箋が一枚入っていた。開くと、大きく走り書きがしてあった。『すまん　父親のふりはできない』

「それを見た時、涙が出ました」彼女はいった。「家を出るまでの二週間、あの人は私を責めることではなく、文也の父親としてやっていけるかどうかを考えていたんです。それを思うと、今も申し訳なさで胸が一杯になります。何年間も騙し続けていたことを、心の底から悔やみます」

平介は頷いた。自分ならどうだろうと想像した。同様のことを直子から告白されていたとしたら、まず彼女を徹底的に罵るだろうと思った。暴力をふるっていたかもしれない。

「待ってください。すると梶川さんは、自分の子供ではないとわかっていながら文也君の学費を……」

「そうなんです」根岸典子はハンカチを軽く目頭にあてた。「だからさっき、逆だといったんです。罪滅ぼしをしなければならないのは私のほうなのに、あの人は私たちを助けてくれようとしたんです」

「なぜですか。いや、それはやっぱりあなたのことを好きだったからなのかな」

平介の言葉に彼女は首を振った。

「その時あの人にはもう新しい奥さんがいたんですよ。奥さんのことを愛していると、あの人はいってました」

「じゃあなぜ……」

「あの人は私にこういったんです。今、文也に必要なのは父親だ、母親が苦しいんだから父親が何とかしなきゃしょうがないって。でもあなたは本当の父親じゃないのにと私がいうと、じゃあ文也にとって幸せなのはどっちだって訊いてきたんです」

「どっち？」

「本当の父親は俺じゃないほうが幸せなのか、やっぱり父親は俺だってことにしたほうが幸せなのか、どっちだって。私はしばらく考えてから、そりゃああなたが父親であればよかったって答えました。そうしたらあの人はいいました。そうだろう、俺もそう思うよ。だから俺はあいつの父親であり続けることにした。あいつが困ってるなら、父親として助けてやりたいんだって。昔自分と文也との間に血の繋がりがないと聞かされた時、父親の気持ちになれるかどうかということばかり考えた。自分が愛する者にとって幸せな道を選ぶという発想がなかった。あんなに文也のことが好きだったのに、俺は何という馬鹿だったのかと思う――あの人はそういって、電話の向こうで泣いていたんです」

根岸典子は背中を真っ直ぐ伸ばしていた。このことを語るには姿勢を正さねばならないと考えているかのようだった。声は震えていたが、涙はなかった。まず伝えるべきことを伝えねばならないという意志が、その表情から感じとれた。

平介は息苦しさを覚えていた。鼓動がやけに速くなっている。胸が少し痛い。

「事故のことを知った時、私はすぐにでも駆けつけたかったんですよ。せめてお線香の一本でもと思いました。ニュースなんかで、事故の原因があの人の運転ミスだといわれた時には、大声を出していいたかったです。あの人だけが悪いんじゃないんです、あの人は私たちのために無理して働いていたんですって。でも文也の手前、私は無関係のような顔をしていました。あんなに世話になっていながら、知らぬふりを決め込んだのです」

根岸典子は、ほっと息をついた。おそらくぬるくなっているだろうミルクティーを一口飲んだ。

「でも今回文也から杉田さんとのことを聞いて、いつまでも隠しておくわけにはいかないと思いました。文也には三日ほど前に、全部話しました」

「ショックを受けておられなかったですか」

「それはまあ、少し」根岸典子は微笑んだ。「でも話してよかったと思います」

「そうですか」

「杉田さんにも、すべて話しておかなければならないと思ったんです。それで、こうして伺いました。退屈だったかもしれませんけど」

「いえ、私も聞いてよかったです」

「そういっていただけると、お会いした甲斐があります」彼女はテーブルの上の封筒をバッグにしまった。「それから、じつは一つお願いがあるんですが」

「何ですか」

「息子から聞いたんですけど、あの人の奥さんが亡くなられたとか」

「ああ」梶川征子のことらしい。「そうです。もう何年も前になりますけど」

「お子さんが一人いらっしゃいましたよね。女の子」

「はい。逸美という子です」

「その子の連絡先は御存じないでしょうか。一度きちんと会って、お父さんの話をして、それから出来るかぎりの償いをしたいと思うんです」根岸典子は真摯な眼差しでいった。

「わかると思います。年賀状が来てたはずですから。後で御連絡しますよ」

「すみません、お願いいたします」彼女は名刺を取り出し、平介の前に置いた。ラーメンの『熊吉』の名が入っていた。

彼女はバッグの蓋をぱちんと閉じた。それから思い出したように、ガラス越しに庭園を見た。

「ああ、やっぱり雪に。そんな気配がしていたんです」

平介もそちらに目を向けた。白い花びらのようなものがちらちらと舞っていた。

38

ホテルを出て、東京駅に向かう長い歩道を平介は歩いた。雪はゆっくりと同じリズムで降り続けていた。

根岸典子の話が頭から離れなかった。会ったこともない梶川幸広の声が聞こえるような気がした。自分が愛する者にとって幸せな道を選ぶ——。

俺はあんたとは違うよ、梶川さん。

俺だってあんたのような立場なら、その程度の格好いいことだっていえたさ。だけど今の俺は——。

またしても息苦しさを覚えた。何かが身体の中からせりあがってくる。立っているのが辛くなり、平介はその場にしゃがみこんだ。首に巻いたマフラーが、ぱらりと落ちた。雪の粒が濡れたコンクリートの歩道に吸い込まれていく。とても積もりそうにはないが、そんなことはお構いなしに落ち続ける雪は、無邪気な子供を平介に連想させた。

「大丈夫ですか」誰かが声をかけてきた。若い男性の声だった。

平介は相手を見ないで片手を上げた。「ええ、何でもありません。すみません」

彼は立ち上がり、マフラーを巻き直した。声をかけてきたのは小柄なサラリーマン風の男性だった。ベージュのコートを着ていた。

「大丈夫ですね」と男性はもう一度尋ねてきた。

「ええ、もう、本当に。ありがとうございます」

サラリーマン風の男性はにっこり笑い、平介とは反対の方角に歩いていった。それを見送ってから、平介も歩きだした。

わかっていたことなんだ、と彼は思った。

別に誰かに答えを教えてもらうまでもない。自分がどうするべきかなんてことは、何年も前から知っていたんだ――。

家に着く頃には雪はやんでいた。あるいは元々この地域にはあまり降らなかったのかもしれない。路面がさほど濡れていなかったからだ。

玄関の鍵はかかっていなかった。直子の靴も靴脱ぎに揃えて置いてあった。しかし和室を覗いたところ、彼女の姿はなかった。それで平介はマフラーもとらずに階段を上がり、彼女の部屋をノックした。ところが返事はない。

いやな予感がした。彼はドアを開けた。

しかし室内にも彼女の姿はなかった。机の上には文庫本が開いたままになっている。トイレかなと平介は首を捻った。だがそれならばトイレの前にスリッパが置かれているはずだった。それを見た覚えはなかった。

平介は階段を下りた。やはりトイレに入っている様子はなかった。彼は和室に入り、キッチンを覗こうとした。だがその時、庭のほうで何かが動いた。

掃き出し窓の鍵があいていた。平介は庭を見下ろした。直子が隅でしゃがんでいた。彼女のすぐ前には猫がいた。薄茶色で縞模様のある猫だった。どこかの飼い猫なのか、青い首輪をはめている。首輪には小さな鈴がついていた。

直子は竹輪を手で小さくちぎり、与えているのだった。猫はうれしそうに食べていた。

平介はガラスをとんとん、と叩いた。直子が振り返った。その顔つきは最近には珍しく柔らかいものだった。ああそうだ、こいつの本来の表情はこういうものだったんだ、と平介は思った。

しかし直子がその顔を見せていたのも長い時間ではなかった。彼が立っているのを見ると、咲きかけた蕾がそのまましおれるように表情を沈ませた。

平介は掃き出し窓を開けた。竹輪を食べていた猫が、警戒するように身構えた。

「どこの猫だ」と彼は訊いた。

「知らない。この頃時々迷い込んでくるの」

平介が声を出したからか、猫は生け垣を通り抜けて出ていってしまった。食べかけの竹輪だけが枯れた芝生の上に残った。

直子はサンダルを脱ぐと、平介の脇を抜けるようにして部屋に上がった。手元に残っていた竹輪をティッシュにくるみ、卓袱台の上に置いた。

「スキーのことだけど」平介は乾いた唇を舐めていった。「行ったらどうだ」

直子は身体の動きを止めた。戸惑ったような止め方だった。平介のほうを振り返った彼女は眉間をかすかに寄せていた。「えっ？」

「スキーツアーだよ。案内が来てただろ。参加すればいいんじゃないか」

直子は不思議そうな表情をして彼の顔をしげしげと見つめた。

「どうして急にそんなことというの？」

「行けばいいと思うからだ。行きたいんだろ？」

「気まぐれでいってるの？」

「そうじゃない。本当にそう思うんだ」

直子は瞬きを何度かし、視線を斜め下に落とした。平介の真意を探っている顔だった。彼女は改めて彼を見上げた。首を振った。

「行かない」

「どうして？」

しかし彼女は答えない。能面のような顔をして、和室を出ていこうとした。その後ろ姿に平介は呼びかけた。「藻奈美」

直子の足が止まった。激しく動揺しているのが、上下する肩の動きでわかった。彼女は振り向いた。目が真っ赤に充血し始めていた。

「なぜ……」と彼女は呟いた。

平介は掃き出し窓を閉めた。彼女のほうに向き直った。

「長い間、苦しめて悪かった。今、俺がいえるのは、それだけだ」

すまなかった、と彼は立ったまま頭を下げた。

世界が止まったような気がした。すべての音が消滅したようだった。だがそれも一瞬のことだった。やがて彼の耳に様々の音が入り込んできた。車の通る音、子供の泣き声、どこかの家のステレオの音。

その中に、ひっひっとしゃっくりをするような音が混じっていた。彼は顔を上げた。直子が泣いていた。頬に幾筋もの涙の線ができていた。

「藻奈美……」と彼はもう一度呼びかけた。

彼女は両手で顔を覆い、廊下に出た。そのまま階段を駆け上がった。ばたん、と強くドアを閉める音が聞こえた。

平介は膝から崩れるように座り込んだ。胡座をかき、腕組みをした。

目の端で何かが動いた。見ると先程の猫が庭に戻っていた。芝生の上に残された竹輪の破片をおいしそうに食べていた。

どうってことはない、と平介は思った。一つの季節が終わっただけだ。

夕方部屋に閉じこもった直子は、夜になっても出てこなかった。心配になって平介は何度かドアの前まで行ってみた。そのたびにすすり泣く声が聞こえてくるので、とりあえずほっとしてドアの前から離れた。

話しかけたのは一度だけだ。ドアの外から、「晩ご飯はどうする?」と尋ねてみたのだ。「あたしはいらない」と彼女はかすれた声で返事してきた。

八時過ぎになって平介は、自分でインスタントラーメンを作り、一人で食べた。こんな時でも腹が減るという事実が、自分でも滑稽に思えた。そして、これからは料理も覚えたほうがいいなと思った。

食事の後は風呂に入り、その後は新聞を読んだりテレビを見たりして過ごした。平介は不思議に気持ちが落ち着いているのがよくわかる。

グラスに大きな氷を二つ入れ、その上にウイスキーを二センチほど注ぐと、それを持って寝室に行った。布団の上で胡座をかき、ウイスキーをちびちび飲みながら、彼はできるかぎり頭の中を空っぽにしようと努めた。今日が特別意味のある日だとは思わないようにした。それが功を奏したのか、グラスが空になる頃には、いい具合に睡魔が忍び寄っていた。彼は明かりを消し、布団にもぐりこんだ。

結局この夜、平介が直子の姿を見ることはなかった。食事はともかく、彼女がトイレにさえも行かないのは不思議だった。

彼は、昔直子とデートした時のことを思い出した。まだ結婚する前だ。昼間に待ち合わせて、夜彼女の部屋の前で別れるまで、彼女は一度もトイレに行かなかった。それがたまたまではなく、いつものことなのだ。平介は、その間に最低一度はトイレに行った。映画館のトイレだったり、レストランのトイレだったりした。もしかしたら自分が行っている間に彼女も済ませているのだろうかと思ったが、どう考えてもそれはおかしかった。ふつう一緒にトイレに入った場合、男のほうが圧倒的に早く出てくるものだからだ。

ずいぶんと親しくなってから、このことについて尋ねたことがある。彼女は少し照れくさそうにしながら答えを教えてくれた。それは単純明快だった。

「我慢してたのよ」と彼女はいったのだ。

なぜ我慢するのかという質問にも彼女は簡潔に答えた。「だって現実的すぎるでしょ」現実的すぎるとどうしていけないのかという疑問が依然として残ったが、平介はそれ以上は訊かないでおいた。たぶん彼女なりのルールがあるのだろうと思ったのだ。

闇の中で平介は瞼を閉じた。もしかしたら、とっくの昔に閉じていたのかもしれない。瞼の裏で黒い粒子が奇妙な図形を描いていた。それを見つめるうちに、ぐるりと世界が反転した。


奇妙な目覚めだった。気がつくと目の前に天井があった。いつ瞼を開いたのかもわからなかった。魂がどこかをさまよってきて、たった今、肉体に戻った——そんな感じのする目覚めだ。

平介は身体を起こし、身震いを一つした。寒い朝だということに、この時気づいた。急いでパジャマを脱ぎ、ポロシャツやセーターを被った。ズボンを穿く時には、寒い寒い、と呟いていた。

寝室を出ると、向かいのドアが半開きになっていた。平介は少しためらった後、そのドアの隙間から中を覗いた。机の前にもベッドにも、直子の姿はなかった。

平介は階段を下りていった。すると下から三段目に、直子のスリッパの片方が落ちていた。さらに廊下の途中で、もう片方が裏返しになっていた。

彼は和室を覗いた。直子がパジャマ姿で、ぼんやりと庭を見下ろしていた。

「藻奈美」と彼は呼びかけた。

彼女はゆっくりと首を回した。彼を見た。「お父さん……」

「そんな格好じゃ風邪ひくぞ」と彼はいった。いいながら、何かが違う、と直感した。

直子は指先を自分のこめかみに触れさせた。首を少し傾げる。

「お父さん、あたし、どうしちゃったんだろ」

「えっ？」

「あたし、バスに乗ってたんだよ。お母さんと長野に行くはずだったのに、どうしてここにいるのかな？」

39

自分の聞いた言葉の意味が、すぐには理解できなかった。理解はできたが、受け入れられなかったというべきかもしれない。平介は二歩三歩と彼女に近づいた。

「何だって？」

直子が急に顔を歪めた。両手で頭を押さえた。

「何だか頭が痛いよ、お父さん。どうなっちゃったんだろ。なんか病気みたいだよ」

「藻奈美……」平介は駆け寄り、彼女の両腕を摑んだ。「しっかりしろ」前後に揺すってみた。

直子はぽかんとして彼の顔を見ていたが、そのうちに眉をひそめだした。

「お父さん、なんかちょっと顔が変わったみたいだよ。細くなっちゃったね」

まさか、と平介は思った。そんなことが起こり得るのか。

彼は唾を飲み込んだ。「藻奈美」

「なあに」

「歳はいくつだ。今、何年生だ？」

「あたし？　何いってるの。五年生だよ。今度六年生」直子はさらりといった。

全身が、かっと熱くなった。心臓が激しく波打ち始めた。呼吸も荒くなってしまう。

彼は事態を理解した。戻ったのだ。藻奈美の魂が蘇ったのだ。しかしなぜ今頃——。

「藻奈美、お父さんの話をよく聞くんだ。お父さんのことはわかるな」彼女の肩を両手で摑んで彼は訊いた。

「わかるよ」

「よし。藻奈美はさっき目が覚めたんだな。目が覚めて、すぐに下りてきたんだな」

「うん、でも、何だか身体がふわふわする。まだ眠ってるみたいだ」

「わかった。じゃあとにかく、お父さんのいうとおりにするんだ。まず、そのままここに座りなさい。そうだ。ゆっくりと」

平介は彼女を座布団の上に座らせた。彼女は大きな目をくるくると動かしていた。

様々なことが彼の脳裏に襲ってきた。絶望的に渋滞した首都高速道路のようだった。

その中には、直子はどこへ行ったのか、という疑問もあった。しかしそのことを考えると余計に混乱しそうだったので、とりあえず今は思考の外に追いやった。今は目の前の問題を解決する時だ。

「いいか、藻奈美、まず自分の手を見るんだ。それから、足を見なさい」

彼女はいわれたとおりにした。両手を見つめ、次にパジャマの裾から覗く足を見た。

「何か感じないか。変だと思わないか」

「思う」

「どう変だ？」

「大きい。大きくて……爪が長い」

「そうだろう」平介は彼女の両手を摑んだ。「さっき藻奈美はバスに乗っていたといったね。じつは、あのバスが事故を起こしたんだよ。それで藻奈美は大怪我をして、長い間……本当に長い間、眠っていたんだ。その眠りから、さっき目が覚めたんだよ。だから眠っている間に身体が大きくなってしまったというわけだ」

「ええ……」彼女は目を大きく開き、自分の身体を眺めた。それから平介を見た。「何か月も眠ってたの？」

平介は首を振った。「何年もだ。正確にいうと五年……かな」

彼女は息を飲んだ。彼の手から自分の右手を外すと、顔を触った。

「植物人間みたい……だったの？」

「いや、それがちょっとややこしくて」平介は口ごもった。どのように説明すればいいかわからず、困惑した。

ところが彼女はさらに訊いてきた。「お母さんは？」

平介は激しく狼狽した。何かいわねばならず、さりとて言葉が見つからず、唇だけを無意味に動かした。

「お母さんはどうなったの？　事故に遭って、どうなったの？」彼女はさらに訊く。

そのうちに、平介が答えないことと、彼の表情から何かを感じ取ったようだ。彼女は両手で口元を覆った。「ひどいや……」そしてそのまま畳に突っ伏した。背中が激しく揺れている。嗚咽が漏れた。

「藻奈美、藻奈美、よく聞くんだ。たしかにね、お母さんはもういない。だけどね、生きてるんだよ。お母さんの魂は生きてるんだ」平介は彼女の背中に手をあてていった。

だが彼女は泣き止まなかった。魂は生きているの意味を、単なる慰めとしか聞かなかったに違いない。

「藻奈美、ちょっとおいで」平介は彼女の二の腕を摑んだ。

しかし彼女は幼児がいやいやをするように首を振った。

「藻奈美、来るんだ。お母さんに会いたくないのか」

この台詞で、ようやく彼女は泣き声がやんだ。

「でも、死んじゃったんでしょ」

「だから、身体は死んでも心は生きてるんだよ」平介は再び彼女の手を引っ張った。無理やり立たせ、廊下に出た。

彼女自身の部屋に連れていった。

「ここは藻奈美の部屋だよな」平介は訊いた。

彼女は少しおどおどしながら室内を見回し、黙って頷いた。

平介は机に近づいた。本棚から参考書を二冊抜いた。

「見てごらん。ここにあるのは高校の参考書だとか教科書だ。藻奈美は今、高校一年生なんだよ」

彼女は本を持ったまま、呆然と立ち尽くしている。おびえの色が滲んでいた。

「変だと思うだろ？　じつはね、藻奈美が眠っている間に、とても不思議なことが起きたんだ。死んだはずのお母さんの魂が、藻奈美の身体に宿ったんだよ。そうして藻奈美の代わりに、藻奈美として生活してきたんだ」

「あたしとして……」

「そうだよ」

平介は書棚に目を走らせた。写真の小さなファイルを見つけると、それを引き抜いた。中にはテニス部で撮影した写真が納められている。藻奈美の顔が大きく写っている一枚を抜き取った。

さらに彼は机の引き出しを開け、丸い鏡を取り出した。

平介は写真と鏡を彼女のほうに差し出した。「自分の顔を見てごらん。それから、この写真と見比べてみるんだ」

「何だか怖い」

「大丈夫だよ」

彼女は持っていた参考書を床に置くと、鏡と写真を受け取った。ためらいを示しながら、まずゆっくりと鏡の中を覗いた。

あっ、と彼女は声を漏らした。

「どうした？」

「あの……」彼女は鏡を見ながらいった。「わりと……美人みたい」

「そうだろう」平介は笑った。「写真を見てごらん」

彼女は写真と鏡とを見比べてから顔を上げた。「信じられない……」そう呟き、その場にしゃがみこんだ。膝を抱えて、その中に顔を埋めた。

「お母さんが、藻奈美の代わりに生きてくれているんだよ」平介は机と壁の隙間に立ててあったテニスラケットを引っ張り出した。「ものすごく勉強して、いい学校にも入ってくれた。テニス部にだって入った。お母さんは、本当に悔いが残らない青春を送っているんだ。だから――」

後ろを振り返り、彼は言葉を途切れさせた。彼女がうずくまったまま動かないからだ。

「おい、藻奈美、藻奈美」平介は彼女の身体を揺すった。

瞼を閉じたまま、彼女は顔を上げた。それからゆっくりと目を開けた。その目が彼の顔を捉えた。

「お父さん……」彼女は不思議そうに首を傾げた。「どうしたの？　あれ……」周りを見て、もう一度彼を見る。「何があったの？」

その表情と雰囲気から、平介は事態を飲み込んだ。これは直子だと思った。安堵感が広がった。もしかすると、もう戻ってこないかもしれないと思ったからだ。

「どうしたの？」彼女は再度尋ねた。

平介は答えた。「今、藻奈美が現れたんだよ」

40

今日が日曜日でよかったと思った。自分が会社に行っている間に藻奈美が蘇ったのだとしたら、収拾のつかない事態に発展したかもしれなかった。

和室で茶を飲みながら、平介は直子に事の次第を説明した。直子は話の途中から興奮し始めていた。

「すると藻奈美は死んではいなかったということなのね。何かの原因で、ずっと意識が眠ったままだったということね」

「たぶんそうだと思う」

「ああ……」直子は胸の前で手を合わせた。「信じられない。信じられないぐらい嬉しい。こんな素晴らしいことがあるなんて」

「でもまた消えてしまったんだよ」

「一度現れたんだから、またきっと出てくるわよ。大丈夫。きっと大丈夫」直子は力強くいった。その表情は、昨日までとは大違いだった。

「ただ事情を説明するのが大変だよ。一応、一番大事なことは話したんだけど……」

「この状況をすぐに理解しろといっても無理でしょうね」直子は少し考えるように黙ってから顔を上げた。「やっぱり、あたしから説明するのが一番いいと思う。あの子のことを一番よくわかっているのはあたしだから」

「だけどそれは無理だろう」平介はいった。「藻奈美が出てきた時は、直子はいないわけだし」

「だから手紙を書くのよ。藻奈美が出てきたら、その手紙を読ませてくれればいいの」

「ああ、なるほど」

「早速書いてみる。そうしてなるべくその手紙は、肌身離さず持っているようにしたほうがいいわね。いつ藻奈美に戻るかわからないから」

「なあ、もし俺がそばにいない時に藻奈美が出てきちゃったらどうする？　たとえば学校にいる時とかさ」

いくら直子からの手紙を持っていようとも、今度目覚めた藻奈美にはそのことはわからない。おそらくひどいパニックに陥るだろうと予想された。

「そうなったらそうなったで仕方がないんじゃないかな」直子はいった。「だって、どうすることもできないでしょ。お父さん、会社にも行かないで、ずっとあたしのそばにいてくれる？」

「それはちょっと無理だな」平介は自分の額を掻いた。

「でしょう？　まあもしそんなふうになったら、後から周りの人たちに、娘はノイローゼ気味だったとでもいって回るしかないわね」

「そいつは気が重いな」平介は渋面をつくった。「何とかそういうことにはならないことを祈るしかないか」

「あたしは、たぶんその心配はないんじゃないかと思うんだけど」

「どうして？」

「あたしが眠らないかぎりは大丈夫だと思うのよ。眠って、目覚めた時に、藻奈美に戻る可能性があるんじゃないかしら。今回、そうだったわけでしょう？」

「なるほど。そうかもしれないな」

「授業中に居眠りとかしないように気をつけなきゃね」

「全くだ」平介は直子と顔を見合わせて笑った。こんなふうにできるのは何か月ぶりだろうと思った。

直子が真顔に戻った。掌の中で湯飲み茶碗を弄びながら、「だけど、何だか変な感じ」

といった。

「そうかい」

「だって、藻奈美の身体をあたしとあの子とで共有しているわけだもの。交替で使っているというか」

「ああ……」平介は頷いた。「そういうことになるんだな」

「本当は」直子は平介の目を真っ直ぐに見つめてきた。「あたしはもう消えなきゃいけないのよね。きっと」

平介は目をそらした。

「つまんないこというなよ」そして茶碗の底に少しだけ残っていた茶を飲み干した。

夜はささやかなパーティをすることになった。直子は鶏の唐揚げとハンバーグを作り、平介は近所のケーキ屋に行って極上のショートケーキを買ってきた。いずれも藻奈美の好きなものだった。

お帰りなさい、藻奈美、といって二人はワインで乾杯した。

藻奈美の意識は、しばらく現れなかった。平介は会社から帰り、最初に彼女の顔を見る時、いつもどちらかなと思うのだが、彼女の答えはいつも同じだった。

「残念でした。まだあたしよ」

一時は自殺するのではないかと心配になるほど落ち込んでいた直子も、すっかり明るくなっていた。その原因が、藻奈美が蘇ったという話を聞いたからなのか、平介が父親に徹するという態度を示したからなのかは、彼にはわからなかった。無論、どちらでもよかった。直子の楽しそうな顔を見ていると、万一このまま藻奈美が現れなくても構わないかなとさえ平介は思った。

しかし直子は藻奈美が再び現れると信じ込んでいる様子だった。彼女によると、娘宛の手紙を着々と書き進めているらしい。

「もしお父さんがいる時に藻奈美が現れたなら、靴下の中をみるようにいってね」

「靴下の中？」

「そこにメモを隠しておくことにしたの。そのメモには、彼女宛の手紙を置いた場所が書いてあるのよ」

平介は了解した。分厚い手紙を常に身に着けておくのは難しいからだろう。

こんなふうにして六日が過ぎた。そして日曜日がやってきた。

平介としては何となく予感があった。だから朝起きると、パジャマの上にカーディガンを羽織った格好で、彼女の部屋をノックした。返事はなかった。

平介はそっとドアを開けてみた。彼女はベッドの上で座っていた。背中を向けていた。

「あの……」と彼は声をかけた。

彼女はぴんと背中を伸ばし、それから彼のほうを振り返った。どこか虚ろな表情だ。藻奈美のほうだ、と彼は直感した。

「気分はどうだ？」

彼女は自分の掌を見つめてから、頭痛をこらえるように額に手をあてた。

「あたし、またすごく眠っちゃったみたい」

「なあに」といって平介は部屋に入った。「今度は大して長くはないさ。ほんの一週間ほどだ」

「その間、ずっと寝てたの？」

「いや、だからそうじゃなくて、前にもいっただろ、お母さんが藻奈美の身体に宿っているんだよ」

藻奈美はまだ事態が把握できない顔をしていた。首を傾げ、「鏡、見せて」といった。

平介は引き出しから鏡を出し、彼女に渡した。彼女はそれをこわごわといった感じで覗き込んだ。

「やっぱり、夢じゃなかったんだ。あたしが大きくなっちゃってるってこと」

「この前目を覚ました時にお父さんがいろいろと話してあげたこと、覚えてるんだね」

彼女は頷いて、「夢だと思ってた」といった。

「夢じゃないんだよ。ああ、そうだ。お母さんから言付けがある」

「えっ、お母さんから？」

「今度藻奈美が目を覚ましたら、靴下の中を見るようにいってくれといわれてたんだ」

「靴下？」彼女は自分の周囲を見回した。ベッドの縁に白いソックスが掛けてある。それを手にとり、その中を覗き込んだ。何かを見つけたらしく、指を突っ込む。「こんなのが入ってた」折り畳まれた紙を取り出した。

「お母さんからのメッセージだ」と平介はいった。

藻奈美はその紙を広げた。中を見てから平介のほうに差し出した。彼はそれを受け取った。『本棚の一番下　右端のノート　一人で読むこと』と書いてあった。

平介は藻奈美の顔を見て、それから本棚に視線を移した。彼女も同じように目を動かしていた。

彼女はベッドから下り、本棚の前でしゃがみこんだ。指示されたところから一冊のノートを抜いた。「あった……」といって、表紙を平介のほうに向けた。猫のイラストが描かれたノートだった。ピンク色のサインペンで、『モナミへ』と小さく書いてある。直子の字だ。

「一人で読めって書いてあるな」平介はいった。

彼女は黙って頷いた。

「じゃあお父さんは下に行ってるから。何かあったら呼びなさい」

彼は部屋を出て、ドアを閉めた。

下で待っている間、平介は気が気でなかった。直子は藻奈美にどんな手紙を書いたのだろう。藻奈美はそれをどんな思いで受けとめるのだろう。どういう事態になっても、うろたえず対処できるよう、彼は心の準備をしていた。

ところがそれから二時間以上、何の反応もなかった。それで平介が心配になり、様子を見に行こうかと腰を浮かしかけた時、二階でドアの開く音がした。

こつ、こつ、こつ、と雨垂れが落ちるように彼女は階段を下りてきた。部屋に入ってきた彼女は目の焦点がうまく定まっていなかった。

「大丈夫かい?」と平介は声をかけた。

うん、といって彼女はぺたんと座った。しばらく畳の表面を見つめていた。

「いろんなこと、あったんだね」ぽつりと彼女がいった。

「うん、何しろ五年だからな。五年間のこと、全部書いてあったのか」

「ううん。とても一度には書ききれないからって、大体のことだけ。それでも読むのが大変だった」

「そうだろうな」書くのはもっと大変だったろうと平介は想像した。

「何だか不思議。知らないうちに中学生になって、その中学も卒業して高校生になってたなんて」

「お母さんは二度も受験したんだよ」

「そうだってね。びっくりしちゃった」

「藻奈美として生きる以上、後悔するようなことはしたくないといってね」

「ふうん……」彼女の瞼が急に半分閉じた。頭が揺れ始める。「なんだか眠くなってきちゃった」

「眠るかい」

「うん、とっても眠い。ねえ、あたしが眠ったら、またお母さんが出てくるのかな」

「そうだよ」

「じゃあ、よろしくいっといてね。ありがとうって……」藻奈美は瞼を閉じながら、畳の上に横たわっていった。すぐに寝息をたて始めた。

このままでは風邪をひくと思い、平介は彼女を二階に連れていこうとした。それで抱き上げようと肩と足の下に腕を入れた時、彼女はぱっと目を開けた。

あっ、と彼女は声を発していた。平介も一緒に、あっ、といっていた。

彼女はきょろきょろとあたりを見回してから平介を見上げた。「藻奈美が現れたの？」

「うん。今、眠った。代わりに直子が出てきた」

「あ、ごめんなさい、あたしのほうが出てきて」

「いや、それはいいんだけど」平介は彼女から離れ、座り直した。「あのノート、読んだそうだ」

「何といってた」

「驚いてたよ。それから感謝してた」

「感謝？」

「うん」平介は藻奈美とのやりとりを直子に話した。

直子は何度も目を瞬《またた》いた。「早く続きを書いてあげないとね。あの子がまだ知らないことは山のようにあるから」

「あまり変なことは書くなよ」

彼が何のことをいったのかは彼女にもわかったようだ。白い歯を見せて苦笑した。

「大丈夫、書かないわよ」

「それならいいんだ」

「ねえ、お父さん」直子はいった。「藻奈美が戻ってきてくれて、嬉しいわよね」

「嬉しいよ、もちろん」と彼は答えた。「夢みたいだよ」

「そうよね。あたしもすごく嬉しい」そういって彼女は庭に目を向けた。また猫でもいるのかなと思って平介もそちらを見たが、何もいなかった。長く伸びた雑草が風に揺れているだけだった。

41

奇妙な家族生活、というべきかもしれない。傍からは、杉田家には何の変化もないように見えているに違いなかった。事故で妻を亡くした中年男と娘が、それなりに仲良く暮らしていると誰もが思っているだろう。だがこの家は三人家族だった。そうとしか表現できない生活を、彼等は送っていた。

三月に入っていた。藻奈美が突然平介たちの元に戻ってきた日から、ちょうど一か月が経っている。

「明日の朝、たぶん藻奈美が出てくると思う」夕食の最中に直子がいった。顔が少し緊張していた。

「たしかなのか」平介は箸を止めて訊いた。

「だからたぶん、よ」

平介は頷いた。こんなふうにいった時には、必ず藻奈美が現れるのだ。直子によると、口ではいい表せない予感めいたものが、ふっと頭に浮かぶのだという。

「どうすればいい？」と彼は訊いた。

「そのまま学校に行かせて。もし平日の朝に目覚めたら、そうするように藻奈美には以前から指示してあるから、あの子もあわてないと思う」

直子と藻奈美は例のノートを使って交換日記のようなことをしているらしい。それによって藻奈美はこれまでの過去と、現在の状況をかなり細かく把握できるようになったという話だった。

「学校までの道順とか、教室の位置とか、同級生の顔と名前とか、そういうのは全部大丈夫なんだな」平介は確認した。

「一応全部教えこんである。本人も、覚えたっていってるわ」

「すると、後は授業だな」

「それも大丈夫のはずなんだけど」

「うん、それは問題ないみたいなんだな。不思議なもんだよ。この前、藻奈美が高校一年の数学を、ここで解いてた。本人も、どうしてかはわからないけれど、ちゃんと解き方はわかるし、高校でしか習わないような記号の意味なんかもわかるといってた」

「本当に不思議よねえ」直子も首を捻った。

事故から五年間の出来事を、当然のことながら藻奈美は全く知らない。ところが驚くべきことに、勉強などで身に着けた知識については、直子と同様に持っているのだった。だから藻奈美としてはついこの間まで小学五年生だったにもかかわらず、高校の問題も解けてしまうのだ。英単語など殆ど知らないはずだが、「どうして知っているのか自分でもわかんないんだけど、とにかく知ってるのよ」といいながら英語の問題を解いたりする。

これについては一応自分たちなりの答えを出していた。たぶん直子と藻奈美では脳の別の部分によって意識が生み出されている。だからお互いを別人のように感じることができるのだ。さらにその意識に関連した体験なども、別々に記憶されている。

ところが体験とは基本的に無関係な勉強による知識などは、二つの意識が共有している部分に蓄えられている。だから直子が得た知識を、藻奈美が取り出して使うこともできるというわけだ。

この仮説を平介から聞いた藻奈美は、「じゃあこれからは勉強全般はお母さんにやってもらって、あたしは遊びを担当しよう」といった。それについて直子がどんなふうにノートに書いたかは不明である。

「学校で入れ替わりが起きることはないかな」平介は訊いた。

「どうかな。このところ少しずつ藻奈美の起きている時間が長くなっているから、六時限目まではもつんじゃないかと思う。でも安全を考えて、眠ければお昼休みに眠るよう指示しておいたほうがいいわね。それまでの出来事なんかは、眠る前にきちんとノートに記録させなきゃ。突然学校内であたしにバトンタッチされても、焦っちゃうから」

「大変だな。その交換ノートが、直子と藻奈美のもう一つの脳味噌というところだな」

平介がいうと、直子は真顔で頷いた。

「本当にそうよ。コルサコフ症候群と一緒」

「何だって？」

「コルサコフ症候群。記憶力が極端に低下する症状で、直前のことも忘れちゃうの。そういう人が何とかふつうに生活を営もうとすると、メモに頼るしかないわけ。自分の行動、見聞きしたこと、何もかもすべてを片っ端からメモしていくのよ。それで何か行動に移る時には、必ずそれを見るようにするの。お風呂屋さんから出た後メモを見て、自分がちゃんとお風呂に入ったことを確認してから家に帰るの。そうしないともう一度お風呂に入っちゃうこともあるんだって。あたしと藻奈美はそういう人たちと同じということよ。でもどちらかでいる間は問題ないから、あたしたちのほうが断然楽ね」

それに、と直子は付け加えていった。「こういう苦労をするのも、そう長い間じゃないと思うし」

「どうして?」

「うん……なんだかそんな気がするだけ」

食器をトレイに載せ、彼女は台所に行った。彼女が洗い物を始めるのを、平介は複雑な思いで眺めた。

直子のいわんとしていることは平介にもわかっていた。彼女が先程漏らしたことと関係がある。

藻奈美の起きている時間が長くなっている、という話だ。それはつまり直子が起きている時間が短くなっていることを意味する。このところ藻奈美は、一度目覚めると数時間は確実に起きているのだ。それは真に父子として過ごせる時間でもあった。平介としても、嬉しくないはずはない。しかし確実に失っていくものがあることも彼は自覚していた。

どちらも失いたくない。しかしそれは虫のいい考えであるようにも思えるのだった。

藻奈美の初登校は、何の問題もなく終えられたようだった。この日平介が帰ると、直子が夕飯の支度をしながら待っていた。彼女によれば、藻奈美は眠らずに家まで帰ってきたということだった。帰ってきて、さすがに疲れが出たのか、ベッドに横になって少し眠った後、直子と入れ替わったらしい。

「授業にもついていけたし、友達との会話も自然に交わせたそうよ。とても楽しかったとノートには書いてあったわ」直子は心底嬉しそうに報告した。

それから三、四日に一度は藻奈美が登校するようになり、間もなくそのインターバルは二日に一度に増えた。春休みが間近になる頃には、ほぼ毎日藻奈美が学校へ行くようになった。ただし精神的に何らかの負担がかかるせいか、帰ると必ず眠り込んでしまうので、平介が帰宅した時に彼を待っているのは、決まって直子のほうだった。平介が藻奈美と会えるのは、朝の短い時間と土曜日の夕方、そして日曜日だけだった。

これじゃあ藻奈美がいなかった頃とあまり変わらないなと平介がぼやくと、直子は眉を少し吊り上げていった。

「あなたはそうでしょうけど、こっちはたまらないわよ。目が覚めてすることといえば、まずは夕食の準備。それが終わったら藻奈美の宿題。眠って起きたらまた夕食と宿題。その繰り返しなんだから。あの子も少しは手伝ってくれればいいのに。大体宿題はあの子がすべきものなのに」

もちろん藻奈美のほうにも言い分はある。

「あたしだってテレビとか見たいんだよね。だけど全然そういう時間がないから我慢してるんだよ。あたしなんか、目が覚めたら学校行って、家帰ったら眠って、目が覚めたらまた学校行っての繰り返しだよ。ずーっと学校ばっかりだよ。もう面倒だから学校に泊まっちゃおうかなと思うぐらい。そりゃあ宿題やらせるのは申し訳ないと思うけどさ、お母さんそんなに苦労してないと思うよ。だってあたし、すっごくきっちり授業聞いて、ばっちり頭に叩き込んでるもん。お母さんはあたしが覚えたことを、解答用紙にちょこちょこっと書くだけでいいはずだよ」

世にも不思議としかいいようのない状況だったが、平介はこんなふうにそれぞれの愚痴を聞かされるのさえ楽しかった。相手の肉体は一つしかなくとも、十分に三人家族の楽しさと暖かさを味わうことができた。

そして春休みに入って間もなく、彼女たちつまり直子と藻奈美は一つの冒険に出た。例のスキーツアーに参加したのだ。日程は三泊四日。出発日は奇しくもあの事故の日だったが、誰もそのことには触れなかった。

四日間を平介は一人で過ごした。心配ではあったが、彼女たちの特殊性が他人にばれることは全く案じていなかった。二人のチームワークについては完全に信頼していた。むしろ藻奈美一人ではなく、直子がついているというふうに彼は解釈していた。保護者が一緒だと、藻奈美もいろいろと好き勝手ができなくて不満だろうなどと想像し、一人にやにやした。スキー場から毎晩必ず電話がかかってきたが、かけているのは常に直子だった。

「あの子、無茶しすぎよ。こっちは毎晩身体のあちこちが痛くてまいっちゃう。それに、すっごく無駄遣いしてるのよ。お財布がすぐに空っぽになっちゃうんだから。今日のノートで叱らなくちゃ」

向こうだってきっと何か文句をいってくるさと、平介は内心呟いた。

42

下請け会社との打ち合わせのために千葉まで出た帰りのことだった。平介はふと思いついて、門前仲町の駅で降りた。昔ここにうまい蕎麦屋があったことを思い出したのだ。五月に入っていた。天気がよく、路面が眩しかった。蕎麦屋に行く前に富岡八幡にお参りした。ここで藻奈美の七五三をしたことも思い出した。

境内を出て、商店の並ぶ道を歩いている時、向かい側から見たことのある男が歩いてきた。五十代半ばといったところで、よく日焼けしており、しかも脂ぎった顔をしていた。白いジャケットが異様に浮いて見える。直子や藻奈美なら間違いなく「気持ち悪い」と毛嫌いするタイプだなと思った。

相手の男のほうも平介の顔を注視している。見たことがある、と考えている顔だ。やがて平介は思い出した。同時に相手も気づいたようだ。

「ああ、おたくは」と平介から声をかけた。

「やあやあやあやあ」男は握手を求めるように右手を出して近づいてきた。「久しぶりですなあ。元気でしたか」

「ええ、まあ」無理矢理握手させられながら平介は頷いた。

被害者の会で一緒だった、藤崎という男だった。印刷会社を経営していて、事故で双子の娘を亡くしていた。

「ここへはよく来るんですか」藤崎は訊いた。平介が最後に会ったのは約四年前だが、その時よりも一回り身体が大きく見えた。

「いえ、仕事の帰りなんですけど」

「なるほど。それならちょっと寄っていきませんか。うちの店はこの近くですから」

「え、ああ、そうですか。でも」

平介はためらったが、さあさあと藤崎が手招きしながら歩きだしたので、仕方なくついていくことにした。蕎麦は諦めるしかないかなと思った。

近くだといったくせに、藤崎は平介を自分の車に乗せた。新しいベンツだった。まだ新車の匂いがした。窓枠のそばに、小さな人形がぶらさがっていた。

「会社は茅場町のほうなんです。五分ほどで着きますよ」

「ええと、前は江東区だとおっしゃいませんでしたか」

「今もありますよ。でもメインのほうは三年ほど前に移したんですよ」

ベンツは地下鉄茅場町駅のそばにあるビルに入った。地下駐車場に車を止め、藤崎は先に立って歩きだした。その背中は自信にあふれていた。

ビルの一階が藤崎の事務所だった。『セーフプット』というのが社名だった。明るく垢抜けた雰囲気の事務所内には、パソコンや関連機器が整然と置かれていた。社員は数名いるようだ。

革張りのソファに平介は座らされた。

「コンピュータを使ったデザイン関係の仕事を、今は主にやっているんですよ。出力サービスなんかも、結構利用していただいてます」藤崎は足を組みながらいった。

「出力サービス？」

「たとえばパソコン上の画面をプリントしようと思った場合、ふつうのプリンターなんかを使うと、色は奇麗に出ないし細部は滲むしで、なかなか満足できるものができないんですな。そういう時、うちにフロッピーなりMO《エムオー》なりを持ってきていただければ、完璧なプリントをしてさしあげられます。そういうのが出力サービスです。出力というのは英語でアウトプットですが、アウトというのは縁起が悪いのでセーフにしたわけです」

「ははあ、それでセーフプット……」

「スギヤマさんは、どちらにお勤めでしたっけ？」ソファの背もたれに片腕を載せて藤崎は訊いてきた。スギヤマというのは自分のことらしいと平介が気づくのに、数秒かかった。訂正しようかと思ったが、面倒なのでやめた。

「ふつうのメーカーですよ」と彼は答えておいた。

「そうですか。メーカーも、これからはちょっと苦しくなるかもしれませんな」藤崎は実業家気取りの口調でいった。

その後も平介は藤崎がいくつかの仕事で成功した話をするのを、コーヒーを飲みながら聞いているだけだった。頃合を見計らい、ではもうそろそろ、と腰を上げた。

「お互いがんばりましょうね。あの谷に向かって叫んだ日のことを忘れちゃいけませんね」入り口まで平介を見送った藤崎は、彼の手をやけに強く握り、妙に力を込めていった。事故について触れたのは、この時だけだった。あの一周忌の時、谷底に向かってこの男が、「馬鹿野郎」と叫んでいたのを平介は思い出した。

ビルを出て、交差点で信号待ちをしていると、隣に一人の男が立った。小柄な、頭の禿げた男だった。この男が藤崎の事務所にいたのを平介は見ていた。

「ずいぶん長く付き合わされてましたね」男は笑顔で話しかけてきた。

「ええ、まあ」平介は苦笑した。

「あの社長、話が長いから私もいつも閉口するんです。――例の被害者の会で一緒だった方ですか？」

ええ、と平介は答えた。別れ際の藤崎の台詞を聞いていたのだろう。

「あの事故で、あの社長の運命も大きく変わりましたよ」男はそういって後ろをちらりと振り向いた。

「そうなんですか」

男は頷いた。

「借金を抱えて、印刷会社も潰れる寸前だった。そんな時にあの事故ですよ。死んだのが双子だったから、例の補償金が一億以上入ったでしょ。それで一気に息を吹き返しちやった。勢いがついて、今じゃあのとおりですよ」

「へえ……」

信号が青になった。平介は横断歩道を渡り始めた。男も一緒に歩く。

「あの社長、時々私らにもいうんですよ。どうしようもない娘二人だったけど、最後の最後で親孝行をしてくれた。女房に死なれて苦労したけど、あの歳まで育てておいて本当によかったってね。全く、聞いているほうとしても、何と答えていいやら」

地下鉄の入り口が現れた。男は通り過ぎる様子だった。では私はこれで、といって平介は階段を下りた。

目に見えるものだけが悲しみではない――今の男にそう教えてやりたかった。だが何もいわなかったのは、心の底を知られるのは藤崎の真意ではないのだろうと思ったからだ。平介の瞼に、ベンツの中で揺れていた人形が焼き付いている。

人形はかわいい女の子だった。しかも二つ全く同じものが吊してあった。

43

家の玄関を開けるとカレーの匂いがした。珍しいことだった。直子はめったにカレーを作らない。あの事故以後は、余計にそうだった。

平介は和室を通り、台所を覗いた。彼女がガスレンジの前に立ち、大きな鍋の中をかきまぜているところだった。白いエプロンをつけていた。

「あ、おかえりなさい」手を休めずに彼女はいった。

「久しぶりだなあ、カレー」平介は鼻をひくつかせた。「今作っておくと、明日の朝、藻奈美も食べられるな。喜ぶぞ、きっと」

すると彼女は拗《す》ねたような顔をし、瞬きをぱちぱちと繰り返した。それがどういう意味なのか、平介はすぐにはわからなかった。わかったのは、彼女が唇を尖らせた時だ。

「あっ」と彼は声を出した。「藻奈美……なのか」

うん、と彼女は顎を引いた。「ごめんね、お母さんじゃなくて」

「今日はまだ眠ってないのか」

「うん。なんか全然眠くなくて……。それで、このままじゃいけないと思って、あわててコンビニ行って、カレーの材料を買ってきたんだよ」

「そうだったのか。そういえばカレーは藻奈美の得意技だったな」

「カレーじゃいやだった？」

「いや、そんなことはないよ。カレー、好きだよ」

平介は二階に上がり、いつものようにスウェットの上下に着替えた。もやもやしたものが胸に溜まっている感じだ。その正体が何であるか彼は知っていた。しかしそのことを考えると余計に気持ちが重くなりそうだったので、意識から追い出そうと努力した。

テレビで歌番組を見ながら、藻奈美の作ったカレーライスを食べた。なかなかの出来映えだった。直子の作ったものと遜色がない。そういうと、藻奈美は嬉しそうな顔をした。

「料理は結構得意なんだよ。お母さんのお料理メモだってあるからばっちり」そういってVサインを出した。「でもよく考えたら、お父さんと一緒に晩御飯を食べるのは久しぶりだね。なんかちょっと変な感じ」

「いつもなら藻奈美は眠ってる時間だもんな」

「そうだね」彼女はスプーンの動きを止めた。「やっぱり、早くお母さんに出てきてほしいの？」

「いや、そんなことはないよ」平介は手を振った。それから首を傾げた。「でも、そんなことはない、とあんまり強調すると、今度はお母さんが拗ねるかもしれないな」

「そうだよ。今の台詞は聞かなかったことにするね」藻奈美は笑ってスプーンを動かし始めた。

カレーライスを食べた後も、藻奈美はテレビの前にいた。この番組、お母さんによると面白いそうなんだよねといいながら、トレンディードラマを見ていた。平介はその間に流し台でカレー皿やスプーンなどを洗ってやった。「あっ、サンキュ」と彼女はテレビの前からいった。

平介が洗い物を終えて和室に戻ると、藻奈美は卓袱台に突っ伏すような姿勢で眠っていた。テレビからはドラマのエンディングテーマが流れている。

　彼が腰を下ろした時、彼女は目を開けた。何秒間かはそのままぼんやりと視線をさまよわせた。それからゆっくりと身体を起こし、両目の瞼を指先で揉んだ。そして改めて目を開けた。

「今、何時？」と彼女は訊いた。

「九時ぐらい」

「そう。ずいぶん眠っちゃった」

「帰ってきた時、まだ藻奈美のままだったから、ちょっとびっくりした。正直いうと、心配もした」

「もうあたしが現れないんじゃないかと思って？」

「うん」

　直子は彼から目をそらした。

「眠っている状態と起きている状態の、ちょうど中間みたいな時があるの。その時にいつもは、えいって起きちゃうんだけど、今日はどういうわけか、どうしても起きられなかった。すぐに眠りの世界に引き込まれちゃうの。それで、少し遅くなったのよ」

「そういうことか」平介は曖昧に頷く。わかるような、それでいてやはりわからない話だった。

「ねえ」直子が平介のほうを向いた。「あたし、もうあなたとは会えなくなるかもしれない」

「なんでだよ」

「自分のことだから、よくわかるのよ。こうして少しずつ消えていくんだなって思う」

「やめろよ。そんなことないって」

「でもね、不思議にそう悲しくもないのよ。仕方のないことだと思う。どう考えても、今の状態はおかしいものね」

「おかしくたってかまわないじゃないか。俺は今の生活、気に入ってるよ。藻奈美だって結構面白がってる。これからもこの調子でいこうや」

「ありがとう、あたしもそんなふうにできたらいいと思うんだけど」直子は鼻をくんくんと動かした。「カレーだったのね」

「藻奈美が作ってくれた」

「そう。あの子の得意料理だものね。でも、ほかの料理だって結構できるはずよ。小さい時から手伝わせてきたから」

「本人もそういってた。お母さんの料理メモもあるからって」

「お料理メモね」直子は首を縦に振った。「今のうちに、できるかぎり書き残しておかなくちゃ」

「そういう言い方やめろよ。とにかく今はこうして一緒にいられるんだからさ」平介は少し怒った声を出した。

「そうね。ごめん」直子はにっこり笑って謝った。

この夜平介はなるべく夜更かししたかった。可能なかぎり長く直子と一緒にいたかったからだ。だが肝心の彼女が、十二時近くになるとあくびを連発するのではどうしようもなかった。「眠くって、もう気を失いそう」といって、彼女は自分の部屋に消えた。明日の朝部屋から出てくる時には、直子ではなく藻奈美になっているはずだ。

約三時間——この日直子が平介の前に現れた時間だ。

平介は風呂に入り、その後和室でウイスキーを飲んだ。一口飲むたびに喉と胃が熱くなった。そうしながら彼は涙をこらえていた。

44

意外な人物が平介の職場を訪ねてきたのは、七月に入って間もなくのことだった。九州地方では梅雨明け宣言が出されており、それを裏づけるように東京も晴天が続いていた。その暑い最中、その人物は紺色のスーツを着て、平介の会社の来客用ホールに現れたのだった。これはまた気の毒に、と平介は一目見た時にまず思った。

ホールには四人掛けの四角いテーブルがずらりと並んでいる。そのうちの一つを挟んで二人は向き合った。

「冬には母が失礼しました。お忙しいところを突然お呼び立てして申し訳なかったといっておりました」根岸文也は奇麗にセットされた頭を下げた。濃紺のスーツに七・三分けした髪形はよく似合っていた。

「いえ、貴重なお話を聞かせていただいてよかったです。いろいろなことが明らかになりましたしね」

平介の言葉に、文也は少し気まずそうな顔をした。

「何年か前には、僕が杉田さんに失礼なことをしたんでしたね。何も知らずに、追い返すようなことをしてしまいました。改めてお詫びします」

「いやいや、あの場合は仕方がなかった。あなただって何も聞かされてなかったわけだから。もうやめましょう。もう頭を下げないでください」

平介が繰り返しいうと、ようやく文也は、「はい」といって頷いた。ハンカチを取り出し、額の汗をぬぐった。

「それからこれはお伝えするよう母からいわれてきたことなんですが、梶川逸美さんと連絡がとれました」

「あっ、そうでしたか」逸美の連絡先は、平介が根岸典子に電話で教えたのだ。ただ、その後の経過は聞いていなかった。「彼女は今何を?」

「美容師の卵として修業中だそうです。独り暮らしをしているらしいんですが、生活があまり楽ではないようなので、母が援助させてもらうことにしたそうです」

「ほう……」

「例のお返しです」

「なるほど」かつては逸美の父親から密かに助けてもらっていた青年の顔を見つめ、平介は何度も頷いた。

「いやそれにしても」平介は改めて彼の格好を眺め、首を振った。「文也さんがうちの会社を受けられたとは驚きました」

「そうですか。でも元々自動車関連企業が希望でしたから」

「そういえば自動車部に入っておられましたね」

「ええ」文也は顎を引いた。

平介の会社でもすでに就職希望者たちの会社訪問が始まっている。理系の学生は各大学の推薦で訪れる者が殆どなので、何か問題がないかぎりは大抵これで内定が出ることになっていた。大学院修士課程修了予定の文也なら、まず間違いないところだろう。

「すると、単なる偶然なんですか」平介は訊いた。

「そうですね、自動車関連企業の推薦枠がほかにあまりなかったというのも事実なんですが」文也はネクタイを指で触りながらいった。「杉田さんとお会いしていなかったら、この会社は選ばなかったかもしれません」

「へええ」平介は頭に手をやった。「じゃあ責任重大だなあ。こんな変な会社だとは思わなかった、なんてことを、後でいわれちゃうかもしれない」そして照れ笑いを浮かべた。

文也によると、今日は新宿のホテルに泊まって、明日札幌に帰るつもりだということだった。それを聞いて平介は、それなら今夜はうちで一緒に夕食を食べないかと誘った。

「えっ、いいんですか。御迷惑じゃないんですか」

「迷惑と思うなら、最初から誘いませんよ。じゃ、いいですね」

「はい、では遠慮なく」文也は背筋をぴんと伸ばして答えた。

会社が終わる頃にもう一度文也のほうから電話してもらう約束をして、いったん別れた。平介は、午後五時を回るのを待って、家に電話をかけた。藻奈美はもう帰宅していた。客を連れて帰ることを告げると、電話の向こうであわてる気配がした。

「急にそんなこといわれても困っちゃうよ。お料理とか、どうすればいいの？」

「鰻でいいじゃないか。『やじろ兵衛』に電話しておいてくれ。特上だ。白焼きと肝吸いもつけるんだぞ」

「ほんとにそれでいいの？」

「うん。そのかわり、部屋の掃除はきちんとやっておけよ」

電話を切ってから、うちに客が来るなんて何年ぶりかなあと平介は考えていた。

定時過ぎに文也から電話が入った。駅前の本屋で待ち合わせることにした。

平介が本屋に行くと、彼の姿はすぐに見つかった。この季節に濃紺のスーツはよく目立つのだ。彼は東京の地図を買っているところだった。

「無事入社できれば来春からは東京暮らしですからね、今のうちに予習です」文也はそういって笑った。

「しばらくは独身寮生活だね。何か不自由なことがあれば、いつでもいってくれればいいよ」

「ありがとうございます」

「栄養不足だと思ったら、遊びに来てくれていいからね。だからこれから帰る道順を、よく覚えておくといい」

「はい、そうします」

平介は、自分の口調から敬語が消えていたことに気づいた。無意識のことだった。これからはどうしようかと少し迷い、このままの調子を通そうと決めた。そのほうが自然だと思うし、文也も特に不快には感じていない様子だったからだ。

満員電車の窮屈さは、さすがに文也には苦痛だったようだ。冷房は利いていたが、彼のこめかみから汗がひくことはなかった。駅に着いて電車から降りた時には、彼は肩で息をしていた。

「東京の人のほうが、札幌の人間より体力がありますよ。絶対に」冗談でない口調で彼はいった。

家に着くと玄関のドアを開け、奥に向かって声をかけた。「おーい、帰ったぞお」ばたばたと走る音がした。スリッパも履かずに藻奈美が出てきた。黒いTシャツの上にエプロンをつけていた。「あっ、お帰りなさい」

「ただいま。電話でいった、根岸文也さんだ。――文也さん、娘の藻奈美です」

根岸です、といって彼は頭を下げた。

藻奈美です、こんばんは、と彼女も会釈した。

その後で二人の視線が空中で絡んだ。ほんの二、三秒のことだった。平介が靴の片方を脱ぐ間のことだ。もう一方の靴を脱ぐ時には、二人はもう別々のところを見ていた。

和室に入って平介は驚いた。卓袱台の上に料理が並んでいたからだ。サラダ、唐揚げ、刺身等々。

「作ったのか」と平介は訊いた。

「うん。だって、久しぶりのお客さんだもの」そういって藻奈美は文也をちらりと見た。

「すごいですね。まだ高校生でしょ。感心しちゃうなあ」

「あまり見ないでください。よく見ると、手抜きしてるところがばれちゃうんです」藻奈美は手を振った。

「よし、早速食べよう。腹が減った。藻奈美、ビールだ」平介が指示する。

はい、と返事して彼女は台所に行った。

「あのう」文也がいった。「これ、いつもこういうふうなんですか。開いてることはないんですか」

彼が指差しているものを見て、平介は一瞬返答に困った。仏壇だった。今は開けられることはない。供養すべき対象がいないからだ。少なくとも今の平介にとっては。

「ああそれですか」平介は頭を掻いた。「前は死んだ女房の写真なんかも置いてあったんだけどね、今はなんというか、面倒臭くなっちゃって……」

「お線香をあげたいんですが、だめでしょうか」文也は平介と藻奈美の顔を交互に見た。

「いや、だめってわけじゃあ……」平介は口ごもってしまう。

すると藻奈美がビール瓶を持ったままいった。「いいんじゃないの、ねえ」

「う……うん、そうだな。構わないよ。うん。じゃあ、線香をあげてやってくれますか」

「是非そうさせてください」文也は姿勢を正していった。

久しぶりに扉を開けられた仏壇の前で、文也はずいぶん長い間手を合わせていた。線香の煙が糸のように立ち上っている。平介は文也と同様に正座して待っていた。

ようやく文也が顔を上げた。額の中の直子の写真を改めて見てから、身体を平介たちのほうに向けた。「無理をいってすみませんでした」

「いえいえ。それより、ずいぶんと長い間手を合わしておられましたね」

「ええ。何しろ詫びなきゃならないことが多すぎるものですから」文也は口元を緩めた。

「じゃあ乾杯に移りましょうか」藻奈美がビールを持って立ったままいった。「根岸さんの就職を祝って」

「よしそうしよう」平介は卓袱台の上のグラスを取り、文也の前に置いた。

「へえ、医学部。すごいなあ」文也が語尾に感嘆符をつけた。

「別にすごくないですよ。単なる希望。入れるかどうかなんか、全然わかんないし」

「いやあ、目指すというだけですごいよ。女の子がねえ。あ、こういう言い方をすると性差別になるかな。でも実際、すごいもんなあ」文也の呂律は少し怪しい。ビールをかなり飲んだからだ。

「だけど文也さんは北星工大の大学院でしょ。それもかなりすごいと思いますよ」

「そんなの全然すごくない。行きたきゃ、誰だって行ける」

「そんなことないと思うなあ。ねえ、文也さんは工学部だから当然数学は得意ですよね。ちょっとわかんない問題があるんだけど、訊いていい？」

「えー、この状態で？　どうかなあ、かなり脳がいかれちゃってるけどなあ」

「ちょっと待ってて」といって藻奈美は部屋を出ていった。

「悪いねえ、娘のおしゃべりの相手をさせちゃって」平介はいった。彼は彼等から少し離れて、ウイスキーの水割りを飲んでいた。

「そんなことないです。すごく楽しいです。でも藻奈美さん、すごいですよね。医学部なんて」彼はしきりに首を傾げた。

「母親の遺志でね」と平介はいった。

「えっ、亡くなった奥さんの？」文也は仏壇に目を走らせた。

「うん。まあ、医学部でなくてもよかったんだろうが、とにかく悔いのない人生を娘に送らせることが夢だった」

「へえ……」文也は直子の写真を見ていた。

藻奈美が下りてきて、彼の前にプリントを置いた。「この問題なんですけどお」

「えーっ、積分の証明問題かぁ」文也はアルコールで赤くなった顔をのけぞらせた。「ははあ、なるほど。これは結構難しいな。ええと、これはまずxの二乗イコールtと置いて、tをxについて微分してやるんだ――」

とろんとした目をしながらも、取り出したボールペンで答えを書き始めた。そんな青年の横顔を、藻奈美は頼もしそうに見つめていた。

根岸文也は十一時前に帰っていった。足下はふらついていたが、頭ははっきりしているようだった。藻奈美が出してきた三つの数学の問題をたちどころに解いたことからも、それは証明されていた。

「すごく真っ直ぐな人だね。どこも少しも曲がってないという感じ」彼を見送った後で藻奈美はいった。その時の彼女の目の輝きから、平介はある予感を抱いていたが、口には出さないでおいた。

汚れた食器を二人で洗った。片づけを終えた時には十二時近くになっていた。まだ二人とも風呂に入っていない。しかし申し合わせたように、和室で向き合って座った。

「疲れただろ」

「少しね」

「明日が土曜日で助かった。といっても、藻奈美は学校があるか」

「うん。でも半日だから」そういってから彼女は父親を見た。「お父さん、今夜はたぶん、お母さんは出てこないよ」

「……そうなのか」

「うん。今夜はこない」

「そうか」平介は仏壇を見た。写真の中の直子は彼を見て笑っていた。

「お父さん、あたし、頼みがあるんだけど」

「なんだ」

「明日、学校が終わってから、連れていってほしいところがあるんだけど。車で」

「ドライブか。いいよ、どこだ」藻奈美がこんなことをいったのは初めてなので、平介は少し戸惑っていた。

彼女は少し躊躇してからいった。「山下公園」

「山下公園……横浜の？」

うん、と彼女は頷いた。

冷たい風が平介の心に入りこんできた。瞬く間に彼の心は深く沈んだ。

「明日……なのか」彼は訊いた。

「うん、明日」と彼女はいった。

「わかった」彼は頷いた。「わかったよ」

藻奈美の目が充血を始めた。口元を押さえ、彼女は立ち上がった。そのまま部屋を出て、階段を駆け上がった。

平介はあぐらをかいていた。首を捻り、もう一度仏壇の写真を見た。

山下公園——直子と最初にデートした場所だ。

45

土曜日は朝から忙しかった。まずガソリンスタンドに行き、ガソリンを満タンにするついでに洗車も頼んだ。旧型で、あちこち傷のあるスプリンターも、少しだけ見られるようになった。

ガソリンスタンドの後は楽器店に行った。そこでCDを何枚か買った。女子店員は笑いをこらえるような顔をしていたが、選んだCDが中年男にはふさわしくないものだったからだろう。楽器店を出た後、近くの電器店でCDラジカセを買った。

電器店の次は散髪屋だ。

「床屋に行きたてというふうにはしないでくれよ。できるだけ自然にね」

「何ですか、今日は一体。見合いでもするんですかい」顔見知りの主人は、平介の注文に怪訝そうな顔をした。

「見合いじゃないよ。デートだ」

「えっ、本当ですか？」主人はにやにやした。どうせ嘘だろう、という表情だ。

「嘘じゃないよ。娘とデートなんだ」

「えっ、そりゃあ大変だ」主人は突然本気を出し始めた。「父親にとっちゃあ、娘とのデートってのは、一生に何度もない晴れ舞台だからねえ」

散髪屋を出た時にはちょうどいい時間になっていた。平介は車を運転し、藻奈美の学校に向かった。

高校に来るのは文化祭以来だった。キャンプファイヤーの炎が瞼に蘇る。まだ一年も経っていないのに、遠い昔の出来事のような気がした。

すでに放課になっているらしく、正門からぞろぞろと生徒たちが出てくる。平介は道路脇に車を止め、女子生徒の顔を注視した。

やがて藻奈美が二人の友達と並んで出てきた。クラクションを鳴らそうかと思ったが、彼女はすぐに気づいたようだ。友達に何かいってから、一人で駆け寄ってきた。

「車、奇麗になったね」助手席に座るなり彼女はいった。

「そうだろ」

「あっ、それに頭も奇麗」

「男の身だしなみってやつだよ」

「いいよ、わりと。お父さんっていうより、パパって感じ」

「パパか。悪くない」レバーをドライブに入れ、車を発進させた。

た。車に乗り込んできた時には軽口を叩いた藻奈美だったが、すぐに口を閉ざしてしまった。窓の外を見つめているだけだ。平介も言葉が出てこない。天気はいいというのに、空気の重いドライブになった。途中ドライブスルーのハンバーガーショップに寄った。藻奈美は黙々とチーズバーガーを食べ、コーラを飲んでいた。平介もハンドルを操作しながらハンバーガーをかじった。

山下公園のそばまで行くと、駐車場に車を止め、荷物を持って歩きだした。

「ねえ、それってちょっとダサいね」藻奈美がラジカセを指差していった。

「えっ、そうかな。新製品なんだけどな」

「それ自体はいいんだけど、それを持って山下公園を歩くというのが、かなりきついかなと……」

「じゃあ、車に置いてこようか？」

「いいよ。きっと必要なんでしょ？」

「まあね」

「なら、仕方ないもん」

晴天の土曜日ということで、公園には家族連れやカップルが大勢いた。平介は海に面して並んでいるベンチを目指して歩いた。一つだけ空いているベンチがあった。

「もう少し埠頭寄りだったんだけどな」と彼はいった。

「何が？」

「お母さんと初めてデートした時に座ったベンチだよ。もっとあっちのほうだった」

「そんなことといっても、空いてないんだから仕方ないじゃん」藻奈美はベンチに座った。平介もその隣に腰を下ろした。制服を着た女子高生とラジカセを持った中年男。傍からはどんなふうに見えるだろうと少しだけ気になった。

二人並んでしばらく海を眺めた。水面は穏やかだった。時折船が通過していく。

「お母さんから指示があったのかい？」平介は前を向いたまま訊いた。

「うん」と彼女は答えた。

「いつ？」

「昨日の朝、ノートに書いてあった」

「土曜日に、と書いてあったのか」

藻奈美が頷くのが平介の目の端に入った。

「土曜日に、お父さんに頼んで山下公園に連れていってもらってちょうだい。そうしたら……そこでって」

「そこで……何だい？」

彼女はかぶりを振った。いいたくない、という意思表示のようだった。

「そうか」平介はため息をついた。

「お父さん」藻奈美がいった。「あたし、帰ってきてもよかったのかな」

平介は彼女のほうを向いた。彼女は泣きだしそうな顔をしていた。

「当たり前じゃないか」と彼はいった。「お母さんも喜んでるんだ」

藻奈美はほっとしたように頷いた。それから突然瞼を半分閉じた。頭がふらついてきて、そのままベンチにもたれた。人形のように彼女は眠った。

平介はラジカセを持ち上げ、電源スイッチを入れた。CDはすでにセットしてある。松任谷由実の曲だ。再生ボタンを押した。

曲が流れるのとほぼ同時に彼女は目を開いた。しかし平介はすぐに話しかけたりはせず、さっき藻奈美といた時のように海を見つめた。彼女も同じ方向を見ていた。

「ユーミンのCDなんて、よく買えたわね」彼女が口を開いた。落ち着いた声だった。

「顔から火が出そうだった」

「でもがんばって買ってくれたんだ」

「直子が好きだったからな」

また少し黙って海を見た。海の表面は眩しく、見つめていると目の奥がちくちくと痛んだ。

「最後にもう一度ここへ連れてきてくれてありがとう」直子がいった。

平介は彼女のほうに身体を向けた。

「やっぱり……最後なのか」

彼女は彼から目をそらさずに頷いた。

「どんなことにも終わりはあるのよ。あの事故の日、本当は終わるはずだった。それを今日まで引き延ばしただけ」そして小声で続けた。「引き延ばせたのはあなたのおかげよ」

「もう少し何とかならないのか」

「ならないわ」彼女はかすかに笑った。「うまく説明できないけど、自分のことだからわかるの。もう、これで、直子はおしまい」

「直子……」平介は彼女の右手を握った。

「平ちゃん」彼女は呼びかけてきた。「ありがとう。さようなら。忘れないでね」

直子、ともう一度呼ぼうとした。しかし声にならなかった。

彼女の目と唇に微笑が浮かんだ。そのまま静かに彼女は瞼を閉じていった。首がゆっくりと前に折れた。

平介は彼女の手を握ったままうなだれた。だが涙は出なかった。泣いてはいけない、と誰かが耳元で囁き続けていた。

しばらくして彼の肩に手が置かれた。顔を上げると、藻奈美と目が合った。

「もう行っちゃったの？」と彼女は訊いた。

平介は黙って頷いた。

藻奈美の顔が歪んだ。彼女は彼の胸に顔を埋めてきた。わあわあと泣き出した。

娘の背中を優しく撫でながら、平介は海を見た。遠くに白い船が見えた。

ユーミンは『翳りゆく部屋』を歌っていた。

46

「泣くね。賭けてもいいよ。絶対に泣くって」義兄の富雄が自信たっぷりにいった。

「泣かないよ。そんなね、今時娘の結婚ぐらいで泣く父親はいないんだから」平介は手を振りながら反論する。

「そんなこといってる奴にかぎって泣くんだな、これが。親父さんなんか、嫁に出すわけじゃない、婿を取るってのに、披露宴で泣いてたんだから。ねえ親父さん」

「そうだったかな」三郎は頬を掻いている。すでに紋付き袴に着替えて、いつでも出られる感じだ。

富雄も礼服姿だが、平介はまだパジャマのままだった。顔を洗っただけである。

どんどんどんと階段を勢いよく上がってくる音がした。現れたのは義姉の容子だ。留袖姿である。

「あっ、平介さん、まだそんな格好で何やってるの。早く着替えなさいよ。藻奈美ちゃんはもう出かけましたからね」

「藻奈美が今出かけたんなら、まだだいぶん余裕があるでしょう。花嫁の支度には、二時間ぐらいかかるっていうじゃないですか」

「花嫁の父にだって仕事がないわけじゃないのよ。挨拶とかいろいろ」

「ないない」富雄が手を振った。「花嫁の父ってのは、ただめそめそ泣いてりゃいいんだよ」

「泣かないって、しつこいな」

「泣くよ。なあ容子、おまえ平介さんが泣かないと思うか？」富雄は妻に訊いた。

「えっ、平介さん？」容子は平介の顔を見てから、ぷっと吹き出した。「泣くに決まってるじゃない」

「何いってるんだよ、義姉さんまで」平介は顔をしかめた。

「さあさあ、馬鹿なこといってないで、あたしたちはもう出かけましょ。平介さん、遅くとも、後三十分以内には出てちょうだいね。花嫁の父が遅刻なんて話、聞いたことがありませんからね。じゃあお父さん、あなた、行くわよ」

昨日から泊まり込んでいろいろと指示していた容子は、今日もすべての仕切り役である。夫と父親を引き連れ、ばたばたと出ていった。

しんとした部屋で、平介は一人になった。少しぼんやりしてからのろのろと立ち上がり、昨日のうちからハンガーに吊してある礼服に着替え始めた。

日取りが決まってから今日まではあっという間だった。感傷に浸る暇もなかった。しかしそういうものかもしれないとも思う。何かを失う時は、いつもあっという間なのだ。

藻奈美は二十五歳になっていた。大学病院で助手をしながら脳医学を研究している。あまりに研究にばかり没頭しているので、婚期を逃すのではないかと心配したが、全くの杞憂《きゆう》に終わった。

藻奈美と直子の話をすることは、今では少なくなっている。藻奈美はあの不思議な体験について、当時とは少し違った考えをもっているようだ。学生の時、こんなふうにいったことがある。

「結局のところ、元々一種の二重人格だったんじゃないかなあと思う。事故のショックで、あたしの中にもう一つの人格が生まれてしまったのよ。しかもその人格は自分のことを母親だと思い込んでしまったわけ。過去にある憑依の例は、大抵そういうことで説明できるのよ。本人でなければ知らないことを知っていたとか、出来ないことを出来たとかいう話は、主観的なものだからあまりあてにはならないわね。小さい頃からあたしはいつもお母さんと一緒にいたから、お母さんらしく振る舞うことはさほど難しくなかったんじゃないかな。で、年月が経って精神が大人になってくるにつれ、元の人格が顔を出すようになって、もう一方のほうは消えていったというわけ。オカルトじみた憑依なんていうより、ずっとすっきりするでしょ？」

平介はあえて彼女の考えに反論はしない。黙って聞いているだけだ。それで藻奈美が納得できるのなら、彼女のためにもそのほうがいいかもしれないと思うからだ。

もちろん平介は断じて単なる二重人格などではなかったといいきれる。五年間も一緒に生活していたのだ。本物の直子かそうでないか、判断できないはずがない。

結局あの時の直子は、俺の心の中だけに生きるのだな、と平介は思っていた。

礼服のズボンのウエストがきつくなっていた。俺も太ったもんなあと腹を撫でる。ネクタイを締め終えたところでタンスの引き出しを開けた。懐中時計を取り出す。梶川幸広の形見の時計だ。今日はこれを持っていこうと前から決めていた。

ところが――。

ゼンマイを巻いても動き出す気配がなかった。耳に近づけるが何の音もしない。

彼は舌打ちをした。よりによってこんな時に。

目覚まし時計を見て、時間を確認した。頭の中で計算する。よし、だめで元々だ。行ってみよう。

平介は壊れた時計を手に、急いで家を出た。

式場は吉祥寺だ。だから荻窪からだと近い。彼は式場に行く前に、荻窪の松野時計店に寄ることにしたのだ。前に懐中時計の蓋を修理してもらった店だ。

店主の松野浩三は、平介の格好を見て、目を見開いた。

「おう、そういやあ今日は藻奈美ちゃんの結婚式だったな」浩三はいった。

「あれ、どうして知ってるんですか」

「いやなに、結婚指輪をね、うちで世話してやったものだから」

「あっ、そうだったんですか」

初耳だった。今回の結婚については、平介は何ひとつ口出ししていないし、相談されることもなかった。すべて藻奈美が勝手に決めてきたのだ。

平介は時計を浩三に見せた。ベテラン職人も、さすがに眉を寄せた。

「こいつはちょっと厄介だね。今日中というのは無理だよ」

「やっぱりそうですか。もっと早く気づけばよかったな」

「この時計を持って結婚式に出たかったわけかい？」

「ええ。じつはこの時計の持ち主の息子が、藻奈美の相手なんです」

平介の言葉に浩三は、ほう、と口を尖らせた。

「その人は亡くなってるんでね、代わりに形見をと思ったんですよ。仕方がない。壊れた状態で出席してもらおう」

「そうだね。式が終われば持ってくればいいよ。直してあげるから」

「そうします」平介は壊れた時計を受け取った。

「すると」浩三がいった。「どちらも形見で出席というわけだ」

「えっ？」平介は聞き直した。「どちらもって、どういうことですか」

すると浩三は少し顔をしかめてから、唇を舐めた。

「これねえ、藻奈美ちゃんからは口止めされてたんだけど、やっぱり話しておくよ。あんまりいい話だから」

「何ですか。気になるな」

「さっき指輪の話をしただろ。結婚指輪の話」

「ええ」

「うちに藻奈美ちゃんが注文しに来たことは事実なんだけど、その時、あるものを預かったんだよ」

「あるものって？」

「指輪だよ。ほら、あんたが今はめてる指輪の片割れだよ」

平介は自分の手元に目を落とした。薬指に、直子と結婚した時の指輪がはめられている。そういえばこの指輪も、この店で作ってもらったのだ。

「直子の指輪を？」

「うん。あれを持ってきてね、今度新しく作る指輪の新婦のほうは、この指輪を材料にして作ってほしいというんだ。お母さんの形見だからといってね」

「あの指輪を……」

胸が一つ大きく跳ねた。その後、鼓動が激しくなった。全身が熱くなっていく。

そんなはずは、と思った。

「もちろんいわれたとおりに作ったよ。俺は感激したね。ただわからんのは、これをどうしてあんたに話しちゃいけないのかということだ。でもそれについては、藻奈美ちゃんは教えてくれなかった。とにかく絶対にお父さんには話すなといわれたんだ。話したら恨むとまでね。でも、別に構わないよねえ。気を悪くなんかしなかったよねえ」

どう答えたのかは覚えていない。気がついた時には平介は店を出ていた。

そんなはずはない、そんなはずはない――歩きながら呟いていた。

あの指輪はテディベアのぬいぐるみの中に入っていたはずだ。直子が入れたのだ。それをなぜ藻奈美は取り出したのか。いや、取り出せたのか。あの中に指輪が入っていることを藻奈美が知っているはずがないのだ。あれは直子との間の秘密だった。

直子がノートを通じて藻奈美に教えたのか。それにしても、なぜ指輪を作り変える必要がある。それを隠す必要がある?

平介はタクシーを拾った。結婚式の行われるホテル名をいった。

彼は自分がはめている指輪に触れた。心が熱くなっていく。

直子――。

君は消えてはいないのか。ただ消えたように振る舞っただけなのか。

平介は初めて藻奈美が出現した時のことを思い出した。あの前日、平介は一つの決意をした。彼女のことを藻奈美として扱い、自分は父親になろうと決めた。「藻奈美」と呼ぶことによって、それを意思表示した。

それを受けて直子はどう思ったのだろう。夫の覚悟を知り、自分も一つの決断をしたのではないか。

藻奈美が蘇ったように見せかけ、そのまま藻奈美になりきる、というふうに。

しかしそれは急にはできない。そこで一つの方法を選んだ。それが直子を少しずつ消していくというものだった。

九年間——彼女が演じ続けてきた年数だ。それを彼女は死ぬまで続ける気でいる。

山下公園でのことを思い出した。あの日は直子が消えた日ではなく、彼女が直子として生きることを完全に捨てた日だったのではないか。藻奈美として目覚めた後、大声を出して泣いたのは、自己を捨てた悲しみの涙だったのではないか。

直子、君はまだ生きているのか——。

ホテルに到着した。平介は投げ捨てるように金を支払うと、駆け足で中に入っていった。ホテルマンを見つけ、早口で場所を聞いた。年配のホテルマンは、わざとじらしているようにゆっくりと答えた。

エレベータに乗り、式場の階で降りた。三郎や容子の姿が見えた。

「あら、ようやく来たのね。何ぐずぐずしてたのよ」容子がいった。

「藻奈美は？」と平介は訊いた。息がきれていた。

「案内したげるわ」

容子に連れられて花嫁控え室の前までいった。容子はノックをして中を覗くと、「入っていいそうよ」と平介にいった。そして気をきかせたか、自分は皆のところへ戻っていった。

平介は深呼吸を一つしてからドアを開けた。

いきなり藻奈美のウェディングドレス姿が目に飛び込んできた。それは大きな鏡に映ったものだった。鏡を通して彼女は平介を見つめ、それからゆっくりと振り返った。花のような香がたちこめていた。

「これは、また、なんと」

約三十年前の光景を彼は思い出した。直子もウェディングドレスがよく似合った。着付け係が出ていった。平介と藻奈美は二人きりになった。二人は見つめあった。

直子——。

この瞬間、平介は悟った。

ここで何をいっても無駄だ。訊いても意味はない。彼女は決して認めない。自分が直子であることを。そして彼女がいわないかぎり、彼女は藻奈美だ。平介にとって、娘以外の何者でもない。

「お父さん」彼女がいった。「長い間、本当に長い間、お世話になりました」涙声になっていた。

うん、と平介は頷いた。永遠の秘密を認める首肯《しゅこう》でもあった。

その時ノックの音がした。平介が返事すると、根岸文也が顔を覗かせた。彼は新婦を見て、目を輝かせた。

「うわあ、奇麗だ。奇麗としかいいようがない」そして平介を見る。「ねえ、お父さん」

「そんなことは三十年も前からわかっているよ」と平介はいった。「それより文也君、ちょっと来てくれ」

「はい、何でしょう」

平介は文也を別の控え室まで連れていった。幸い誰もいなかった。

平介は間もなく藻奈美と結婚する予定の男の顔を見た。新郎は少し緊張していた。

「君に一つ頼みがあるんだけどね」平介はいった。

「はい、何なりと」

「そう難しいことじゃないんだ。ほら、よくいうじゃないか。花嫁の父親が花婿に対してどうしてもしたいことというやつだ。あれをさせてもらえんかね」

「は？　なんですか」

「これだよ」平介は拳を文也の前に出した。「殴らせてくれ」

「えーっ」文也はのけぞった。「今ここで、ですか」

「いかんかね」

「えー、いやー、参ったなあ。これから写真も撮らなきゃいけないし」文也は頭を掻いていたが、やがて大きく頷いた。「わかりました。あんなに奇麗な娘さんをちょうだいするんですから、そのぐらいのことは我慢しましょう。一発いただきます」

「いや、二発だ」

「二発？」

「一発は娘をとられた分だ。もう一発は……もう一人の分だ」

「もう一人？」

「何でもいい。目をつぶれ」

平介は拳を固めた。だが、それを振り上げる前に涙があふれた。彼はその場に座り込んだ。そして顔を覆い、声がかれるほどに泣きだした。

『秘密』との日々

広末涼子

『秘密』は、私にとっていろいろな意味で思い出深い作品です。初めての主演映画ということはもちろんですが、何より、本を読んだ途端に、この作品の持つ魅力にすっかりはまってしまったのです。本のカバーは、一見、重厚なミステリー風ですが、中に描かれているのは、特殊な状況に陥った夫婦の日常を丁寧に描いた切ない物語。カバーを外すと、子供部屋の精密な風景という単行本の装幀も、内容にとても合っていて、気に入りました。これが映画になったらぜひ劇場で観てみたい！　ただし、自分以外の誰かが演じてくれるのなら……。

そうなんです。白状すると、せっかくの主演のお話なのに尻込みしてしまうくらい、この役、つまり、私が演じた直子と藻奈美は、とてつもなくむずかしい役に感じられたのです。最近はCGも発達しているので、映像的な加工で役を補助するという方法もあったのかもしれませんが、私としてはそういう方法で役にのぞむことは絶対にしたくありませんでした。そうすると、演技力で、十八歳の女の子と四十歳の母（映画での年齢設定は原作と少し違います）を演じ分けるしかない。しかし、この役は、単なる二役ではなく、娘・藻奈美の体に母・直子が入り込んで、高校生として暮らすという複雑な構造になっています。おまけに、そんな特殊な状況の中での夫婦の日常を丹念に演じていくわけですから、今、私が演じているのが、直子なのか藻奈美なのか、本当に観客の皆さんがわかってくれるだろうか、正直なところ、撮影前はどきどきでした。

撮影はちょうど大学最初の夏休みに行われました。真夏に冬のシーンをとるという過酷な状況でしたが、現場には笑いが溢れ、慣れない映画という緊張も共演者やスタッフの皆さんが吹き飛ばしてくださり、本当に楽しく撮影が進みました。

役作りといっても、最初は暗闇を手探りで進むような感じでしたが、まずは、直子に年齢の近い女性を観察することから始めました。もちろん、身近なところで自分の母も含めて――。観察していくうちにいくつか面白い発見がありました。中でも、女子高生とおばさんの話し方のスピードの違いには、驚きました。実は、最近の女子高生の喋り方（あの語尾をのばす感じを思い出してください）に比べると、母くらいの年齢の人の方がちゃきちゃき話している場合が多いのです。年上の人の方がゆっくり話すという私の先入観は、見事に崩れました。でも、こういう発見が、直子と藻奈美を演じる一つの〝手掛かり〟になっていったのだと思います。

こんなこともありました。入れ替わる前の直子を、岸本加世子さんが演じていたのですが、とてもかわいい素敵な直子だったので、初めのうちは岸本さんの真似をしようとなんとかがんばってみたのです。岸本さんの声のトーンに似せ、低く話すのですが、私はテンションがあがるとどうしても声が高くなってしまうので、最後にはあきらめました。やはり、自分なりの直子を模索するしかないのだと、その時改めて心に決めました。

　監督も私がやりやすいようにと、直子の部分をまとめて撮影してくれました。しかし、今度はずっと直子だったせいで、年齢が近いはずの藻奈美を演じる方が、むずかしくなってしまったのです。おまけに、撮影が終わって久しぶりに友達に逢ったら、なんと「涼子、どうしたの？　おばさんぽいよ」と言われ、大ショック。どうも、しぐさやノリが元に戻っていないらしいのです。皆さん、想像してください。「どっこいしょ」という掛け声なしには動けず、立ってるだけで自然と腰に手がいく十九歳を……。「残り少ない十代なのに！」と本気であせりました。

　いろいろ苦労はあったものの、杉田直子という女性を演じるのは、本当に楽しかったです。夫である平介をとても愛していて、常に彼のことを考えている、わがままな部分もかわいらしい部分も備えた女性らしい女性。彼女の最後の決断も、女性ならでは、というより、女性じゃないとわからないのではと思いました。

　私としては、そんな直子の決断に大賛成だったのですが、実際に撮影現場に入って、スタッフや役者さんの考えをいろいろきくうちに、本当にあの決断はよかったのだろうかという疑問が湧いてきました。私自身もそういう意味で迷いながら、演じていたのだと思います。が、そのうちに、直子自身も、すっぱり割り切って決断したのではなく、常に迷いながらも、平介への優しさから心を鬼にしたのだろうと、思い至りました。今ではさらに進んで、それは夫だけのためでなく、直子にとっても、どうしようもない状況から逃れるための最後の選択で、ある意味、そういう自分のずるさもわかった上での決断だったのではないかと、解釈しています。本を読んで理解するのと演じて役を理解するのでは、こんなふうに少し違いがあるのかもしれません。私は、辛い決断を一人でやり遂げようとした直子がとても好きでした。だから、原作と違う映画のラストシーンには、いろいろ……これ以上書くと、これから映画をご覧になる方に怒られそうなので、ストップします。

きっと、この作品は女性の立場で読むのと、男性の立場で読むのとでは、かなり違うのではないでしょうか。撮影現場でもそうでしたが、男性にとって妻のあの発言はきついとか、女性だったら夫のこの行動は許せないとか、議論になることが山ほどあると思います。カップルで映画を観にいった人たちが喧嘩になるんじゃないかと、密かに心配していたくらいです。私は、原作を読んだ母と話してみたのですが、感動するところが同じで、「さすが親子!」と思いました。せっかくですから、読み終えたら、性別も立場も年齢も違う人たち同士、喧嘩にならない程度に、ぜひ議論してみてください。

それから、この小説の忘れてはいけないもう一つの側面に、事故の加害者と被害者の問題があります。直子は、この事故で愛娘を失い、自分も特殊な状況に追い込まれてしまったわけですから、二重の意味での被害者でした。作品の中には、加害者(正確には加害者の親族ですが)と被害者の、各々の立場での辛さが描かれていますが、著者である東野さんは、不幸にしてそういう立場になってしまった人たちをそのまま放り出すのではなく、その関係に救いのある結末を用意してくれました。私は、そこに東野さんの優しさを感じました。

撮影から早二年がたとうとしています。自分の出た映画をわざわざもう一度観てみるというのは、恥ずかしくて私にはなかなか勇気がいることですが、今、一番観かえしてみたい映画です。きっと今だからこそ見えてくるものがあると思うのです。

二十歳になった今、この役を演じたら、もっとリアリティがあり、違う直子になったのでは……と考えたりもします。でも、その一方で、十九歳のあのときしか、出来なかったことがあったのだとも思います。『秘密』は私の人生の中で、出会うべくして出会った映画なのだと、今では確信を持って言えます。

これからもこの本を、何かの折りにたびたび、読み返してみようと思います。年齢を経ると受ける印象も全然変わる映画があるように、小説も読み返すたびに感じ方が違う作品がありますよね。『秘密』はそんな長いおつきあいになる小説だと思っています。

（女優）

解説

皆川博子

一九九八年、刊行と同時に読者からも書評家からも熱く迎えられたのが、東野圭吾さんのこの『秘密』です。

寄せられた読者の声のほんの一部を引いてみましょう。男性も女性も、幅広い年齢層にわたっています。

〈最後の数頁で何が「秘密」なのかがわかって心が震えました。〉

〈ラストシーンは父親になっていない私でも共感するものがあった。〉

〈感動した！　こんな気持ちを味わいたくて、駄作にあたっても読書はやめられない。〉

〈自分というものの大切さについてしみじみ考えさせられた。〉

そうして、書評家の方々も、称賛の言葉をつらねておられます。これも、挙げきれないので、ほんの一部を引きます。

北上次郎さんは〈一九九八年度のベスト1に自信を持って推す〉（本の雑誌）、西上心太さんは〈感涙と驚嘆のダブルパンチ！〉（ミステリマガジン）、郷原宏さんは〈内容、形式ともに読みどころの多い秀作である〉（神奈川新聞）、吉野仁さんは〈謎に満ちた展開と意外性、そして物語の感動も充分に味わえる傑作である〉(小説現代)とそれぞれ絶賛しておられます。

こんなにも読む人の心を摑んだ『秘密』とは、どういう小説なのでしょう。

東野圭吾さんは、あらためて記すまでもないことですが、一九八五年、『放課後』によって江戸川乱歩賞を受賞し、ミステリ作家としてデビューされました。その後の作風、そして素材は、実に多岐にわたっています。

乱歩賞受賞のとき、東野さんは二十七歳という若さでした。受賞作は次作『卒業』とともに、学園を舞台にした、ジャンルの名称にしたがえば青春ミステリ(といっても、きちんと本格のコードにのっとった)、その後の『十字屋敷のピエロ』や『ある閉ざされた雪の山荘で』は、閉鎖空間に舞台を限定した純本格物でした。

さらに、叙述トリックやSFの発想・手法を駆使し、幾つもの鉱脈を掘りあてていきます。

ミステリの醍醐味のひとつに、さりげなく張られた伏線が、ラストになって活き活きと血がかよい、物語の別の顔があらわれるということがありますが、『むかし僕が死んだ家』を読了したとき、東野さんはこの手法の達人だと感じ入ったのでした。

一転して、天下一大五郎を主人公とした『名探偵の掟』では、本格ミステリをおちょくりまくって読者を笑わせます。けれど、この笑いは、冷笑ではありません。本格という縛りの持つ苦悩を味わった誠実な作者の痛み、そうして、それを突き放して材料にするクールさを感じます。

伏線や手掛かりをフェアにはりめぐらし、それらを論理的にたどれば、読者も真犯人に到達できるのが純本格ミステリですが、読者はとかく怠惰、一番犯人らしくないから、こいつが犯人だろう、なんていいかげんにカンで見当をつけがちです。それを許さないのが、『どちらかが彼女を殺した』です。容疑者は二人しかいません。そのどちらかが殺したのです。ところが、探偵役は明瞭に犯人を指摘するのですが、その名前を作者は書かない。

〈犯人は放心状態で、虚ろな視線を空中に漂わせていた。〉

作者が心魂込めてちりばめたフェアな伏線、手掛かりです。読者にも推理することを求めているのです（親本を読んで犯人がわからず苦悶した読者は、文庫版をお読みください。巻末に袋綴じで、西上心太さんが解説しておられます。白状すれば、私もわからなかった。私は怠惰な読者です）。

　クールという姿勢は、突拍子もない謎を天才科学者が、理路整然と解きあかす『探偵ガリレオ』『予知夢』に顕著です。淡々と冷静に語られるので、よけいユーモラスです。ユーモラスといえば、『怪笑小説』『毒笑小説』という、シニカルな毒をたっぷり仕込んで笑いの味付けをした傑作短編集があります。

デビュー以来ミステリのさまざまなありようを真摯に果敢に探索してこられた東野圭吾さんの一つの到達点である『秘密』は、穏やかな家庭の朝からはじまります。〃予感めいたものなど、何ひとつなかった〟という冒頭の一行が、その後に続く波瀾の予感を読者に与えます。

自動車部品メーカーの生産工場に勤務する杉田平介は、妻と小学校五年になるひとり娘をこよなくいとしんでいる、四十歳になるごくふつうのサラリーマンです。夜勤は辛いけれど、朝食を家族といっしょにとるのを楽しみにしています。

でも、この〝予感めいたものなど、何ひとつ〟ない夜勤明けの朝、平介は、ひとりで侘しく朝飯の支度をしなくてはならなかった。妻直子が従兄の告別式に出席するため長野の実家に帰り、娘の藻奈美もスキーをやりたくて同行したためでした。

まるで炊事のできない平介のために直子が用意しておいてくれた料理の数々が細やかに記されます。いささか肥り気味でお喋りだけれど心配りのゆきとどいた妻と、素直な娘。三人の穏やかであたたかい家庭生活が十分に読者の目に浮かんだところで、テレビが平介に衝撃的なニュースを伝えます。

スキーバスの転落。多数の死傷者。重傷で入院したもののなかに、妻と娘の名前。

娘を庇って躰の上におおいかぶさった直子は血みどろになって死に、娘だけが、瀕死の状態から奇跡的によみがえります。

三人の家族は、こうして二人家族になったのですが、しかし、実際は三人とも言える、奇妙な事態が生じます。

娘の肉体に宿った意識は、妻直子のものでした。外見は十一歳の娘、意識は——あるいは魂はといいましょうか――三十六歳の妻である存在とともに、平介は日常の暮らしをつづけることになります。

外観の年齢と内部の実年齢の乖離を描いた小説や映画はこれまでにもあります。『秘密』が読者を感動させたのは、その後の生活の描きようによります。

コミカルにでもシニカルにでも、東野さんの筆力なら、どのようにでも書きこなせるシチュエイションですが、作者は、異常な事態に誠実に対処する夫婦の姿を、誠実な、そうしてクールな筆で描出します。誠実とクールは、作家東野圭吾の創作理念をあらわすキーワードと思います。

作者は視点を平介にさだめ、中年の男性である平介の心の揺れと、幼い女の子から少女にそうして娘にと成熟していく肉体を持たされた直子の心の揺れを、細やかに明瞭に読者に伝えます。

夫は、娘の肉体を持った妻を抱けるか。妻はどう感じているのか。

二人とも、ストイックなまでに互いに誠実です。しかし、男の肉の欲は、理屈では鎮まらない。平介の心情は、多くの男性読者の共感を得ました。

娘の肉体を持った妻は、奇跡的に所有した二度目の人生を、意志的に生きようとします。それは、いつの日か、この躰に娘がもどってきたときのために、最善の器をつくることでもあります。直子のありように、多くの女性読者が共感したのでした。

事故を起こし死亡したスキーバス運転手の家族の秘密もからみ、物語に興趣を添えています。

哀切なラストの〈秘密〉は、物語の終焉ではなく、新しい出発を読者に予感させます。

そうして、『秘密』は、作家東野圭吾のさらなる高峰にむけての出発をも予感させます。

（作家）

単行本　平成一〇年九月　文藝春秋刊

文春文庫

秘《ひ》密《みつ》

定価はカバーに
表示してあります

2001年５月10日　第１刷
2009年12月５日　第44刷

著　者　東《ひがし》野《の》圭《けい》吾《ご》
発行者　村上和宏
発行所　株式会社 文藝春秋

東京都千代田区紀尾井町 3-23　〒102-8008
ＴＥＬ　03・3265・1211
文藝春秋ホームページ　http://www.bunshun.co.jp

落丁、乱丁本は、お手数ですが小社製作部宛お送り下さい。送料小社負担でお取替致します。

印刷・凸版印刷　製本・加藤製本　Printed in Japan
ISBN978-4-16-711006-2

（　）内は解説者。品切の節はご容赦下さい。

最後の藁《わら》　夏樹静子
その朝、院長は死体で発見された。傍のブランデーグラスとボトルからは濃度のちがう青酸ソーダが検出された。自殺か、他殺か。推論と捜査が動機と犯行を結ぶ傑作推理三篇。（佐野　洋）
な-1-25

幻の男　夏樹静子
夫殺しの疑いをかけられた社長夫人・蕗子。アリバイを証明するのは身元不明の「幻の男」だけ――？　日常に潜む悪意と欲望の危うい交差を描いた表題作ほか全三篇を収録。（大草秀幸）
な-1-26

花を捨てる女　夏樹静子
毎日新鮮な花束を買っては捨て、墓参を欠かさなかった女。その行動の裏には、アリバイとは違う「ある企み」があった……。表題作ほか傑作ミステリー全六篇を収録。（海月ルイ）
な-1-27

モラルの罠　夏樹静子
車の運転中に、一酸化炭素中毒で亡くなった母。排気管に鼠がつまっていたのは果たして偶然か。安全で便利なはずのシステムが突如凶器と化す待望のミステリー作品集。（白石公子）
な-1-28

サイレント・ボーダー　永瀬隼介
渋谷で自警団を率いる十八歳の三枝航《わたる》と、家庭内暴力の息子を抱えるライターの仙元との邂逅。航のカリスマ性の裏に潜む狂気は暴かれるのか。著者鮮烈の小説デビュー作。（西上心太）
な-48-1

デッドウォーター　永瀬隼介
死刑への恐怖心をまったく抱かない、五人を強姦殺人した獄中の殺人鬼に復讐することは可能か？　綿密な取材に裏打ちされた、死刑制度に新たな光を当てるサスペンス。（西上心太）
な-48-3

セカンド・サイト　中野順一
キャバクラのボーイ・タクトは、店のナンバーワンのエリカにストーカー退治を依頼され、新人の花梨《かりん》に他人の未来を知る不思議な能力があるのを知る。サントリーミステリー大賞受賞作。
な-51-1

（　）内は解説者。品切の節はご容赦下さい。

西澤保彦
黄金色《きんいろ》の祈り
他人の目を気にし、人をうらやみ、成功することばかり考えている「僕」は、人生の一発逆転を狙って作家になるが……。作者の実人生を思わせる、異色の青春ミステリー小説。（小野不由美）
に-13-1

西澤保彦
神のロジック 人間《ひと》のマジック
ここはどこ？　誰が、なぜ？　世界中から集められ、謎の〈学校〉に幽閉されたぼくたちは、真相をもとめて立ちあがった。驚愕と感動！　世界を震撼させた傑作ミステリー。（諸岡卓真）
に-13-2

楡　周平
無限連鎖
全米各地で再び同時多発テロが起きた直後、今度はセレベス海で日本のタンカーが乗っ取られる。爆薬を積んだ船は東京湾へ。刻一刻と近づく危機に、日米首脳の決断は――。（郷原　宏）
に-14-1

二階堂黎人《れいと》
猪苗代マジック
猪苗代の高級スキー・リゾートで十年前と同じ手口の連続殺人が発生。だが、十年前の犯人はすでに死刑になっていた。狡猾な模倣犯と名探偵・水乃サトルの息詰まる頭脳戦！（羽住典子）
に-16-1

貫井徳郎
神のふたつの貌《かお》
牧師の息子に生まれた少年の無垢な魂は、一途に神の存在を求めた。だが、それは恐ろしい悲劇をもたらすことに……。三幕の殺人劇の果てに明かされる驚くべき真相とは？（鷹城　宏）
ぬ-1-1

貫井徳郎
追憶のかけら
失意の只中にある松嶋は、物故作家の未発表手記を入手するが、彼の行く手には得体の知れない悪意が横たわっていた。二転三転する物語の結末は？　著者渾身の傑作巨篇。（池上冬樹）
ぬ-1-2

乃南アサ
紫蘭の花嫁
謎の男から逃亡を続けるヒロイン、三田村夏季。同じ頃、神奈川県下で連続婦女暴行殺人事件が……。追う者と追われる者の心理が複雑に絡み合う、傑作長篇ミステリー。（谷崎　光）
の-7-1

乃南アサ
冷たい誘惑

家出娘から平凡な主婦へ、そしてサラリーマンへ。手から手へと渡る一挺のコルト拳銃が「普通の人々」を変貌させていく。精密な心理描写で描く銃の魔性。『引金の履歴』改題。（池田清彦）

の-7-2

乃南アサ
暗鬼

嫁いだ先は大家族。温かい人々に囲まれ何不自由ない生活が始まったが……。一見理想的な家に潜む奇妙な謎に主人公が気付いた時、呪われた血の絆が闇に浮かび上がる。（中村うさぎ）

の-7-3

乃南アサ
軀（からだ）

お臍の整形を娘にせがまれた母親。女性の膝に興奮するサラリーマン。「アヒルのようなお尻」と言われた女子高生——。日常が一瞬で非日常に激変する「怖さ」を描く新感覚ホラー。

の-7-4

乃南アサ
水の中のふたつの月

偶然再会したかつての仲良し三人組。過去の記憶がよみがえるとき、あの夏の日に封印された暗い秘密と、心の奥の醜さが姿をあらわす。人間の弱さと脆さを描く心理サスペンス・ホラー。

の-7-5

乃南アサ
ヴァンサンカンまでに

同期入社の恭一郎と付き合いながら、彼の上司ともゲーム感覚で不倫している新入社員の翠だが、彼女の周囲に恋愛をめぐる思わぬ事件が発生。翠の恋愛ゲームにも暗雲が。（斎藤由香）

の-7-6

樋口有介
魔女

就職浪人の広也は二年前に別れた恋人・千秋の死を知る。彼女は中世の魔女狩りのように生きながら焼かれた。事件を探る内に見えてきた千秋の正体とは。長篇ミステリー。（香山二三郎）

ひ-7-3

樋口有介
枯葉色グッドバイ

ホームレスの元刑事、椎葉は後輩のモテない女刑事に日当二千円で雇われ、一家惨殺事件の推理に乗り出すが——。青春ミステリーの名手が清冽な筆致で描く、人生の秋の物語。（池上冬樹）

ひ-7-4

（　）内は解説者。品切の節はご容赦下さい。

ぼくと、ぼくらの夏
樋口有介
同級生の女の子が死んだ。夏休みなんて、泳いだり恋をしたりするものだと思っていたのに……。サントリーミステリー大賞読者賞受賞、開高健も絶賛した青春ミステリー。（大矢博子）
ひ-7-5

秘密
東野圭吾
妻と娘を乗せたバスが崖から転落。妻の葬儀の夜、意識を取り戻した娘の体に宿っていたのは、死んだ筈の妻だった。推理作家協会賞受賞の話題作、ついに文庫化。（広末涼子・皆川博子）
ひ-13-1

探偵ガリレオ
東野圭吾
突然、燃え上がる若者の頭、心臓だけ腐った死体、幽体離脱した少年。奇怪な事件を携えて刑事は友人の大学助教授を訪れる。天才科学者が常識を超えた謎に挑む連作ミステリー。（佐野史郎）
ひ-13-2

予知夢
東野圭吾
十六歳の少女の部屋に男が侵入し、母親が猟銃を発砲。逮捕された男は、少女と結ばれる夢を十七年前に見たという。天才物理学者が事件を解明する、人気連作ミステリー第二弾。（三橋　暁）
ひ-13-3

片想い
東野圭吾
哲朗は、十年ぶりに大学の部活の元マネージャー・美月と再会。彼女が性同一性障害で、現在、男として暮らしていると告白される。しかし、美月は他にも秘密を抱えていた。（吉野　仁）
ひ-13-4

レイクサイド
東野圭吾
中学受験合宿のため湖畔の別荘に集った四組の家族。夫の愛人が殺され妻が犯行を告白、死体を湖に沈め事件を葬り去ろうとするが……。人間の狂気を描いた傑作ミステリー。（千街晶之）
ひ-13-5

手紙
東野圭吾
兄は強盗殺人の罪で服役中。弟のもとには月に一度、獄中から手紙が届く。だが、弟が幸せを摑もうとするたび苛酷な運命が立ち塞がる。爆発的ヒットを記録したベストセラー。（井上夢人）
ひ-13-6